CLAIRE PONTBRIAND

LE MANOIR d'Aurélie

Les Éditions
Coup d'œil

De la même auteure

Poignées d'amour, roman, Les Intouchables, 1998.
Fugues au soleil, roman, Les Intouchables, 1999.
L'amitié avant tout, roman, Les Intouchables, 2000.
Un soir de juin, roman, La Pleine lune, 2000.

Graphisme et mise en pages :
Sophie Binette

Correction :
Katherine Mossalim

Première édition : © Les Intouchables, 2003
Pour la présente édition : © Les Éditions Coup d'œil, 2012

Dépôt légal : 2e trimestre 2012
Bibliothèque et Archives nationales du Québec
Bibliothèque nationale du Canada

Imprimé au Canada

ISBN : 978-2-89690-353-5

Le manoir d'Aurélie est une œuvre de fiction située dans un contexte politique et historique. Bien que des événements semblables à ceux décrits dans cette histoire aient existé, les personnages et les péripéties sont pure invention.

La Cadillac longeait le mur de pierre et approchait des grilles de l'entrée. Des plantes grimpantes couvraient le mur, rejoignant presque les branches des érables. Aurélie leva la tête distraitement. Le manoir lui apparut, ou plutôt la tourelle sud et le toit pentu en ardoises rouges, le reste étant caché par la végétation. Elle cligna des yeux. Pendant un bref instant, si bref, elle crut avoir été transportée au Moyen Âge. Elle avait vu Gisèle à la fenêtre de la tourelle comme une demoiselle en détresse. Elle venait pourtant de jeter des roses sur sa tombe et celle de Benjamin, des roses qu'elle avait cultivées avec amour pour les condamner à se faner dans un cimetière. Devait-elle consulter son médecin pour de telles hallucinations ? Non, les médecins n'étaient là que pour vous découvrir de nouvelles maladies. Elle se portait très bien sans eux. L'automobile passa les grilles. Les hortensias étalaient leurs inflorescences rose vif au pied de la tourelle que le lierre envahissait jusqu'au deuxième étage. Le porche de pierre grise formait un cube austère, contrastant avec les courbures du toit, les lucarnes et les pignons. Aurélie fixa cette demeure, la sienne depuis son enfance, avec un regard d'étrangère. Jean-Paul avait arrêté la Cadillac près de la tourelle. Il sortit et ouvrit la portière à Aurélie qui regardait le porche sans bouger.

– Vous allez bien, madame ?

Les yeux d'Aurélie papillonnèrent. Aller bien ? Comment aurait-elle pu aller bien ? Elle venait d'enterrer sa fille et son petit-fils. Deux morts d'un seul coup, c'était beaucoup, non ? Trop, sans doute. Et ce château terriblement vide qui l'attendait, désert et gris. Il avait été longtemps son bonheur, sa fierté, son refuge. Il ressemblait maintenant à une coquille vide. Qui habiterait ce palais de petite fille, cette demeure de grande dame, ce manoir des soirs de fête ? Un cousin éloigné, un neveu ou une nièce qu'elle n'avait jamais vu. Non, ils vendraient tout cela rapidement pour profiter de l'argent qu'ils pourraient en tirer. Ils feraient la fête avec tout ce fric tombé du ciel, des dollars qui enrichiraient de parfaits inconnus ou disparaîtraient dans le jeu, l'alcool, les filles ou les parures. Ce serait en fait la fortune de tous ceux qui vivent comme des sangsues autour des riches, que ce soit la petite esthéticienne ou le restaurateur, le bijoutier ou le couturier, le vendeur d'autos de luxe ou le masseur à domicile. La fortune retomberait comme une manne sur eux, à moins que ces imbéciles d'héritiers ne préfèrent la cacher dans un paradis fiscal. Émietter une telle demeure pour si peu, ce serait de la folie. Aurélie avait beau être âgée, elle savait qu'elle n'était pas folle.

Jean-Paul tendit son bras à la vieille dame. Il n'était plus jeune non plus, mais il n'avait pas voulu prendre sa retraite l'année précédente, le jour de ses soixante ans. Il ne pouvait pas laisser madame Aurélie entre les mains d'un simple chauffeur. Et puis, la retraite, c'était quoi ? Passer son temps devant le téléviseur ou faire de petites promenades comme il voyait les retraités en faire tous les soirs sur les rives du fleuve, du moins quand le temps le permettait. Il préférait astiquer la

Cadillac et aider Simone à porter les paquets. La vie était douce et tranquille au manoir et il aimait sa chambre, dont les fenêtres lui offraient une belle vue sur le fleuve. Il n'osa pas regarder Aurélie dans les yeux, trop de chagrin s'y accumulait.

Elle saisit son bras avec sa fine main gantée de noir. Le chauffeur sentit à peine le poids de son corps ; elle était si menue. Il passa son bras sous le sien pour la soutenir, mais aussitôt sa patronne se raidit et se redressa. Elle marcha lentement vers le porche, le nez levé vers la dernière fenêtre de la tourelle, sa salle de lecture et de recueillement. Gisèle n'était plus là pour l'appeler. Personne n'était plus là pour l'appeler. Simone avait ouvert la porte et attendait la vieille dame, une main serrée sur la poitrine comme elle le faisait si souvent, comme si elle voulait prévenir une crise cardiaque ou empêcher son cœur de faire un bond de trop. La démarche d'Aurélie se fit plus assurée. Elle portait un de ces petits tailleurs Chanel noirs à liséré blanc, le classique des classiques, trois rangs de perles autour du cou, un petit chapeau noir orné d'une voilette toute fine qu'elle avait remontée sur le bord. Elle gravit les trois marches du porche et sourit à Simone, un de ces sourires qui se veulent rassurants, mais qui ne convainquent personne.

— Je vous ai préparé du thé, madame Aurélie.

— Merci, Simone, un peu plus tard peut-être. Je veux quitter ces vêtements. C'est trop lourd pour une si belle journée d'été.

Aurélie traversa le hall d'entrée. Passant devant le salon oriental, elle tourna à droite. La salle à manger était impressionnante, mais vide. La vieille femme monta lentement l'escalier qui conduisait aux chambres. Sa main toujours gantée courait doucement le long de la rampe, effleurant à peine le bois roux. À chaque pas, Aurélie glissait son pied sur le bois poli par l'usure et levait les yeux pour regarder les portraits de famille ornant le mur. Celui de sa mère l'accueillit au sommet des marches, comme d'habitude. Ariane portait une robe de soirée en satin bleu nuit qui moulait sa silhouette. Ses épaules étaient mises en valeur par un boléro à manches longues du même tissu, et son décolleté, en forme de cœur, faisait ressortir le pendentif en diamants et en saphirs que lui avait offert Edmond pour leur dixième anniversaire de mariage. Elle avait la main appuyée sur le dossier de la bergère Louis XV qu'elle affectionnait tant. Ce fauteuil se trouvait toujours dans sa chambre, dans la tourelle ouest, placé face au fleuve pour permettre à son occupante d'admirer les couchers de soleil. Aurélie avait refusé de s'y installer, préférant aménager sa chambre dans une pièce qui donnait directement sur le fleuve. Elle sourit à sa mère, toujours aussi belle et inaltérable dans le temps. Elle avait seize ans quand un portraitiste de Montréal était venu, à plusieurs reprises, installer son chevalet dans le salon bibliothèque pour y peindre la belle Ariane. Aurélie s'était assise près d'eux, admirant tour à tour sa mère et la dextérité du peintre. Elle était fascinée par sa capacité à rendre la vie par petites touches, à reproduire le sourire et la luminosité du regard de cette femme du monde, à qui seule sa beauté avait permis de connaître cette vie de luxe, elle qui était née modestement de parents fermiers.

On ne faisait plus de portraits maintenant. On se contentait de photographies pour immortaliser le moment. Aurélie n'avait d'ailleurs jamais posé pour un peintre, même à la demande de son mari alors qu'il était ministre. Elle avait eu un tas de photos officielles, bien sûr, documentaires et sans âme. En fait, les plus belles photos provenaient de son petit-fils Benjamin, à l'occasion de son dernier anniversaire. Il avait réussi à la capter vivante et souriante dans la roseraie, le soleil jouant sur ses cheveux dorés, les yeux brillants de malice comme une petite fille. Il avait su saisir le meilleur d'elle-même et l'immortaliser alors qu'il n'avait pas vingt ans. Son talent s'était évanoui à jamais dans une mort stupide et banale un soir de pluie. Une route sombre, un moment d'inattention, des phares aveuglants, une manœuvre non maîtrisée par inexpérience, les cris de sa mère, Gisèle, le dérapage. Ils étaient tous les deux morts sur le coup. Aurélie s'arrêta sur le palier, tremblante de colère, de rage, de chagrin. Elle avait perdu ceux qu'elle aimait. Il ne lui restait que ce décor fastueux pour témoigner d'une vie passée.

Simone, inquiète, monta l'escalier pour aller la rejoindre. Les deux femmes se firent face en silence. La domestique avait envie de prendre sa patronne dans ses bras, de la consoler comme une petite fille, mais elle se retint, son profession-nalisme prenant le dessus. Aurélie fut tout de même émue par la compassion qu'elle pouvait lire dans les yeux de sa dame de compagnie, sa femme de chambre, sa gouvernante, la compagne avec qui elle partageait cette vaste demeure et qui était à peine plus âgée que sa fille Gisèle. Les liens de travail qui les unissaient depuis plus de vingt ans empêchaient aussi Aurélie de se laisser aller avec Simone. Les habitudes et le protocole étaient trop bien ancrés pour s'en défaire si facilement. Simone se remémora la mort de sa mère, le vide intérieur indéfinissable, l'absence et aussi la présence intemporelle. Elle lui parlait encore parfois, souvent plus qu'elle ne le faisait de son vivant. Les morts ont ce pouvoir de se rappeler à nous dans les moments les plus inusités. On ne peut pas les congédier, les quitter. Ils nous suivent partout. Il n'y avait qu'à regarder tous ces morts suspendus aux murs pour comprendre qu'Aurélie vivait entourée d'une foule d'âmes en peine.

– Je vais prendre le thé dans ma chambre, Simone. Apportez-moi aussi le bottin téléphonique de Montréal.

Il était visiblement satisfait de son portfolio qu'il sortit de son auto d'un geste élégant. Le travail n'avait pas été trop compliqué. L'expérience qu'il avait acquise en travaillant pendant de nombreuses années pour des revues de décoration le servait à merveille. Cette commande était en plus grassement payée, double tarif, en fait, même si la petite vieille n'avait déjà déboursé que la moitié de la somme, attendant les résultats pour cracher le reste. Il aurait de quoi s'offrir un voyage à Paris. Il savourait déjà les belons bien fraîches, accompagnées d'un petit muscadet, qu'il commanderait en regardant passer les gens pressés de faire leurs emplettes de Noël. Il adorait cette période de l'année à Paris. Les touristes ne seraient pas encore arrivés en prévision de la Saint-Sylvestre ; les Parisiens, pas encore partis pour les vacances de neige. Il pourrait s'offrir la fine cuisine des meilleurs restaurants. Et qui sait si les photos de ce manoir ronflant d'orgueil plaisaient à sa propriétaire, il aurait peut-être un petit bonus pour une nuit ou deux au Georges V.

Devant la lourde porte de chêne de l'entrée, il sonna d'une main assurée et attendit. Une femme entre deux âges, dont il avait oublié le nom, aux cheveux blonds bien placés et au maquillage discret, lui ouvrit. Elle portait, comme la première fois qu'il l'avait vue, une jupe marine et une blouse blanche avec un collet de dentelle. Il se dit que ce devait être une sorte d'uniforme et passa la porte sans lui adresser un sourire. Il y avait quelque chose qui l'horripilait chez les domestiques, leur servilité sans doute.

Simone le fit passer au salon où elle lui demanda d'étaler les photos sur le piano à queue qui occupait le coin ouest, devant une fenêtre. Elle déplaça un vase contenant des roses fraîches pour faire plus d'espace et sortit chercher madame Aurélie.

Ayant la désagréable impression d'être traité comme un domestique, l'homme déposa bruyamment le portfolio sur le Steinway. La petite vieille trop riche serait sans aucun doute impressionnée par ses clichés professionnels qui auraient pu faire la couverture de *Décoration Chez Soi* ou de *La Maison de Marie-Claire*. Il avait su faire ressortir le cachet vieillot, très victorien, qui plaisait à toutes les mamies et les petites jeunettes qui rêvaient de luxe, de calme et de volupté. Les dorures des fauteuils Louis XV ou Louis XVI, allez donc savoir la différence, le confort des canapés plus modernes à coussins rembourrés de duvet d'oie, les pièces vastes et largement éclairées par toutes ces fenêtres donnant sur la verdure du parc et le fleuve, les hauts plafonds décorés, les tapis persans étalés harmonieusement sur les dalles de marbre, la table d'acajou de la salle à manger avec ses chaises à dossier ouvragé, l'escalier avec ses rampes de fer forgé comme de la dentelle, les lustres de cristal et les torchères Art déco où des nymphes éclairaient les coins du hall d'entrée, les toiles ornant certains murs, tout avait été capté avec précision. Il n'y avait que ces ennuyeux portraits le long de l'escalier qui donnaient l'impression de monter aux enfers, avec leurs visages sérieux et suffisants. Décidément, plus il regardait son travail et plus il l'appréciait. Il en avait au moins pour dix jours à Paris, au lieu des cinq habituels.

Aurélie pénétra dans le salon. Le petit homme grassouillet lui faisait dos, occupé à trier ses photos. Elle l'avait choisi pour sa sensualité, la rondeur de sa bouche gourmande, ses mains blanches et fines, convaincue qu'il aurait la sensibilité voulue pour capter l'âme de son manoir sous toutes ses coutures. La vieille dame était curieuse de voir comment il percevait la demeure dans laquelle elle avait vécu si longtemps. Elle s'approcha pour regarder son domaine étalé sur le piano. L'homme l'entendit et se retourna, un sourire béat accroché aux lèvres. Après l'avoir saluée d'un signe de tête, il se déplaça sur le côté pour qu'elle puisse admirer ses œuvres. Aurélie n'avait d'yeux que pour les clichés. Elle tendit la main vers eux, les prenant un à un et les examinant avec attention. Son visage changea graduellement, passant de l'espoir à la déception, puis à la colère contenue. Elle se tourna vers le photographe dont la bouche venait de s'ouvrir sans émettre un son.

— Qu'est-ce que vous voulez que je fasse de photos d'une telle insignifiance ? C'est d'une banalité effarante.

La lèvre inférieure du photographe se mit à trembler, puis il marmonna que ses clichés étaient excellents. Grâce à eux, elle pourrait vendre sa maison facilement. Personne ne pourrait faire mieux. Il se lança dans un long monologue vantant ses travaux qui, assurait-il, étaient appréciés des connaisseurs. Aurélie l'arrêta d'un geste de la main.

— Je ne veux pas de photos pour vendre cette demeure. Je voulais que vous en captiez l'âme, ce que vous êtes visiblement incapable de faire. Ces ordures sont à brûler. Sortez d'ici.

– Et la balance… Vous me devez…

– Vous êtes chanceux que je sois trop vieille pour vous mettre mon pied au derrière. Je vous conseille de filer et de ne jamais utiliser les négatifs, sinon vous aurez mes avocats sur le dos et je vous assure qu'ils sauront prendre jusqu'à votre dernière chemise.

Elle lui tourna le dos brusquement et fila vers la salle à manger pour se rendre à la cuisine. Simone attendait à l'entrée du salon, les bras croisés, que le petit homme replet ait ramassé ses clichés. Il les fourra rapidement dans son portfolio et sortit en retroussant le nez, pour bien montrer qu'il était au-dessus de tout ça. Simone lui sourit et s'empressa de refermer la porte derrière lui. Elle rejoignit ensuite Aurélie qui était assise à la table de la petite cuisine de service.

Habituellement, les repas se préparaient dans la grande cuisine au sous-sol. Un monte-plat les amenait dans cette cuisinette d'où ils étaient ensuite acheminés vers la grande salle à manger adjacente. Mais il y avait longtemps qu'Aurélie ne mangeait plus dans la salle à manger. Simone lui servait plutôt un plateau devant le téléviseur, dans la salle de séjour de la tour est, une grande pièce ronde et vitrée qui offrait la plus belle vue sur le fleuve. Aurélie y passait de longs moments quand elle n'était pas dans la serre à regarder pousser ses rosiers. Simone sortit deux verres de l'armoire et les remplit de limonade. Elle tendit un verre à sa patronne et s'assit près d'elle. Les deux femmes burent quelques gorgées en silence.

– C'était si mauvais ?

– J'avais l'impression qu'il y avait sur chaque objet une affiche «À vendre». Tout était placé pour faire un bel effet, mais c'était mort. Personne ne vit dans un tel décor de carton-pâte. Je n'aurais pas dû le choisir pour sa sensualité. J'aurais dû choisir son regard, ses yeux au lieu de sa bouche. La seule sensibilité de cet homme est pour lui-même, pour sa propre satisfaction. Je vieillis, Simone, je ne suis plus capable d'évaluer un homme.

— Moi, je n'en ai jamais été capable, vous auriez dû voir mon ex-mari… Aurélie sourit un bref instant, puis retomba dans sa tristesse.

— Le temps presse, je ne vivrai pas éternellement. Il faut que je trouve un vrai photographe pour immortaliser cette demeure.

— Mais elle ne sera pas détruite demain matin, vous avez le temps.

— Si je meurs, elle sera détruite ou du moins transformée à jamais, peu importe ce que j'écris dans mon testament. À moins que je ne la donne sous condition… Et si je te l'offrais, Simone ?

Simone la regarda un moment, incrédule, puis comprit que la proposition était sérieuse.

— Moi, madame ? Mais… c'est trop grand pour moi, je ne saurais pas quoi en faire.

— Tes enfants l'habiteraient ?

— Louis est très heureux à Vancouver, avec sa femme et ses trois enfants. Il ne veut pas revenir ici. Nicole a fait sa vie à Boston. Elle a ouvert une clinique médicale avec son mari. Qu'est-ce qu'elle ferait ici ? Elle peut se faire construire un château là-bas. Elle n'arrête pas de m'inviter à aller vivre avec eux.

– C'est ce que tu feras quand je ne serai plus là, non ?

– Je ne sais pas. J'aime bien les îles, et je pense que ça me plairait d'y avoir une petite maison. Boston n'est pas très loin, je peux y aller quand ça me plaît.

– Une petite maison dans les îles, coincée parmi tant d'autres, à écouter des moteurs de bateaux ou de tondeuses à gazon le samedi matin, c'est ça qui te plairait ? Ici, tu as le fleuve, les grands jardins, la tranquillité. Tu vis ici depuis plus de vingt ans.

– Mais ce n'est pas chez moi. Cette demeure, c'est votre histoire, votre famille, votre passé, elle vous raconte des choses que j'ignore. Je ne saurais pas m'y installer vraiment et ce n'est pas une maison pour une personne seule. Elle a besoin de vie, d'enfants qui jouent, d'amoureux qui se querellent et se réconcilient. Ce n'est plus de mon âge. Le silence retomba. Les deux femmes sirotaient leur limonade, chacune perdue dans ses pensées.

– Simone, tu fais les courses cet après-midi ? Je veux y aller avec toi.

Aurélie refusa que Jean-Paul les accompagne avec la Cadillac. Elle demanda à Simone de prendre sa petite auto personnelle et elle revêtit une robe de coton qu'elle jugeait assez banale pour passer inaperçue. Elle ne voulait pas que les gens la remarquent comme une riche héritière, ce qui, en réalité, avait peu de chances d'arriver, puisqu'elle sortait rarement. Seuls quelques vieillards pouvaient encore reconnaître l'aînée de la dynastie des Savard. À les voir entrer toutes deux dans le supermarché, on aurait dit une dame distinguée et sa mère qui faisaient leurs emplettes. Mais à voir les yeux écarquillés de la vieille dame, certains auraient pu croire qu'elle débarquait d'une autre planète. Elle regardait tout avec curiosité, du chariot métallique aux étalages de fruits et de légumes. En fait, Aurélie avait surtout envie de rencontrer des gens ordinaires et elle tendait l'oreille à toutes les conversations, que ce soit celle d'un gamin suppliant sa mère de lui acheter des bonbons, celle d'un tout jeune couple qui cherchait le morceau de viande le moins cher, ou celle de deux femmes qui se plaignaient de leur conjoint ou de leurs enfants.

Aurélie était étonnée de la banalité des propos qu'elle entendait. Les gens semblaient se préoccuper seulement de problèmes financiers ou amoureux. Et si elle choisissait une personne au hasard et en faisait son héritière, elle bouleverserait à jamais sa vie, la renversant comme une crêpe. Que ferait plus tard de cette demeure cet enfant assis dans le chariot et qui pleurait pour un bonbon, ou cette femme qui tripotait depuis cinq minutes de la viande emballée sous cellophane ? Ce serait comme une loterie. Qu'adviendrait-il ensuite ? Le manoir serait mis en miettes pour offrir un yacht, une résidence en Floride, un camp de pêche luxueux, une garde-robe de rêve, des bijoux d'arbre de Noël. Ce que sa famille avait possédé pendant si longtemps. Mais leur désir de possession n'était pas que gâterie personnelle ; il servait un seul propos : rejoindre le clan des grands de ce monde et s'y faire admettre, non pas seulement par les châteaux et les bijoux, mais par ce qu'on appelait aujourd'hui l'esprit d'entreprise, ce que son père et ses oncles avaient eu bien avant que le mot ne soit à la mode. Leur dynamisme avait construit le manoir, pas le hasard de la loterie. Ils avaient mérité par leur travail et leurs efforts de jouir de ces biens. Il y avait certainement dans cette ville quelqu'un qui méritait d'hériter du manoir, quelqu'un qui avait du caractère et de l'ambition, des projets et des rêves, quelqu'un qui verrait sa vie s'épanouir dans ce lieu. Mais comment trouver cette personne ?

Aurélie ne pouvait tout de même pas faire paraître une petite annonce : « Héritier méritant demandé. » Elle pouvait léguer ses biens à une société qui en ferait un musée, mais quel destin insignifiant pour une demeure qui avait vu tant de destins se croiser, de vies se faire et se défaire.

Tout avait commencé en 1914 avec l'arrivée d'Edmond à Sorel. Il débarquait de Baie-Saint-Paul sans un sou en poche. Il avait dix-huit ans. Edmond venait rejoindre sa sœur Mathilde, mariée depuis six ans à un homme qui possédait un prospère magasin général, Louis Poirier, et assister au mariage de son frère Jules, arrivé cinq ans plus tôt. Jules épousait cette année-là la fille du propriétaire de la compagnie d'électricité locale. Ce fut un beau mariage célébré avec tout le faste voulu en l'église Saint-Pierre. La mariée, souriante et timide, tenait à la main un bouquet de roses blanches. Elle portait une robe de satin blanc fermée par de minuscules boutons sur le devant, recouverte d'une tunique de dentelle dévoilant ses avant-bras potelés et d'une blancheur caractéristique aux filles de bonne famille. Son cou était orné de trois rangs de perles et sa taille, ceinturée de satin. Un long voile de dentelle couvrait sa tête et glissait le long de son dos. Le marié, presque trop sérieux, était coincé dans un faux col rigide, les cheveux brillantinés et les bottines bien cirées. La mère de la mariée portait fièrement une robe de satin rose à taille haute. Le corsage et le bas de sa robe étaient ornés de dentelle et elle arborait un chapeau dont les larges bords étaient ornés de fleurs roses et blanches. Mathilde avait une robe de soie recouverte d'une tunique de guipure, un ruban de satin noué à la taille et un grand chapeau de paille de Milan à la bordure souple. À la sortie de l'église, tous ces gens élégants se regroupèrent en haut du parvis pour qu'un photographe immortalise ce moment devant une foule de curieux.

Des mauvaises langues racontaient que Jules s'était placé les pieds, aimé et admiré par son beau-père qui lui offrait le poste de surintendant de la compagnie dans sa corbeille de mariage. C'était vrai, et c'était faux.

Violette Potvin avait été séduite par cet homme du Bas-du-Fleuve, par ses bonnes manières le distinguant des rustres qui lui faisaient une cour grossière et dénuée d'intérêt, par ses qualités d'orateur et son accent mélodieux, par ses ambitions de faire partie des grands de ce monde, de ne pas se limiter au terroir. À vingt-deux ans, Violette se savait condamnée à un mariage d'intérêt à cause de la position de son père, et elle avait peur de devoir se résigner à épouser un abruti argenté. Quand elle avait vu Jules pour la première fois, deux ans plus tôt, il venait de laisser sa place de commis à la ville pour entrer à la Sorel Light & Power Co. Ses parents cherchaient déjà un bon parti pour sa sœur aînée. Violette avait eu peur que ce beau jeune homme ambitieux n'épouse Rose-Aimée, mais un avocat de Montréal avait obtenu sa main, au grand soulagement de Violette qui avait vu sa sœur partir pour la grande ville. Jules était maintenant pour elle.

Avec la complicité de sa mère et de sa future belle-sœur, Mathilde, Violette avait fait en sorte que Jules soit invité à des fêtes familiales et des tombolas. Ce dernier n'avait pas tardé à faire la cour à cette jeune fille à l'apparence un peu mièvre, mais à l'intelligence éveillée. Elzéar Potvin voyait dans ce garçon un successeur au jugement sûr. Ses deux fils, Eugène et Gustave, ne manquaient certes pas d'ambition, mais le goût de la bataille et du risque leur faisait défaut. Ils préféraient profiter de leur situation sociale privilégiée pour mener belle vie et rouler carrosse. L'archiduc François-Ferdinand de Habsbourg venait d'être assassiné à Sarajevo et on parlait de plus en plus de guerre en Europe. Malgré ce soleil du début de juillet, Elzéar se doutait bien que l'avenir de sa succession était menacé. Aussi se sentit-il plus en sécurité quand il vit sa cadette épouser ce fils d'un capitaine de bateau de Baie-Saint-Paul, organisé et rationnel. Il espérait que ses fils prendraient exemple sur leur beau-frère pour faire prospérer leurs avoirs qui, sans être faramineux, leur offraient tout de même un appréciable confort. Il ne savait pas encore l'importance que prendrait aussi le frère de Jules, Edmond, un grand gaillard à la poignée de main franche et à la séduction facile.

Edmond, ébloui par le faste du mariage et les activités de cette petite ville portuaire et provinciale, n'avait aucune envie de retourner dans sa ville natale. Sa mère était morte depuis longtemps et son père était devenu un vieux loup de mer solitaire qui pouvait fixer l'horizon en silence pendant des heures quand il était à terre. Ce père marin ne se sentait à l'aise que sur un bateau. Le cadet des Savard aimait l'action et il était fasciné par ces femmes élégantes qu'il avait vues le jour du mariage, ces hommes bien mis et bons vivants qu'étaient les frères Potvin, ces maisons confortables, ces autos luxueuses et ces fêtes nombreuses. Il arrivait au meilleur moment de l'été. Tous les espoirs lui étaient permis. Edmond visait haut et voulait explorer de nouveaux domaines.

Habile et inventif, il trouva tout de suite un travail de comptable et s'inscrivit à des cours pour devenir électricien. La guerre qui sévissait en Europe semblait bien lointaine. Le jeune homme suivait les actualités sans se sentir lui-même en danger, même si le Canada s'était créé une armée et avait ouvert un camp militaire à Valcartier. Deux ans plus tard, son diplôme d'entrepreneur électricien en poche, il faisait du porte-à-porte pour vendre les inventions récentes : grille-pain, fers à repasser et poêles électriques. Il aimait rencontrer des gens et son pouvoir de persuasion était grand. La conscription le menaça comme tout le monde à la fin de l'année 1917, même si les francophones du Québec la rejetaient en bloc. Après que l'armée eut fait feu sur des manifestants, en blessant plusieurs et en tuant quatre, le gouvernement Borden instaura les mesures de guerre, et Edmond se décida à consulter un médecin qui rédigea un rapport médical lui permettant d'éviter l'enrôlement.

Jules suivait de près les activités de son jeune frère et savait qu'il serait un associé idéal, mais il lui fallait des fonds. Il s'associa donc au notaire Beaudry et à l'oncle de sa femme, monsieur Lafleur, pour acheter un petit chantier naval qui opérait le long du Richelieu et qui s'occupait surtout de la réparation de navires de bois pour le transport sur le fleuve. On ne faisait que réparer des chalands et construire de petits remorqueurs, sans faire de véritable construction maritime. Mais l'arrivée de Jules allait tout changer et les chantiers allaient subir d'importantes transformations. Après avoir bombardé Paris en juin, les Allemands avaient été obligés de se retirer et, en novembre, ce fut la fin de la guerre en Europe et le début de la prospérité des frères Savard avec le premier contrat de dragage pour le chantier naval. Jules et Edmond s'associèrent également aux frères Potvin pour fonder le garage Potvin, concessionnaire Ford et McLaughlin.

Mais Edmond allait attendre trois ans avant de voir sa vie se transformer. Il menait une joyeuse existence de célibataire et appréciait la compagnie des frères Potvin avec qui il jouait aux cartes et buvait le meilleur whisky. Jules essayait bien, avec sa femme Violette, de lui présenter des jeunes filles vertueuses et de bonne famille, mais Edmond résistait : aucune n'était assez jolie ni assez séduisante. Il recherchait non pas une héritière, mais une femme qui le bouleverserait au plus profond de lui-même. Cette attitude romantique restait une énigme pour Jules qui voyait son frère perdre ses plus belles années à frayer avec des filles de petite vertu. Il en voulait à ses beaux-frères qui, selon lui, étaient responsables de ces mauvaises fréquentations. Mais Edmond ne gaspillait pas sa vie ; il attendait le moment magique. Il avait souvent de fortes intuitions qui se révélaient exactes et il misait sur elles pour trouver sa compagne. Elle se présenta au moment où il s'y attendait le moins, comme souvent le font les moments forts d'une vie. Il rencontrait Eugène Potvin tous les vendredis. Les deux hommes allaient manger au restaurant de l'hôtel, puis ils passaient la soirée à jouer aux cartes et à déplumer les zigotos qui essayaient de se mesurer à eux. Edmond avait vendu suffisamment de grille-pain dans la semaine pour prendre quelques heures de repos. La journée était chaude en ce milieu d'été et il décida de se rendre au garage rejoindre Eugène un peu plus tôt. Ce dernier était occupé à vendre une auto à un fermier du coin qui voulait lui faire baisser le prix.

Edmond monta au bureau d'Eugène pour l'attendre. Ce qu'il vit en ouvrant la porte le laissa sans voix. Une jeune fille était penchée sur la table de travail. Elle avait des cheveux châtains coupés court comme un garçon, et sa peau prenait des reflets ambrés sous la lumière de la fenêtre. Elle faisait partie des filles modernes qui avaient découvert le bronzage. Elle leva les yeux vers lui et il la regarda, incapable de prononcer un seul mot, ce qui ne lui était jamais arrivé. Elle avait un parfait visage ovale, de grands yeux bleus et des dents blanches comme des perles. Le silence d'Edmond la rendit mal à l'aise et elle laissa échapper les papiers qu'elle tenait à la main. Il se précipita pour les ramasser et ils se retrouvèrent tous les deux par terre, les mains sur les feuilles.

– Je m'excuse… En quoi puis-je vous aider, monsieur ?

– Venez souper avec moi.

Edmond fut lui-même surpris de s'entendre formuler une demande aussi directe, et il eut peur de l'avoir effrayée avec de telles manières de rustre. Ses mains tremblaient sur les feuilles. Jamais un corps de femme ne l'avait autant attiré. Il la vit rougir et baisser les yeux pour le fixer avec intérêt à travers ses longs cils. D'où sortait donc cette jeune femme superbe ? Il ne l'avait jamais vue auparavant, il en était certain. Sa beauté ne pouvait passer inaperçue. Il lui prit le bras et l'aida à se relever, sa peau était douce et chaude.

– Je suis Edmond Savard, un des associés d'Eugène. Je m'excuse de ma mauvaise conduite.

Elle lui sourit et rangea ses papiers sur le bureau.

– Et moi, je suis Ariane Brunet. Monsieur Potvin m'a engagée comme secrétaire il y a trois jours. Edmond voulait tout savoir d'elle et écouter sa voix chantante pendant des heures. Il resta debout près d'elle et huma l'odeur de ses cheveux, de sa peau. Un parfum de muguet s'en dégageait. Il remarqua un tout petit grain de beauté sur le lobe de son oreille gauche. De plus en plus mal à l'aise, Ariane s'assit derrière son bureau pour se donner une contenance. Edmond comprit et recula d'un pas. Il ne savait plus quoi dire et il fut sauvé par l'arrivée bruyante d'Eugène.

— Ces fermiers, ils tassent leur argent dans des bas de laine et veulent tout avoir pour une bouchée de pain, mais essaie de faire baisser le prix de leur cochon ou de leur vache et ils hurlent à l'exploitation. Celui-là veut rouler avec une automobile de l'année alors qu'il est fait pour une charrette à bœufs. Il puait le fumier. Alors, Ariane, ces factures, vous les avez trouvées ?

La jeune fille émit un petit oui étouffé et lui tendit les feuilles froissées.

— C'est comme ça que vous gardez les documents ?

— C'est de ma faute, Eugène, ils sont tombés et je les ai ramassés sans faire attention.

— Depuis quand tu viens au bureau pour ramasser des papiers ? Allez, viens, j'ai faim. Vous pouvez partir, Ariane. Je vous attends lundi matin. La secrétaire rangea rapidement son bureau et prit son sac. Edmond ne la quittait pas des yeux et Eugène ne put faire autrement que constater l'intérêt que suscitait sa nouvelle employée. Dès qu'elle fut sortie après un bonsoir rapide, il donna à Edmond une grande claque dans le dos.

— Allons, mon vieux, ce garçon manqué t'intéresse ? J'ai horreur des cheveux courts, mais c'est vrai qu'elle a de beaux yeux.

– Qui est-elle ? D'où vient-elle ?

– Tu veux tout savoir ? Et pourquoi donc ? Tu n'as pas besoin de la connaître pour la séduire. Ce n'est qu'une employée.

Le regard sombre que lui lança son ami fit comprendre à Eugène qu'il devait traiter Ariane différemment. Une fois que les deux hommes furent attablés devant un bon repas, Edmond apprit qu'Ariane venait de la campagne environnante. Son père était décédé un an plus tôt, laissant une veuve et trois filles. Ariane, en tant qu'aînée, avait d'abord travaillé à la manufacture de chemises tout en prenant des cours de dactylo. Elle s'était présentée une semaine auparavant pour proposer ses services de secrétaire. Eugène employait déjà un comptable, mais comme il prévoyait l'expansion des ventes d'autos, il s'était dit que l'entreprise aurait besoin d'une secrétaire. Les frères Savard ne s'occupant pas vraiment du travail quotidien du garage, Eugène Potvin n'avait pas jugé nécessaire de les informer qu'il avait engagé une nouvelle employée.

– Je peux la congédier, si tu veux ? Edmond sourit.

– Je ne veux pas que tu la congédies, mais tu devrais commencer à te chercher une autre employée. La belle Ariane ne restera pas longtemps à ton service.

– Vraiment ?

– Elle deviendra madame Edmond Savard.

– Comment peux-tu être certain de ça ? Tu l'as vue deux minutes. Et elle a peut-être un fiancé.

– C'est elle, je sais que c'est elle. Et je suis prêt à passer ma vie à la persuader de ça.

– Tu es un idiot, Edmond. Prends exemple sur Jules, ou moi, ou mon frère Gustave. Une épouse est une chose, une maîtresse ou une amoureuse, c'est autre chose. Le mariage demande de la raison, du sérieux, une vision solide de l'avenir. Elle te plaît, d'accord. Mais s'il fallait épouser toutes les femmes qui nous plaisent, on deviendrait musulmans et on posséderait un harem. Et une fonceuse aux cheveux de garçon en plus ! Tu cherches les problèmes, mon vieux.

Edmond s'entêta à chercher des problèmes tout l'été. Il accompagnait Ariane partout. Il aimait aller à la plage de la Pointe aux Pins où les nouveaux maillots de bain à jupette courte lui permettaient d'admirer ses fines chevilles, le galbe de ses mollets et la finesse de ses bras nus. Pendant que Violette, ses jeunes enfants et ses domestiques, se cachaient sous des cabines de toile, Ariane s'allongeait sur un grand drap de bain pour offrir sa peau au soleil. Edmond l'amenait au bal où il avait enfin l'occasion d'entourer sa taille menue. La jeune fille se laissait courtiser avec plaisir, mais elle était assez intelligente pour savoir qu'elle était une petite employée et qu'il était le patron, du moins un des patrons. Son frère Jules frayait avec des hommes importants et se rendait régulièrement à Montréal pour brasser des affaires. Le garage était pour lui bien secondaire et il cultivait des ambitions plus grandes. Edmond semblait partager les mêmes ambitions, mais Ariane n'était pas certaine de faire partie de ces hautes visées, malgré les mots tendres qu'il ne se lassait de lui répéter. Elle savait que les mots ne coûtent pas cher.

Violette avait fini par accepter la jeune fille à sa table du dimanche même si elle la trouvait un peu excentrique. Elle lui apprenait à traiter avec les domestiques, femmes de chambre, nourrice et comment diriger avec politesse et fermeté chauffeur et jardinier. Ariane avait une intelligence vive qui lui permettait d'apprendre rapidement les conventions sociales dans lesquelles Violette baignait depuis sa naissance. Violette aimait le regard sincère qu'Ariane portait sur Edmond. Jules n'avait pas vraiment d'opinion arrêtée sur la question, laissant à sa femme le soin de s'occuper de ces frivolités.

L'automne arriva avec ses journées fraîches et ses feuilles mortes, mais l'ardeur des amoureux ne s'estompait pas. Jules décida alors de parler franchement avec son frère. Il lui donna rendez-vous à ses bureaux du chantier naval, loin des oreilles de sa femme et des domestiques. Edmond arriva, souriant et affable. Quand son frère, assis derrière son bureau, avança le buste et joignit ses mains sur le bois verni, il comprit que la conversation serait sérieuse. Il se cala dans son fauteuil et attendit. Jules parla de la morale et des conventions sociales, du succès ou de l'échec souvent imputé aux mauvaises associations, de l'importance de ne jamais prêter flanc à ses détracteurs. Edmond se demandait où son frère voulait en venir. Les parties de poker avec Eugène et Gustave Potvin lui attiraient-elles les foudres du curé, ou était-ce son goût des alcools fins ? Il ne se soûlait pourtant jamais, même si parfois il devait soutenir Eugène pour le ramener chez lui. Voyant qu'Edmond n'avait aucune réaction face à son discours, Jules se résolut à être plus direct.

— Quelles sont tes intentions avec mademoiselle Brunet ?

— Je veux l'épouser. C'est pour ça que tu m'as fait venir ici ? Pourquoi faire tant d'histoires ? Mes intentions sont claires depuis le début et ne me dis pas qu'Ariane est une mauvaise fréquentation. Sa famille est modeste, mais n'oublie pas la nôtre. Nous n'avons jamais eu de cuillère d'argent dans la bouche, et ce n'est pas parce que tu as épousé une petite bourgeoise que tu peux effacer ça.

— Je n'ai pas épousé une petite bourgeoise, mais une femme avec qui je savais pouvoir fonder non seulement une famille mais aussi mon avenir. Penses-tu qu'Ariane acceptera de se mouler à la vie qui nous attend, de sacrifier son indépendance pour t'épauler ?

— Ariane m'aime, ça me suffit. Et je suis certain qu'elle pourra m'épauler sans avoir à devenir une matrone. Le monde qui nous attend et dont tu me parles tant depuis des années a aussi besoin d'un peu d'air frais et de nouveauté. Ariane représente l'avenir, la femme moderne, et je suis prêt à la présenter à Georges V, si c'est ce que tu veux. Elle sera la plus belle, la plus élégante et la plus remarquée. J'appelle ça une belle association.

Le visage sérieux de Jules se déridait rarement, mais il ne put s'empêcher de plisser légèrement les lèvres devant les propos enflammés de son frère, décidément amoureux.

— Alors, épouse-la et cesse de jouer les célibataires en frayant avec mes deux beaux-frères joueurs, alcooliques et sans cervelle. Tu te fiances à Noël et tu te maries après Pâques. Qu'en penses-tu ?

— Je pense que c'est elle et moi que ça concerne, mais je te remercie de ta bénédiction, cher grand frère.

Edmond avait de quoi se réjouir. Il avait, pour la première fois de sa vie, tenu tête à son aîné. Très tôt, Jules avait joué le rôle du grand frère paternel devant les absences prolongées de leur père. Les huit années qui les séparaient avaient longtemps paru énormes, mais la situation s'était maintenant renversée. Edmond avait acquis plus de confiance en lui, en partie grâce à la présence d'Ariane qui suscitait des regards envieux qu'il avait appris à accepter. Ses affaires allaient bien et il serait bientôt capable de fonder une famille. Il n'était plus le petit garçon courant sur la berge à la marée montante pour rejoindre son frère. Il avait vingt-cinq ans, une belle femme à son bras et la vie devant lui. Il ne doutait pas un seul instant des intentions d'Ariane. Il sortit donc du bureau de Jules porté par la confiance de son bonheur, présent et futur.

Une semaine plus tard, il emprunta une auto à Eugène Potvin pour amener sa secrétaire, qu'il n'avait toujours pas remplacée, à Montréal. Ariane fut surprise de cette journée de congé imprévue, de cette invitation entourée de mystère. Edmond, après avoir traversé le Richelieu à Saint-Ours, passa de village en village en longeant le fleuve. Ariane, à ses côtés, se demandait où ce voyage se terminerait. Edmond l'amusait en racontant des anecdotes sur son travail de représentant et elle l'écoutait à peine, troublée, heureuse d'être en sa compagnie, mais un peu angoissée de cette espèce d'enlèvement. Quand ils s'engagèrent sur le pont Victoria, la jeune fille eut la gorge serrée. La grosse structure métallique du pont formant une longue boîte rectangulaire, un train qui passait lentement sur la voie ferrée à côté, le fleuve en dessous qu'on pouvait voir à travers le grillage métallique du tablier, la grande ville devant elle, tout l'impressionnait. Elle n'avait jamais vu de si hauts édifices, autant d'autos au même endroit, sans compter les tramways bondés de gens comme si tout le monde arrivait de la grand-messe. Quand Edmond se gara dans la rue Sainte-Catherine devant la maison Birks, Ariane regarda la vitrine de la fenêtre de l'auto et resta bouche bée. Edmond ouvrit la portière et dut lui tendre la main pour la faire sortir. Les jambes en coton, elle s'appuya au bras de son prétendant. En entrant dans le magasin, elle posa ses pieds avec précaution sur la moquette et sentit qu'elle s'y enfonçait comme dans la terre humide au printemps. Elle fut accueillie par un petit homme à jaquette rayée et col amidonné portant fièrement une moustache bien cirée. Il la fit asseoir devant une table en acajou finement travaillé et lui présenta sur coussin de velours une série de bagues à diamant, toutes plus éblouissantes les unes que les autres.

Les yeux d'Ariane clignotaient. Elle ne savait plus laquelle choisir. Le sérieux d'Edmond la surprenait. Il l'aimait donc vraiment. Elle n'était pas qu'une petite aventure passagère. Il voulait en faire la femme de sa vie, son épouse légitime. Sa mère avait passé les derniers mois à la mettre en garde contre cet homme trop bien mis pour être honnête, qui ne chercherait qu'à mettre ses mains dans ses culottes et lui enlever la seule chose de valeur qu'elle possédait, sa virginité, pour en faire une fille de rien, dépravée, mourant de tuberculose dans la misère. Ariane avait eu beau se boucher les oreilles devant ces discours éculés, ils l'avaient tout de même atteinte. Edmond parlait peu d'avenir sauf quand il évoquait ses projets avec Jules. Leur avenir de couple n'avait jamais été abordé, comme s'il allait de soi. Et voilà qu'il la demandait officiellement en mariage par bijoutier interposé. Il lui avait souvent dit qu'il la trouvait belle, qu'elle le séduisait, qu'il aimait être près d'elle, mais rarement qu'il l'aimait, et jamais qu'il voulait l'épouser. Il était pourtant à ses côtés, prenant sa main pour admirer une bague et lui caresser les doigts.

Ils optèrent finalement pour une bague en or ornée d'un diamant enchâssé entre deux plus petits. Ils choisirent ensuite des alliances et le petit homme à moustache promit que le tout serait prêt d'ici une semaine, le temps de les fabriquer à la grandeur de leurs doigts.

Edmond entraîna ensuite Ariane au restaurant. Attablés devant un apéritif, ils se tenaient les mains en silence, les yeux de chacun perdus dans ceux de l'autre. Ariane se décida à lui demander quand aurait lieu ce grand événement. Edmond répondit qu'ils se fianceraient à Noël, mais lui demanda de garder cela secret quelque temps, question de surprendre tout le monde.

– Je ne pourrai pas cacher ça à ma mère, elle va bien voir que je suis folle de joie. Et elle va en parler à tout le village. Oh! mon Dieu! elle va s'inquiéter quand elle saura que je ne suis pas rentrée à la pension pour souper.

– Tu lui diras que tu étais avec ton futur époux. Ne t'en fais pas, ma chérie.

Edmond lui baisa le bout des doigts et elle lui sourit, à peine calmée. Ariane savait que sa mère pouvait faire des colères mémorables. Madame Brunet surveillait ses trois filles étroitement. Celles-ci constituaient son seul trésor, puisque seul un bon mariage pouvait les mettre à l'abri de la misère. La jeune femme se demanda soudain si sa mère viendrait vivre avec eux. Elle en avait parfois assez de sa surveillance et elle ne voulait pas la voir s'immiscer entre Edmond et elle. Un peu d'argent la tiendrait peut-être à distance, et puis, il y avait ses deux sœurs qui avaient besoin d'un chaperon féroce. Les deux amoureux ne parlèrent pas beaucoup pendant le repas. Edmond pensait à faire une offre d'achat pour la maison qu'il avait vue sur la rue Georges, une petite maison de briques rouges avec une galerie courant sur la façade, flanquée d'une tourelle et d'un balcon à l'étage. La maison à pignons était petite, mais elle ferait l'affaire pour une jeune famille. Ariane pensait aux fiançailles et surtout au mariage prévu pour le printemps. Son trousseau n'était pas terminé, même si elle brodait des draps et des taies d'oreiller depuis des années, accumulant avec son maigre salaire un peu de lingerie en prévision des noces que souhaitait toute bonne jeune fille.

Quand ils sortirent du restaurant, une pluie froide d'automne tombait. Ils coururent s'engouffrer dans l'auto en riant. Edmond serra Ariane contre lui et l'embrassa longuement. La jeune fille se sentait molle comme une guenille, l'alcool et les émotions se mêlant pour l'étourdir. Le chemin du retour fut interminable par ce mauvais temps. Ils longèrent le fleuve et alors qu'ils entraient dans le village de Contrecœur, le moteur de l'automobile crachota un peu et s'arrêta. La pluie forte et la nuit noire empêchaient d'y voir quoi que ce soit. Le tonnerre gronda et Ariane se blottit contre l'homme de sa vie. Ses lèvres chaudes et sensuelles la rassurèrent et elle colla son corps contre le sien. Elle ne put jamais bien s'expliquer ce qui suivit. Était-ce cette bague de fiançailles, cette promesse de mariage, ces mois passés à se prendre la main, à frôler l'autre sans jamais vraiment le toucher, les rêves torrides qu'elle n'osait même pas confesser au curé, ou simplement l'aboutissement normal d'un désir cent fois repoussé, éteint quotidiennement comme les braises d'un feu qui refuse de mourir? Cette fois-là, Ariane ne retint pas la main d'Edmond qui fouillait dans son corsage, comme elle ne l'arrêta pas quand il remonta sa jupe. Il lui annonça qu'il y avait un hôtel tout près et ils affrontèrent l'orage en courant.

Lorsqu'ils atteignirent l'établissement, leurs vêtements étaient complètement trempés et tachés de boue. Le vieil hôtelier rondelet sourit en les voyant entrer et attrapa immédiatement la clé de sa meilleure chambre. Cette jeune femme était trop nerveuse pour être une épouse. Des couples de Montréal venaient régulièrement se cacher dans son hôtel, et il avait appris à ne pas poser de questions, puisque le curé du village ne s'en était pas encore plaint en chaire. Edmond était sur le point de demander deux chambres quand il sentit Ariane lui prendre le bras et se blottir contre lui. Il n'eut pas le temps de dire quoi que ce soit : l'hôtelier lui tendait déjà la clé de la chambre numéro 7. Nerveux aussi, Edmond prit Ariane par la main et ils montèrent l'escalier jusqu'au deuxième étage. Les bruits de voix qui venaient du bar s'estompèrent. Leur chambre était la dernière du couloir, la plus tranquille de toutes. Personne ne les dérangerait.

En refermant la porte derrière lui, Edmond se ressaisit et dit à Ariane qu'il allait dormir par terre. Pour toute réponse, elle sourit et acquiesça. Elle se sentait terriblement gênée. Elle déposa son manteau mouillé puis ses souliers et chercha un endroit où enlever ses vêtements, mais il n'y avait que le placard. Elle se rappela les palabres de sa mère sur le cauche-mar nécessaire de la nuit de noces. Nécessaire parce que voulu par Dieu et l'Église pour la procréation, mais en quoi était-ce un cauchemar ? Pas plus tard que la semaine précédente, le curé avait bien dit en chaire que les fréquentations des jeunes gens devaient se dérouler sous la plus haute surveillance des parents, et que les garçons et les filles ne devaient pas se rassembler dans les lieux publics comme le bureau de poste. La future épouse devait se présenter pure et vierge comme Marie à son homme. Pour protéger sa vertu, la jeune fille avertie devait repousser toutes les avances jusqu'au jour du mariage, porte d'entrée d'un univers autant redouté que désiré. Ariane ne savait plus quoi faire. Elle avait goûté aux baisers d'Edmond et avait senti son corps irradier de chaleur, mais c'était à elle de contenir les ardeurs de son fiancé. Sa mère disait tout le temps que les hommes étaient naturellement impulsifs, entraînés par leurs instincts que la femme devait dompter. Edmond avait enlevé son manteau et son veston. Il la regardait en silence. Que penserait-elle de lui s'il lui avouait qu'il avait envie de passer la nuit dans ses bras? Elle lui dirait qu'il ne la respectait pas, donc qu'il ne l'aimait pas. Comment lui prouver qu'il l'aimait par-dessus tout?

— Je vais sortir quelques minutes, le temps que tu te mettes au lit.

Ariane s'affola: il allait la laisser toute seule dans cette chambre, avec tous ces hommes en bas qu'elle avait entendus parler au bar. Elle s'approcha de lui.

— Reste, je t'en prie, ne me laisse pas toute seule.

Edmond sourit et ouvrit les bras. Ariane s'y blottit. Elle tremblait encore, mais la chaleur de leurs deux corps la réconforta. Il lui caressa les cheveux.

— Je t'aime, Ariane. Tu seras bientôt ma femme. Je veux simplement te garder comme ça, tout près de moi. Rien ne t'oblige à faire quoi que ce soit. On peut dormir comme des frère et sœur.

Ariane sourit et leva les yeux vers lui.

— Tu crois que tu pourras?

– Ce sera difficile, mais je peux essayer.

Reconnaissante, la jeune femme avança son visage près du sien et l'embrassa. Edmond sentit qu'il allait flancher. Il l'entraîna doucement vers le lit. Ariane répondait à ses caresses et, aveuglés et essoufflés par une passion trop long-temps retenue, ils connurent leur première nuit d'amour sous le vacarme du tonnerre, avec pour seule lumière des éclairs occasionnels. Quand la tempête se calma au petit matin, ils dormaient, enlacés, leurs vêtements boueux répandus autour du lit.

En ouvrant les yeux, Ariane se demanda un instant où elle était. Ça ne ressemblait pas du tout à la chambre minuscule qu'elle louait dans une pension près du garage. Elle tourna la tête et vit Edmond qui dormait, la bouche légèrement entrouverte en un sourire d'enfant. Elle sourit à son tour, puis repensa brusquement à la nuit passée avec lui. Elle lui avait offert une nuit de noces. Ça n'avait pas été un cauchemar, loin de là. Elle avait même pris plaisir à être dans les bras d'Edmond. Elle était donc damnée et il n'avait même plus besoin de l'épouser. L'angoisse la saisit et elle se leva. Le drap était tâché de sang. Elle avait donc tout perdu. Sa mère la tuerait. Pire, elle lui fermerait sa porte à jamais. Ariane alla vers la petite table de toilette, versa de l'eau dans la bassine en étain et se lava, encore et encore, jusqu'à ce que sa peau soit rougie. Edmond s'étira, tout souriant. Il regarda un moment le dos souple d'Ariane, ses hanches d'une blancheur contras-tant avec ses jambes et ses bras qui avaient gardé la teinte bronzée de l'été. Il se leva et s'approcha d'elle. Surprise, elle laissa tomber la serviette dans l'eau. Il enlaça son corps et le réchauffa contre le sien. Elle se tourna, les larmes aux yeux.

– M'aimes-tu toujours ? Il éclata de rire et la serra plus fort.

– Plus que jamais. En arrivant, je fais publier les bans et nous nous marierons avant Noël. Retournons au lit, madame Savard, pour nous réchauffer.

Les explications ne furent pas faciles à trouver quand ils regagnèrent Sorel en fin de matinée. Le moteur de l'automobile avait démarré sans problème, l'humidité ayant été absorbée par un soleil ardent. La boue avait séché sur leurs vêtements, leur donnant des allures de clochards. Heureusement que les cheveux courts d'Ariane se plaçaient facilement, car elle aurait eu l'air d'une jeune fille perdue en forêt depuis des jours avec ses vêtements sales. Plutôt que de la reconduire à la pension, Edmond l'amena chez sa sœur Mathilde pour qu'elle puisse prendre un bain et trouver des vêtements propres. Mathilde ne fit aucun commentaire sur la fugue de son jeune frère et accueillit avec bonheur l'annonce de leur mariage prochain. Le mois de décembre n'était pas, selon elle, un beau mois pour se marier ; cela ressemblait trop à une urgence, mais elle accepta tout de même d'aider Ariane pour les préparatifs. Elle possédait une grande maison, adjacente au magasin général, et elle l'offrit pour le repas de noces et la réception. Edmond avait beau être un bon vendeur, il n'avait pas les moyens de louer une salle de réception comme monsieur Potvin l'avait fait pour sa fille.

Ariane était radieuse et n'avait qu'une idée en tête : aller annoncer cette bonne nouvelle à sa mère et à ses sœurs, ne serait-ce que pour les voir verdir d'envie. Elle était maintenant libérée de cette vie de campagne autour du poêle à bois, à commérer sur les insignifiances de la vie des autres. Son avenir n'était que merveilles : un diamant au doigt, des sorties, des vêtements chic, une maison sur laquelle régner comme Violette et Mathilde le faisaient si bien. Ariane ne s'abîmerait plus les mains à ramasser carottes, navets et patates, ne se briserait plus les ongles à gratter la crasse sur les chaudrons, n'aurait plus à se lever à l'aube pour traire les vaches, ce qu'elle ne faisait plus depuis qu'elle était secrétaire au garage, mais que ses sœurs devaient encore faire. Elle aussi aurait une femme de chambre qui s'occuperait de ses vêtements, et n'aurait plus à battre le linge sur une planche. La seule chose qu'elle ferait encore, ce serait la cuisine. Elle savait son homme gourmand et il n'était pas question qu'une autre femme le nourrisse. Sa mère lui avait cent fois répété qu'un homme se prend par le ventre et qu'une bonne cuisinière garde son mari content et à la maison. Ariane savait maintenant que le ventre n'était pas le point le plus faible d'un homme, même s'il était important. Et elle était bien décidée à rendre son cher Edmond si heureux qu'il ne regarderait jamais une autre femme qu'elle.

Il neigeait, une fine neige poudreuse et brillante dans la lumière, comme mille cristaux de verre. Le manteau blanc avait à peine recouvert le sol pendant la nuit, effaçant la terre noire et enrobant les feuilles roussies et pourrissantes de l'automne. Une première neige qui purifiait le paysage. Ariane le prit comme un heureux présage pour cette journée qu'elle voulait mémorable. Depuis qu'elle ne travaillait plus au garage, elle était retournée vivre chez sa mère pour les quelques semaines qui la séparaient du jour de son mariage. Sa chambrette de la pension ne lui manquait pas, mais elle avait plus de mal que jamais à supporter la lourdeur de la maison maternelle. Elle avait beau de pas trop participer aux corvées ménagères, passant le plus clair de son temps à terminer son trousseau, les journées étaient ennuyeuses et sa mère ne cessait de se plaindre. Ariane savait bien qu'elle était la principale cible de ces plaintes. Madame Brunet cherchait ouvertement à se faire inviter chez les nouveaux mariés, voulant quitter sa maisonnette, inconfortable à l'approche de l'hiver, pour mener la grande vie en ville. Sa fille n'avait cependant nulle envie de satisfaire ce désir. Elle voulait profiter pleinement de sa vie de couple et aussi de celle de maman. Elle n'avait pas eu ses menstruations depuis la nuit qu'elle avait passée avec Edmond à Contrecœur. Elle avait d'abord pensé, bien naïvement, qu'elle avait perdu tout ce sang sur les draps de l'hôtel, mais lorsque étaient apparues les nausées, elle s'était inquiétée et en avait parlé à sa mère, prenant soin bien sûr de préciser qu'elle lui demandait son avis pour une amie avec qui elle avait travaillé et qui avait des nausées au réveil. Madame Brunet avait aussitôt flairé la supercherie et lui avait dit que son amie avait intérêt à se marier au plus tôt, car les Indiens lui apporteraient bientôt un cadeau. Ariane avait été secouée : son ventre abritait donc l'enfant d'Edmond. Heureusement, personne n'était au courant. Quand le futur mari l'avait appris, il s'était réjoui de la venue de ce petit ange. Il faisait de gros efforts pour garder cette nouvelle secrète alors qu'il aurait aimé la crier sur tous les toits. Mais il ne voulait pas être montré du doigt par les gens et le curé, surtout que ce serait sur Ariane que retomberaient les reproches et la honte, puisque c'était la femme qui avait le devoir de veiller à la vertu de la famille.

Par ce beau matin tout blanc, Ariane revêtit sa robe de velours couleur pêche à taille basse, ornée d'une fleur de satin de la même teinte à la hanche. Elle avait refusé de porter du blanc, prétextant que les mariages célébrés en hiver exigeaient des tissus plus lourds que l'organdi et la dentelle. Elle avait choisi le velours et le satin dans des teintes pastel. Edmond lui avait offert un magnifique manteau de gabardine de laine couleur bleu sarcelle qui s'harmonisait à ses yeux, avec de larges revers aux manches et un col qu'elle pouvait remonter pour se protéger du froid. Un chapeau cloche de velours pêche et un manchon de fourrure complétaient sa toilette.

Ariane se regarda une dernière fois dans le miroir de l'entrée. Elle quittait cette petite maison avec plaisir. Elle serait libre dans quelques heures, le temps de dire oui devant témoins. Son attention fut attirée par les cris de ses deux sœurs qui descendaient l'escalier en se bousculant : elles voulaient porter le même collier de fausses perles sur leurs nouvelles robes. Leur mère cria un « assez » suffisamment catégorique pour les faire taire toutes les deux. Ariane savait qu'elle serait juge dans cette cause, la dernière qu'elle voulait arbitrer. Peu importe qui le portait, ce collier n'arriverait pas à rendre moins ternes les petites robes qu'elles avaient cousues à la hâte. Mais Ariane décida d'être bonne joueuse une dernière fois. Elle donna le collier à Josette dans l'espoir qu'il égaye un peu sa robe rayée marine et blanc et prêta à Lysiane le long collier de perles roses qu'elle avait porté tout l'été et qui rehausserait sa robe d'un vert tendre. Pour la consoler, Ariane lui offrit un petit chapeau cloche de feutre brun qu'elle n'avait mis qu'une fois. Un coup de klaxon résonna et mit fin aux discussions. Un commis de Louis Poirier venait les chercher pour les conduire à la maison de son patron.

La résidence adjacente au magasin général brillait de toutes ses boiseries bien cirées. La salle à manger était joliment décorée de fleurs de soie et de guirlandes de satin blanc. La mère et les sœurs d'Ariane se tenaient tranquillement dans un coin pour ne pas déranger les domestiques qui s'affairaient à dresser la longue table du repas de noces. Ariane eut une poussée de haine en les voyant plantées là, se conduisant comme de petites souris voraces et hypocrites, et elle s'en voulut immédiatement d'avoir eu une si vilaine pensée. La journée était aux réjouissances. La jeune femme devait oublier toutes les rancunes accumulées et se sentir le cœur en joie. Son humeur s'améliora quand elle vit Mathilde entrer. Ariane aimait bien cette belle-sœur qui était pour elle la grande sœur protectrice qu'elle n'avait jamais eue. Mathilde était la bonté même, maternant tout le monde, même ses employés. Elle confia madame Brunet et ses deux filles à son chauffeur qui allait les conduire à l'église. Ariane devait arriver la dernière, au bras de Jules, car, son père étant décédé, elle n'avait aucun parent mâle en âge de la conduire à l'autel.

Jules l'intimidait. Son air sérieux lui donnait sans cesse l'impression que tout ce qu'elle faisait ou disait n'était justement pas ce qu'elle aurait dû faire ou dire. Le court trajet entre la maison de Mathilde et l'église lui parut interminable. Jules n'avait ouvert la bouche que pour la saluer poliment et froidement. Ariane se disait qu'il désapprouvait ce mariage, voulant sans doute protéger son jeune frère du malheur. Elle aurait aimé le persuader que ses craintes étaient sans fondement. Elle rendrait Edmond heureux. Elle consacrerait chaque minute de sa vie à cela, mais elle ne savait pas comment le dire à cet homme si austère et ils firent le chemin en silence. Le chauffeur ouvrit la portière, Ariane sortit la tête haute comme une dame du monde, ce qu'elle devenait chaque jour un peu plus. Jules lui tendit son bras. Elle y appuya légèrement sa main gantée de satin pêche, remonta son manchon sous ses seins et accorda son pas à celui de son beau-frère. Quand ils entrèrent dans l'église, tout le monde se retourna pour les regarder.

Les lourds battants des portes passés, le chauffeur prit le manteau d'Ariane et celui de Jules, puis il tendit à la mariée un bouquet de petites roses blanches. Ils formaient un couple bien étrange, tous les deux : lui, trop jeune mais assez sérieux pour être son père ; elle, délicate avec un regard frondeur d'un bleu acier. Edmond les attendait devant l'autel, souriant et heureux de voir réunis les deux êtres qu'il aimait le plus. Il n'avait qu'un désir : en finir avec toutes ces cérémonies et partir avec sa belle Ariane revivre la nuit de Contrecœur. Il n'avait pu connaître de nouveau ces moments de passion sous le regard des siens et il n'avait pas osé retourner avec Ariane à Montréal pour ne pas alimenter les ragots, puisque les mauvaises langues parlaient déjà d'un mariage trop rapide pour ne pas être forcé. Il savait que les gens comptaient déjà les mois qui les séparaient de la venue de leur premier enfant.

Autant la cérémonie fut pompeuse, autant la réception intime qui suivit fut chaleureuse. Les nouveaux mariés levèrent souvent leur verre aux vœux formulés à répétition par leurs invités. Les yeux d'Ariane brillaient de bonheur ; ceux d'Edmond, de fierté. Quand le soleil se cacha, ce qu'il fait tôt en hiver, les nouveaux époux s'engouffrèrent dans la limousine prêtée par Eugène Potvin et conduite par le chauffeur de Jules, et ils disparurent dans la nuit en direction de Montréal. Le jeune couple avait convenu d'un voyage de quelques jours. Edmond ne pouvait s'absenter longtemps de son travail en cette période précédant Noël où les ventes montaient en flèche, mais Ariane lui avait soutiré la promesse d'un voyage de noces à Paris, quand leurs moyens financiers le leur permettraient.

– Je te ferai voir la tour Eiffel, les bateaux sur la Seine, l'Opéra, les Champs-Élysées, le Moulin Rouge. Tu connaîtras le faste des mille et une nuits.

Cette promesse n'était pas près de sortir de la mémoire d'Ariane : il lui suffisait d'y penser, ce qu'elle faisait souvent, pour entrevoir son brillant avenir. Ce voyage à Montréal n'était qu'un prélude à ses ambitions. Edmond avait loué une chambre au Ritz Carlton et quand la limousine s'arrêta devant l'entrée illuminée de la rue Sherbrooke, Ariane fut saisie d'émotion. C'était encore plus beau que dans ses rêves. Les décorations de Noël s'alliaient à la neige qui tombait, floconneuse, pour créer une pure féerie. Le chauffeur tint la portière et Ariane sortit comme une reine lors de son couronnement. Le portier de l'hôtel en livrée rouge leur ouvrit la porte pendant que le chauffeur s'occupait des valises. Ariane flottait au bras d'Edmond. Des têtes se tournaient vers eux. Ils étaient beaux, jeunes et élégants. Ariane n'osait pas lever la tête pour admirer le décor fastueux du hall, ses riches boiseries, ses lustres scintillant de mille feux, ses appliques murales dorées, ses fauteuils recouverts de velours, ses tables d'acajou finement ouvragé. Elle se contentait de sourire au bras de son mari. Ayant peur de passer pour une campagnarde un peu niaise, elle avait décidé de jouer de prudence. Elle se répétait dans sa tête les consignes de sa belle-sœur Violette : retenue, discrétion, politesse réservée, ne pas élever la voix, ne pas claquer des talons, répondre par un léger sourire en baissant les yeux. Tous ces jolis principes n'allaient pas avec sa personnalité, mais Ariane désirait qu'Edmond soit fier d'elle et ne voulait commettre aucun impair. Elle fit glisser doucement ses bottines sur le tapis moelleux jusqu'au bureau de réception où elle attendit. Quelques minutes plus tard, un groom les pria de le suivre pour qu'il les conduise à leur chambre.

Vu le faste du hall, Ariane savait que la chambre serait jolie, mais elle ne pensait pas qu'elle serait si vaste. En fait, ce n'était pas une chambre, mais une suite. Le salon était plus grand que la cuisine de sa mère et il y avait une cheminée en marbre avec un garde-feu ouvragé et deux immenses chandeliers trônant sur le manteau de chaque côté d'un miroir à moulure dorée. Sur le mur, on pouvait voir une grande toile représentant une jeune fille jouant du piano. Une ravissante table basse, entourée de fauteuils recouverts de velours rouge, supportait un bouquet de fleurs rouges et blanches. Une bouteille de champagne attendait dans son sceau. Edmond avait pensé à tout. Le groom déposa les valises dans la chambre adjacente et sortit. Ariane regarda le grand lit de cuivre qui les attendait, ses draps d'une blancheur immaculée, ses grands oreillers carrés bordés de dentelle, ses lampes rondes en verre où des angelots ciselés dansaient avec des rubans. Elle entrouvrit la porte de la salle de bain toute blanche avec sa grande baignoire de marbre, ses robinets en forme de cou de cygne qui déversaient une eau claire et tiède, son tapis blanc où elle poserait ses pieds nus, ses serviettes épaisses attendant sa peau. Edmond la prit dans ses bras et l'embrassa. Il lui enleva doucement ses vêtements et ils décidèrent de faire monter leur repas pour ce soir. Leurs corps, depuis trop longtemps séparés, retrouvèrent la passion de leur première nuit, en mieux. Ariane n'avait plus cette gêne, cette angoisse de transgresser les tabous ou de pécher et ils n'étaient plus couverts de boue et glacés par la pluie de novembre. Edmond se sentait enfin libre de jouir du corps de sa femme en toute légitimité, de sentir sa peau douce sous ses doigts, de respirer ses cheveux, de goûter ses seins, son sexe.

Ariane se réveilla au petit matin en se demandant si elle avait rêvé. Tout était merveilleux : le décor, la nourriture et le champagne qu'ils avaient bu la veille, l'eau chaude et les bulles savonneuses dans le bain et ce soleil qui perçait maintenant entre les lourdes tentures de velours. Elle se leva et trouva Edmond, en robe de chambre, en train de lire le journal dans le salon. Une table à roulettes recouverte d'une nappe blanche attendait tout près avec ses couverts d'argent et sa porcelaine. Ariane embrassa Edmond et prit un morceau d'orange. Elle ferma les yeux pour savourer ce fruit qu'elle n'avait pu jusque-là manger qu'à Noël, souvent le seul cadeau dans son bas d'enfant. Elle pourrait désormais manger des oranges toute l'année, quand ça lui plairait. Elle eut une petite pensée pour sa mère et ses sœurs. Elle leur en offrirait une boîte dès son retour.

Les amoureux passèrent la journée à se promener dans la ville, à admirer les vitrines de Noël, à se réchauffer dans un salon de thé de la rue Peel, à acheter quelques cadeaux, un panier d'oranges et une boîte de chocolats, luxe extrême qu'Ariane tenait à offrir à Mathilde et à Violette. Ils revinrent lentement vers l'hôtel, bras dessus bras dessous, en foulant la neige noircie des trottoirs. Edmond embrassa les doigts de sa femme et lui demanda de revêtir sa plus belle robe : ils iraient dîner dans les fameux jardins du Ritz. Après qu'ils eurent fait l'amour et pris un bain, Ariane revêtit une longue robe turquoise ornée d'arabesques bleues et vertes, retenue aux hanches par une fronce attachée à une boucle de satin bleu. Un long collier de perles descendait entre ses seins. Edmond aimait la regarder quand elle s'habillait ; il aimait détailler son corps, admirer la courbe d'une hanche, d'un sein, le creux du bas du dos, le galbe d'une fesse ou d'un mollet, la souplesse d'un bras qui enfilait un jupon. Heureusement, les femmes ne portaient plus ces corsets rigides qui en faisaient des monolithes.

Si Ariane avait été éblouie par le luxe du hall de l'hôtel, des couloirs feutrés et de sa suite, elle fut littéralement renversée quand elle pénétra dans la salle à manger. De grandes tables rondes recouvertes de nappes blanches, d'assiettes de porcelaine, de verres de cristal finement ciselé, de couverts en argent portant le logo de l'hôtel – une tête de lion sur une couronne – et de bouquets de fleurs, au centre, attendaient les dîneurs. Un jardin en pot aménagé le long de larges portes vitrées et une fontaine donnaient un aspect estival à cette grande salle illuminée de nombreux lustres de cristal. Dans un coin, un orchestre de chambre jouait de la musique douce en sourdine. Ariane prit place à une table, près des plantes. Tout ce faste commençait à l'étourdir. Elle n'osa même pas déplier la serviette de lin blanc qui était posée sur son assiette comme une colombe alanguie. Elle sourit à Edmond, qui semblait se sentir à l'aise partout, et lui laissa le soin de commander et de lui faire découvrir des mets qu'elle n'avait jamais goûtés. À chaque première bouchée, la jeune femme fermait les yeux pour mieux graver la saveur dans sa mémoire, emmagasiner les odeurs, les textures afin de pouvoir les sentir de nouveau à volonté. Ce voyage trop court se terminerait le lendemain et elle voulait le poursuivre pendant le long hiver qui s'annonçait. Elle devrait vivre avec Mathilde et toute sa maisonnée les premiers mois de sa grossesse, le temps de trouver une maison pour abriter leur nouvelle famille.

Edmond mettait les bouchées doubles. Le porte-à-porte n'était plus aussi rentable, la région n'étant pas très peuplée et les appareils électriques demeurant un luxe que tout le monde ne pouvait s'offrir. Il avait déjà visité presque tous les acheteurs potentiels. Aussi se consacrait-il maintenant de plus en plus au chantier naval Savard et parcourait le Québec pour obtenir des contrats de dragage. Depuis que Jules avait acheté la première drague, il y avait maintenant plus de trois ans, le nombre de contrats augmentait et Edmond voyageait beaucoup plus.

Ce travail lui plaisait. Il aimait parler hauts-fonds et courants fluviaux avec des hommes rudes qui lui rappelaient son père, et il prenait aussi plaisir à courtiser des collets empesés pour leur faire sortir leur stylo à plume et signer de juteux contrats. Il était à l'aise partout, tant à la taverne enfumée qu'au bar d'un club sélect. Chaque être humain qu'il rencontrait avait pour lui un intérêt. Son sourire affable, sa poignée de main chaleureuse, sa façon de regarder les gens dans les yeux sans les mettre mal à l'aise, sa bonhomie et sa persévérance le rendaient sympathique. Tout le monde l'aimait.

Edmond avait une confiance illimitée en l'avenir et la personne qui résistait le plus à cette belle assurance était Ariane. Elle s'était nourrie de promesses et de rêves et, comme une petite fille, elle s'attendait à les voir se réaliser tout de suite. L'hiver s'éternisait; son ventre grossissait et elle vivait encore dans la maison de Mathilde. Sa belle-sœur n'avait pas une seconde de répit avec ses trois enfants, ses domestiques et les employés du magasin général. Louis prenait en charge les commandes et la réception des marchandises, mais Mathilde s'occupait presque seule des denrées périssables et de l'accueil des clientes qui lui commandaient des sous-vêtements en chuchotant. Louis pensait de plus en plus à agrandir le rayon quincaillerie et ustensiles de cuisine et à offrir à sa femme un magasin de vêtements pour dames, mais Mathilde hésitait, déjà débordée. Elle avait bien essayé de prendre Ariane comme vendeuse quelques heures par semaine, question d'occuper un peu cette jeune femme qui se morfondait à regarder par la fenêtre pendant des heures ou à rêvasser sur des pages de revues. Ariane avait prétexté sa grossesse, ses jambes lourdes, ses nausées et sa fatigue pour refuser. Elle préférait rêver au papier peint, aux tentures, aux lampes et aux tapis qui orneraient sa maison, celle qu'elle n'avait pas encore.

Edmond avait bien une maison en vue sur la rue Georges, mais le propriétaire refusait de la vendre. Il le rencontrait régulièrement, parlait de tout et de rien, lui offrait un cigare et promettait de revenir. Le vieil homme aimait se laisser courtiser de la sorte. Il ne voulait dépendre de personne et se cramponnait à cette demeure que tous ses enfants avaient désertée. Il aurait pu aller vivre avec sa fille aînée ou chez son fils qui l'avaient invité souvent à le faire, mais il appréciait trop sa liberté et aussi les visites d'Edmond. Ariane détestait ce petit bonhomme rabougri, aux dents jaunes et à la mauvaise haleine, et elle voulait qu'Edmond lui arrache la maison de force s'il le fallait ou qu'il en trouve une autre. Mais Edmond n'était pas le genre d'homme à baisser les bras. Au contraire, les difficultés le stimulaient. Quand il comprit que le vieux propriétaire ne voulait rien d'autre que sa compagnie, il lui proposa d'aménager la cuisine d'été, à l'arrière de la maison, et d'en faire un appartement confortable avec toutes les commodités, ce qui lui permettrait d'y finir ses jours tranquille, indépendant et en même temps sans être complètement seul. La proposition était intéressante : le vieil homme jouirait d'une entrée d'argent non négligeable sans avoir l'impression d'être jeté à la rue. Il hésita pour la forme, espérant se faire supplier davantage. Edmond lui demanda simplement d'y réfléchir et se leva immédiatement. Il n'était pas rendu à la porte que le contrat était conclu.

Ariane exultait. Elle serait enfin chez elle, entourée de tous les beaux meubles qu'elle imaginait, au milieu de ses tentures de riche velours, ses lustres, ses tables, ses chaises en bois précieux. Elle voulait recréer un petit Ritz. Mais elle explosa quand son mari lui annonça que l'ancien propriétaire habiterait tout près d'elle. Elle pourrait sentir sa mauvaise haleine à travers les murs, l'entendre cracher et tousser, pire, l'entendre ronfler. Edmond lui promit de construire une double cloison, l'appartement donnant de toute façon sur les cuisines où chaudrons et casseroles seraient plus bruyants que des ronflements. Ariane accepta ce compromis. La maison était jolie avec ses pignons blancs, sa tourelle et son immense galerie en façade; tout cela lui donnait des airs de petit manoir anglais. Les travaux se firent au printemps et la jeune famille emménagea à la fin du mois de mai.

Ariane ne se montrait plus, cachant son ventre énorme derrière les rideaux de son salon. L'enfant bougeait sans cesse, l'empêchant de dormir, cernant ses beaux yeux et martelant son dos. Juillet arriva avec ses chaleurs humides et ses grillons stridents. Ariane ne mangeait presque plus, accusant l'odeur du tabac du voisin d'envahir sa cuisine. Edmond ne savait plus quoi faire pour calmer celle qu'il appelait maintenant madame Savard. La jeune fille au corps bronzé et souple s'était transformée en matrone obèse. Ariane était parfaitement consciente de ces changements et elle espérait que la venue du bébé lui permettrait de retrouver son corps, toujours le même, et pourtant si différent.

La délivrance arriva enfin le 14 juillet 1922. Edmond passa la journée à faire les cent pas dans le salon pendant que la sage-femme et Mathilde essayaient de calmer une Ariane furieuse de tant de souffrances. Elle sentait son corps se déchirer de partout et quand elle vit une tête brune ensanglantée apparaître, elle poussa un soupir de soulagement. On enveloppa la petite fille qui criait à pleins poumons et Ariane la prit un moment, boule de chair fragile et hurlante. Celle qu'elle avait portée pendant ces longs mois comme une pierre au ventre se révélait délicate entre ses mains. Ariane ne savait pas quoi faire, elle qui avait si peu imaginé durant sa grossesse des gestes maternels, trop occupée qu'elle était à rêver de meubles et de tentures. Edmond entra dans la chambre, un sourire radieux sur le visage. Il se pencha pour embrasser sa femme et tendit les mains pour prendre sa fille.

Ariane était soulagée de la lui donner. Edmond souleva l'enfant qui se tut immédiatement et le fixa de ses grands yeux bleus, avançant sa bouche minuscule pour former un cercle tout rose. L'histoire d'amour entre ces deux êtres commençait.

— Tu t'appelleras Aurélie, mon ange.

Mathilde lui jeta un regard désapprobateur. La sage-femme prit le bébé pour le nettoyer et essayer de lui faire téter le sein maternel pendant que Mathilde invitait son frère à la suivre à la cuisine.

— Ça porte malheur de donner le nom d'une morte. Pourquoi pas le nom de maman ou de grand-mère ?

— Elles sont mortes aussi. Et puis, Aurélie était plus que ma sœur préférée.

— Tu veux te déculpabiliser de sa mort, après toutes ces années ?

— Si je suis vivant, c'est grâce à elle. J'ai crié son nom dans tous mes rêves pendant des années. Je n'oublierai jamais sa petite main tirant sur ma chemise. Le fleuve me l'a prise et l'amour me l'a rendue.

— Comment peux-tu t'en souvenir si bien ? Tu n'avais que deux ans !

— Ça ne peut pas s'oublier, tu le sais.

Mathilde s'assit, submergée par les souvenirs. Elle avait huit ans ; Aurélie en avait quatre. C'était une petite fonceuse qui n'avait peur de rien, courant sur les battures de Baie-Saint-Paul à la recherche du fleuve qui fuyait avec la marée. Sa mère arrivant au terme d'une grossesse difficile, Mathilde avait la garde de sa cadette pendant que ses frères Jules et Albert s'occupaient d'Edmond et de Lucien qui, lui, avait cinq ans. Edmond était donc le plus petit des garçons et ses trois frères avaient une fâcheuse tendance à en faire leur souffre-douleur. Aussi se réfugiait-il souvent auprès de ses deux sœurs. Tous les enfants connaissaient bien les marées, ils pouvaient les observer jour et nuit de la maison familiale, au bord du cap surplombant ce fleuve que leur père empruntait régulièrement à la saison de navigation. Le fleuve était partance et arrivée.

Il faisait chaud ce jour-là. Edmond jouait avec une petite pelle de bois qu'avait fabriquée son père durant une de ces longues journées d'hiver où il était obligé de rester à la maison. Il emplissait une chaudière métallique de boue pendant que ses deux frères couraient au loin à la poursuite d'un cerf-volant. Mathilde essayait de retenir Aurélie qui voulait jouer dans l'eau pour se rafraîchir. Pendant que les deux gamines se querellaient, Edmond avait décidé de suivre une mouette qui riait au loin. Quand Mathilde s'était retournée, elle avait vu la petite pelle rouge plantée dans le sable. Edmond avait disparu. En l'espace de quelques secondes, elle avait vu Aurélie, beaucoup plus rapide qu'elle, courir, se jeter à l'eau, puis saisir Edmond par le col de sa chemise. Mathilde avait couru à son tour, avait attrapé son jeune frère et l'avait traîné sur la rive. Quand elle avait levé les yeux, il n'y avait plus de traces d'Aurélie. Le fleuve se retirait avec ses traîtres courants et l'avait emportée avec lui. Mathilde avait passé toute la journée et toute la soirée à scruter l'horizon. Son père avait fini par la convaincre de rentrer, après lui avoir assuré que toutes les étoiles dans le ciel étaient des âmes au paradis qui brillaient pour les humains. Il lui avait montré du doigt l'étoile Polaire et dit qu'Aurélie était maintenant sur cette étoile. Mathilde l'avait cru pendant des années et avait salué chaque soir l'étoile la plus brillante en l'appelant Aurélie. Et voilà que l'étoile revenait près d'elle avec des yeux couleur de ciel. Mathilde joignit les mains et ferma les yeux. Edmond sourit. La piété de sa sœur l'avait souvent agacé, mais il comprenait qu'elle devait bien croire en quelque chose pour ne pas sombrer dans le désespoir.

– Que Dieu te protège, petite Aurélie, et que ta vie soit longue et heureuse.

– Ne t'en fais pas, Mathilde, j'aiderai Dieu à la protéger.

Mathilde lança un regard sévère à son frère avant de retourner auprès de la nouvelle maman et de la précieuse petite fille. L'enfant tétait, paupières closes, menottes appuyées sur le sein blanc de sa mère. Ariane, épuisée, souriait dans le vague, la tête posée sur de nombreux oreillers, les cheveux collés autour de son visage encore luisant de sueur. Mathilde se pencha au-dessus de l'enfant comme une bonne fée prête à formuler son souhait. Aurélie ouvrit ses yeux bleus et arrondit de nouveau ses lèvres, laissant couler une goutte de lait au coin de sa bouche.

– Sois la bienvenue, petite étoile Polaire.

Aurélie attendait en ligne derrière un chariot d'épicerie. Elle avait fait le tour du supermarché avec Simone. Les gens qu'elle avait croisés étaient plutôt insignifiants et elle se dit que ce déplacement ne valait pas la fatigue que provoquait en elle cet endroit bruyant et violemment éclairé. Devant elle, un tout jeune bébé, installé dans un petit siège, la fixait de ses grands yeux bruns. Une bonne fée avait-elle veillé sur sa naissance ? Mathilde l'avait fait pour elle jusqu'à sa mort, avec parfois tellement d'insistance qu'Aurélie l'appelait « la tante de plomb ». Longtemps, enfant, elle s'était imaginé que Mathilde était en fait sa grand-mère, même si elle n'avait que huit ans de plus que sa mère. Sa façon de voir le monde était si dépassée par moments qu'elle ressemblait à un personnage d'un autre siècle qui se serait perdu dans une machine à voyager dans le temps. Pauvre Mathilde, elle avait consacré sa vie aux autres, prenant sous son aile tout ce qui était vivant. À sa mort, sa maison pullulait de chiens et de chats qu'elle avait recueillis.

La petite auto de Simone dépassa la tourelle ouest et se gara près de l'entrée de la véranda donnant sur le fleuve. Il était ainsi plus facile de transporter les provisions à la grande cuisine du sous-sol. Jean-Paul sortit pour l'aider et, pendant ce temps, Aurélie alla s'asseoir près de l'étang qui se trouvait face au fleuve. C'était une piscine, à l'origine. Ariane avait beaucoup insisté pour en avoir une, car elle aimait nager. L'architecte avait proposé une piscine ronde comme une pataugeoire et fait installer tout autour des vasques remplies de plantes, une statue de naïade tournée vers le soleil couchant et une autre statue représentant un enfant qui, les mains sur les hanches, regardait droit au nord, vers l'étoile Polaire. Ariane s'y baignait peu finalement, ayant trop l'impression d'être dans un parc, et préférant se faire conduire en bateau sur une des nombreuses îles situées à l'entrée du lac Saint-Pierre et trouver une plage souvent déserte. Au fil des ans, on avait ajouté une petite fontaine qui gargouillait et laissé pousser des plantes aquatiques, nénuphars et roseaux, côtoyant les joncs et les quenouilles qui se trouvaient sur les rives du fleuve, de l'autre coté d'un muret de pierre. Les grands arbres du parc les touchaient à peine de leur ombre à la fin de la journée.

Aurélie aimait s'y asseoir et regarder le fleuve couler sans trêve. Les rosiers qu'elle avait plantés dans les vasques lui apportaient un doux parfum. La vieille dame ferma les yeux pour mieux les sentir. Tous ces petits plaisirs qui s'émoussaient avec les années, ces douceurs qu'elle ne pouvait plus offrir à personne. Elle tourna la tête et vit Simone entrer avec le dernier sac d'épicerie. Elle ne voyait plus la beauté du fleuve, ne savourait plus le calme de cet étang qui avait accueilli tant de confidences muettes. Un bateau de croisière descendait le courant, masse blanche lumineuse sur le bleu de l'eau. Aurélie le fixait. Sa vue n'était plus assez bonne pour distinguer les passagers accoudés aux bastingages des ponts, mais elle pouvait très bien les imaginer. Elle avait connu sa première expérience maritime très jeune et elle avait long-temps eu l'impression que son père lui avait offert le Duchess of York comme cadeau d'anniversaire. Le bateau avait été inauguré en grande pompe quelques semaines avant qu'Aurélie n'ait deux ans.

Edmond avait acheté ce petit bateau et l'avait fait retaper dans le chantier naval Savard pour en faire un bateau de croisière destiné à naviguer sur le fleuve. Il sentait que ce fleuve, qui avait toujours fait travailler son père et qui lui offrait maintenant de nombreux contrats de dragage, était une petite mine qu'il lui fallait exploiter. Le Québec croulait sous les chapelets, et les gens s'offraient peu de sorties, hormis les pèlerinages. Edmond avait fait repeindre les quatre ponts du bateau d'un blanc immaculé qui captait le soleil sur le fleuve comme une boule de lumière. Son nom, Duchess of York, était peint en bleu marial à la poupe. Edmond avait choisi un nom anglais pour lui donner une touche interna-tionale, évoquant les Queen of Ireland et les Princess of Wales. Les cuivres bien astiqués brillaient comme des rayons de soleil, et les boiseries sombres créaient une telle intimité que les passagers baissaient le ton quand ils entraient à l'intérieur. Avec le Duchess of York, Edmond fondait la Compagnie maritime du Richelieu que tout le monde appelait «les gros bateaux blancs».

Ariane était très fière de ce projet. Depuis la naissance d'Aurélie, Edmond semblait redoubler d'ardeur et d'ambi-tion, ce dont il n'avait pourtant jamais manqué. La petite maison de la rue Georges était maintenant aménagée à son goût et Ariane avait appris à vivre avec l'ancien propriétaire qui se montrait somme toute assez discret. La petite Aurélie grandissait entourée de ses cousins et cousines, car Mathilde l'amenait régulièrement chez elle, laissant à Ariane tout le temps libre nécessaire à ses activités de femme du monde. Son monde se réduisait en fait à peu de choses, mais Ariane aimait vivre comme les héroïnes de roman, faisant la grasse matinée dans ses draps de satin ou de dentelle, prenant d'interminables bains et passant de longs moments devant sa coiffeuse à brosser ses cheveux et à se dessiner une bouche en cœur. Edmond la trouvait toujours aussi belle, mais un peu trop distante. Ariane avait retrouvé sa taille de jeune fille et faisait tout pour éviter une autre grossesse. Pour calmer les ardeurs de son mari, elle prétextait des migraines ou des maux de ventre. Mais Edmond n'était pas dupe de ces manigances et commençait à se montrer plus direct. Ariane cherchait pendant ce temps quelque remède de bonnes femmes pour empêcher la venue d'un autre bébé. Elle essaya de demander conseil à sa mère, mais celle-ci lui rappela sèchement les devoirs sacrés du mariage et de la procréation. Nuire à la venue d'un bébé conduisait en enfer. Mathilde lui suggéra discrètement de sautiller près du lit tout de suite après l'acte pour faire descendre la semence et de se laver comme il le fallait. Elle pouvait aussi se livrer à de rudes travaux domestiques comme laver les planchers à la brosse. Mais Ariane ne pouvait se résigner à astiquer le sol devant les domestiques, encore moins à débouler les escaliers, à fendre du bois de chauffage en sautant dessus, ni à manger un peu de savon. Prendre des bains de moutarde ou de vinaigre et se gaver de purgatifs ne lui disait rien non plus. Ne sachant plus quoi faire, elle se confia finalement au principal intéressé, son mari. Quand Edmond comprit les raisons de sa froideur, il lui promit de faire attention, à la surprise d'Ariane.

– Tu vas empêcher ouvertement la venue d'un enfant. Il faudra t'en confesser.

– Vaut mieux l'empêcher ouvertement que secrètement avec des maux de tête et des mensonges.

– Et si ça ne marche pas ?

– Ce ne sera pas une catastrophe. Ariane, je veux d'autres enfants de toi, mais je suis d'accord pour attendre un peu.

Il l'embrassa dans le cou, dans le creux de l'épaule, et quand il fut rendu aux seins, Ariane était déjà prête à courir des risques. Elle se demandait comment elle avait pu repousser pendant des mois cet homme qu'elle aimait. Quand elle sentit sur son ventre couler un liquide chaud, elle en fut soulagée et heureuse. Son humeur changea : elle était plus patiente avec la petite Aurélie qui commençait à faire ses premiers pas. La petite fille, adorable, séduisait tous ceux qu'elle approchait. Edmond la bordait tous les soirs, ému de contempler cet ange qui était pour lui la réincarnation de sa sœur, avec la même fougue et le même défi dans les yeux. Elle n'avait peur de rien. Edmond avait peur pour elle et prenait son rôle d'ange gardien très au sérieux.

Pour l'inauguration du Duchess of York, Ariane avait revêtu une robe à taille basse, blanche avec un liséré marine. Un chapeau de paille à larges bords et un long collier de perles bleues complétaient sa tenue de croisière. Aurélie portait une robe blanche avec un large collet marin et un petit chapeau cloche blanc. La fillette sortit de l'auto dans les bras de son père qui lui fit admirer le bateau en marchant le long du quai. Ce haut bâtiment tout blanc, avec ses fenêtres rondes cerclées de cuivre brillant et ses longues galeries où les gens circulaient, séduisit l'enfant. Il y avait déjà des hommes accoudés au bastingage, des femmes qui saluaient de la main des gens se trouvant sur le quai. Quand Edmond mit le pied sur la passerelle pour suivre Ariane, Aurélie se mit à crier : « À terre, à terre ! » Croyant qu'elle avait peur de monter à bord, il essayait de la rassurer, mais elle gigotait tellement dans ses bras qu'il la déposa. Aurélie, tout sourire, s'élança sur la rampe d'accès. Elle voulait monter à bord sur ses deux pieds ! Éblouie par les dimensions gigantesques de cette maison flottante, la fillette se promena sur le pont supérieur et visita la cabine de pilotage. À son grand bonheur, lorsque le bateau s'éloigna du quai, le capitaine fit retentir de nombreux coups de corne de brume et les passagers lancèrent des rubans vers ceux qui restaient à terre. Aurélie vit le port s'éloigner, les gens se faire tout petits et se tourna ensuite vers la proue pour sentir le vent et admirer l'eau. Cette masse liquide, qu'elle avait souvent vue de la rive, lui paraissait si différente maintenant qu'elle était dessus. Elle s'y sentait à l'aise même si son père semblait très nerveux. Elle se tourna et lui sourit. Edmond en eut les larmes aux yeux. Ce sourire venait d'ailleurs. Sa sœur lui pardonnait son imprudence d'enfant de deux ans.

Aurélie resta longtemps à regarder le fleuve, jusqu'à tomber de sommeil. Edmond l'allongea dans leur cabine personnelle et partit prendre le pouls de ses passagers. Le voyage ne durerait pas longtemps jusqu'au Cap-de-la-Madeleine, mais certains passagers, effrayés par l'eau, égrenaient des chapelets dans le grand salon. Les autres se promenaient sur les ponts ou sirotaient des rafraîchissements dans le salon restaurant.

Edmond se dit que le Cap-de-la-Madeleine, destination très populaire, remplirait ses bateaux, mais il lui faudrait aussi pousser plus loin vers Sainte-Anne-de-Beaupré et offrir des nuits à bord pour rendre son bateau plus rentable. Il alla retrouver sa femme dans leur cabine. Aurélie dormait à poings fermés et Ariane appliquait une goutte d'un nouveau parfum derrière ses oreilles. Edmond se pencha vers elle et embrassa sa nuque.

— Ça te plaît ?

— Tu me plais.

— C'est tout nouveau, de madame Chanel.

— Non, c'est toi. Il dégrafa sa robe. Ariane eut un sursaut.

— Ici, en plein jour ! Des gens pourraient nous surprendre…

— La porte est verrouillée et les poissons ne diront rien à personne, ils me l'ont promis.

Edmond était un homme respectueux des conventions. Travaillant avec le public, il était bien placé pour connaître leur importance. Mais il y avait aussi chez lui un côté fonceur et irrévérencieux qui le faisait parfois agir selon ses instincts. Quand il avait vu la nuque bronzée de sa femme, son bras fin recourbé et sa main qui déposait une goutte de parfum derrière son oreille, il avait eu envie d'elle. Ce n'était pas la première fois, bien sûr, mais le côté interdit l'avait fouetté. L'idée de faire l'amour à sa femme sur un bateau amenant des pèlerins prier la Vierge l'excitait. Ariane jetait des regards effrayés autour d'elle. Si la petite se réveillait, qu'allait-elle pouvoir lui dire ? Edmond tira le rideau de la couchette de l'enfant comme s'il lisait dans ses pensées. Il retrouva le corps d'Ariane sur l'étroite couchette de la cabine. Il y avait peu de place pour les acrobaties et Edmond se contenta de savourer ce corps sous le sien avec tendresse. Il se perdit en elle avec tellement de bonheur qu'il en oublia sa promesse. Ariane ne sentit pas de liquide chaud sur son ventre; elle le sentit en elle. Elle ferma les yeux, sachant que ce pèlerinage lui amènerait un autre enfant. C'était peut-être le moment, après tout.

Cette deuxième grossesse fut plus facile. Il y avait une sorte de résignation dans les yeux d'Ariane. Elle regardait son corps se transformer, la petite Aurélie grandir, et elle se disait qu'elle était maintenant une mère de famille, une épouse. Elle repensait parfois à sa mère et se demandait si elle avait aussi baissé les bras à la naissance de son deuxième enfant. Elle la voyait peu, sa mère, et quand cela arrivait, elles ne se racontaient que des banalités. Cette femme aigrie ne cessait de lui faire des reproches à peine voilés sur sa façon d'élever Aurélie: la fillette était trop libre, regardait les gens dans les yeux pour balbutier ce que sa mère pensait du haut de ses deux ans, et décidait elle-même des vêtements qu'elle allait porter. Ariane se taisait malgré l'envie cuisante qu'elle avait de lui rabattre le caquet en évoquant son éducation rigide et la terreur qu'elle avait si longtemps inspirée à ses trois filles. Elle préférait tenir sa mère éloignée de sa vie. Mathilde se comportait toujours en grande sœur et Ariane se sentait en totale sécurité avec elle. Les deux femmes voyaient peu Violette qui avait des journées bien remplies avec ses enfants, ses domestiques et sa vie sociale. Jules n'arrêtait pas une seconde non plus, toujours à la recherche de nouvelles idées pour augmenter ses avoirs et son pouvoir. Edmond et lui étaient toujours aussi proches et ils fumaient tous les soirs leur cigare ensemble en discutant de divers projets pour le chantier naval Savard. Si l'un des deux était à l'extérieur de la ville, ils se parlaient au téléphone.

L'hiver se pointa et Ariane pouvait compter les mois sur son ventre qui grossissait. Aurélie était follement excitée dans l'attente du petit Jésus. Elle avait bien remarqué que le ventre de sa maman gonflait et lui avait demandé si elle était malade. Ariane s'était bien juré de ne jamais faire comme sa mère en taisant la vérité ; elle en avait trop souffert. À ses premières menstruations, elle avait cru être atteinte d'une mystérieuse maladie, honteuse et sans aucun doute mortelle. Quand elle avait enfin osé en parler à sa mère, celle-ci lui avait répondu que c'était le destin de toutes les femmes et qu'elles devaient s'arranger avec ça. Les enfants étaient toujours éloignés des maisons, du moins de la chambre des parents, pour l'accouchement de leur mère et la société gardait un silence complice sur le sujet. Aussi Ariane ne voulut-elle rien cacher à sa fille, lui disant qu'il y avait dans son ventre un petit frère ou une petite sœur. Aurélie était convaincue que ce bébé naîtrait, comme le petit Jésus, le 25 décembre. Elle refusa de dormir la veille de Noël, prétextant qu'elle voulait voir le bébé arriver.

Edmond, tout sourire, décida de l'amener à sa première messe de minuit. Il prit l'enfant dans ses bras et Ariane cacha sa condition, comme on disait à l'époque, sous un grand manteau de fourrure à large col et à larges revers aux manches. La petite famille parcourut les quelques rues qui les séparaient de l'église Saint-Pierre. Aurélie regardait partout, surprise de sortir la nuit et de voir autant de gens emmitouflés dans leur gros manteau. L'intérieur de l'église était très éclairé. Une fumée bleutée flottait au-dessus de la tête des fidèles à cause des cierges et des lampions allumés, et une forte odeur d'encens prenait aux narines, contrastant avec le froid piquant de l'extérieur. Edmond et Ariane prirent place sur le banc qui leur était réservé, entourés des familles Savard et Potvin au grand complet. Aurélie, sur les genoux de son père, voulait tout voir et bougeait sans cesse. Edmond, pour la calmer, l'amena voir la crèche faite de personnages de cire au teint rosé. Aurélie regarda Marie, puis Joseph, agenouillés devant un berceau de paille vide. Un âne et un bœuf en papier mâché, trop petits, se tenaient derrière eux. La fillette fixait le berceau vide, étonnée.

– Où y est, bébé Jésus? Dans le ventre de sa maman?

Des murmures réprobateurs s'élevèrent immédiatement derrière Edmond. Comment pouvait-on permettre à un enfant d'avoir un langage aussi direct et cru? Edmond prit sa fille dans ses bras et lui murmura qu'il n'était pas encore né; il fallait attendre après minuit. Il s'était senti rougir et s'en voulait de réagir ainsi, alors que la candeur de sa fille était si naturelle. Les bigotes le suivirent du regard jusqu'à son banc. Aurélie s'assit entre ses parents et posa sa tête sur le ventre de sa mère pour entendre le bébé quand il serait prêt à sortir. Elle s'y endormit rapidement. Son père et sa mère se regardèrent sans dire un mot. Edmond prit la main de sa femme et la serra doucement. Il avait envie de lui embrasser le bout des doigts, mais il n'en fit rien, conscient que les regards convergeaient vers eux, comme s'ils étaient un couple de libertins. Les trois messes furent interminables. L'odeur de l'encens était suffocante et les chœurs d'enfants, endormants. Edmond serait parti, comme l'avaient fait beaucoup de gens, après la première messe, mais Jules et sa famille restaient pour les trois ; il fallait bien donner l'exemple. Aurélie ne se réveilla pas quand son père la prit dans ses bras pour rentrer à la maison. L'air froid de la nuit et la légère neige qui tombait ne parvinrent pas davantage à la tirer du sommeil. Ce n'est que dans son lit, pendant qu'Ariane lui enlevait ses vêtements, que la petite demanda à voir bébé Jésus. La promesse de le voir le lendemain lui suffit et elle se rendormit.

Mathilde réunit toute la famille Savard qui était à Sorel pour le réveillon du jour de l'An. Les enfants de Jules et de Violette, ceux de Mathilde et de Louis et la petite Aurélie avaient toute la maison à eux pour courir et crier. Violette jouait du piano ; Mathilde chantait et, la soirée avançant, Edmond se mit à jouer de l'harmonica et à chanter des chansons de marins apprises de son père. Même Jules se laissa aller à chanter avec les autres. Il avait toutes les raisons d'être de bonne humeur. L'année 1925 s'annonçait très bonne. Il avait rencontré depuis peu un colonel à la retraite de Vancouver qui se spécialisait dans le dragage. Jules avait tout de suite éprouvé de la sympathie pour cet homme grand et mince. Ses manières rudes de militaire et son éducation toute britannique lui plaisaient. Le chantier naval Savard était encore petit et se contentait de faire du dragage au Cap-de-la-Madeleine, d'entretenir les dragues et de construire quelques bateaux de faible tonnage. Jules ne voulait pas s'arrêter à ça. Son travail à la compagnie d'électricité locale ne demandait qu'un peu de paperasse et il ne voyait pas comment il pourrait y avoir une quelconque expansion de ce côté. L'avenir était sur l'eau, sur ce fleuve dont les glaces déplaçaient le lit chaque printemps. Il fallait le draguer et construire des navires. Quand minuit arriva et que tout le monde se souhaita la bonne année, Jules et Edmond se serrèrent la main en se regardant dans les yeux : cette année-là serait encore meilleure.

Le printemps apporta un fils à Edmond et à Ariane, un solide gaillard qu'ils appelèrent Charles. Aurélie se montra intéressée à ce nouveau poupon, puis elle s'aperçut que ses parents se montraient trop intéressés. Son père n'avait d'yeux que pour ce fils héritier et sa mère, trop fatiguée pour s'occuper d'elle, passait de longs moments dans sa chambre à examiner ce corps devenu tout blanc et mou et à pleurer sur sa jeunesse qui s'envolait alors qu'elle n'avait que vingt-sept ans. La petite se lança dans une entreprise de séduction qui porta fruit. Elle câlinait son père qui cédait toujours devant ses yeux bleus larmoyants et les baisers dont elle couvrait son visage. La tactique était différente avec sa mère qui ne supportait pas d'être touchée, détestant ce qu'était devenu son corps. Aurélie, avec un instinct sûr, trouvait les mots pour la séduire et l'appelait souvent « belle petite maman chérie ». Elle complimentait un détail chaque jour, le choix d'un collier, d'un vêtement ou simplement ce parfum qu'Ariane n'avait cessé d'utiliser depuis l'inauguration de la Compagnie maritime du Richelieu, ce No 5 de madame Chanel. Aurélie pouvait d'ailleurs repérer le passage de sa mère à cette odeur.

Ariane eut peu de répit car elle se retrouva enceinte à nouveau. Elle avait pourtant allaité longtemps, mais cette méthode censée éviter une autre grossesse avait ses faiblesses. Un autre fils s'ajouta à la famille en 1926. Roland était un bébé fragile et inquiet. Ariane se sentait devenir une simple nourrice et voyait Edmond se détacher d'elle. Il passait de plus en plus de temps à son bureau. En fait,

Edmond savait que leur maison de la rue Georges, toute charmante qu'elle fût, était un peu petite. Il rêvait d'installer sa famille dans une maison plus grande comme Jules venait de le faire, mais il fallait trouver plus de contrats et de travail pour le chantier naval. Aurélie avait maintenant quatre ans et elle n'avait cessé de courtiser son père, lui laissant peu de temps pour s'occuper des bébés qui ne faisaient que pleurer et manger. Elle affirmait sa position de princesse pendant que sa mère passait ses journées allongée sur son ottomane à lire des romans et à boire du thé citronné dans l'espoir de voir fondre cette graisse qui l'enrobait.

Ariane voyait la nuit venir avec appréhension. Ne sachant comment résister au désir d'Edmond, elle n'avait trouvé rien de mieux que de dormir dans la journée et d'occuper toutes ses soirées afin d'aller au lit le plus tard possible dans la nuit, quand elle entendrait le souffle régulier de son mari dans la chambre. Edmond apprit lui aussi à sortir après avoir bordé sa princesse. Il allait jouer aux cartes et prendre un verre avec les frères Potvin qu'il s'était remis à fréquenter. Il veillait à sortir discrètement de la maison et à se faire encore plus discret quand il revenait tard le soir pour ne pas donner l'occasion aux mauvaises langues de traîner un Savard dans la boue. Les commères dormaient à ces heures-là, et leurs maris buvaient dans les nombreuses tavernes de la région. La nuit était réservée aux hommes et à quelques femmes qui gagnaient leur vie dans les arrière-boutiques et les chambres minables de bonnes.

Edmond était maintenant directeur du chantier Savard et Jules, gérant administrateur de la Sorel Light & Power Co. Ils avaient des positions enviables et auraient pu se contenter de jouer les bourgeois dans une petite ville maritime où rien ne semblait se passer. Mais s'arrêter aurait signifié pour eux mourir d'ennui et s'étouffer dans la satisfaction. Jules vendit ses parts de la compagnie locale d'électricité à la Shawinigan Water & Power et prit en charge, en retour, la distribution de l'électricité dans la région. Mais il venait d'avoir quarante ans et n'avait pas l'intention d'en rester là. Et pour cela, il fallait des fonds et des hommes d'expérience. Seymour Townsend était de ceux-là. Jules et lui possédaient le même sérieux, le même désir des choses concrètes. Ils étaient faits pour s'entendre. Jules avait rencontré le colonel Townsend sur un bateau qui l'amenait à Québec, le fleuve étant à l'époque une voie de transport très utilisée. Jules avait tout de suite remarqué cet homme distingué, tout habillé de tweed gris, un chapeau enfoncé sur les yeux, une pipe à la main, accoudé au bastingage. Il était allé se placer à ses côtés et avait allumé une cigarette, puis il avait jeté son briquet d'argent à l'eau. Le colonel s'était retourné, surpris d'un tel geste. Jules lui souriait.

– Je vais aller le repêcher avec mes dragues.

Le colonel avait souri à son tour et s'était présenté. Il travaillait dans le même domaine. Les deux hommes, éprouvant une sympathie mutuelle, s'associèrent pour fonder la Compagnie générale de dragage en se portant acquéreurs d'une compagnie de la côte du Pacifique avec toute sa flotte et son outillage. Ils eurent ainsi assez de poids pour obtenir un important contrat de dragage à l'Anse-au-Foulon, à Québec. Jules voyait l'empire rêvé prendre forme. Il devait maintenant se lancer dans la construction des navires dont il avait besoin et il lui fallait avoir aussi des fonderies et des ateliers mécaniques suffisamment équipés pour construire des coques et des pièces de fortes dimensions. Le chantier naval Savard acheta alors les Ateliers mécaniques de Sorel et la fonderie Beauchemin qui devint la fonderie Sorel.

Devant l'ampleur du travail qui l'attendait, Jules voulut s'entourer des siens. Il avait besoin d'un climat de confiance absolue autour de lui, d'hommes à qui il pourrait parler directement, sans mettre de gants blancs, et qui seraient d'une fidélité à toute épreuve. Il demanda donc à son frère Albert de venir s'installer à Sorel. Albert travaillait depuis quinze ans comme comptable pour une grosse usine de pâte à papier. Bien établi avec sa femme, Rose-marie, et leurs quatre enfants, il n'avait jamais envisagé de déménager. C'était un homme discret, efficace, qui avait horreur des mondanités, appréciant une vie familiale simple. Il se voyait vieillir parmi les siens, et l'invitation de Jules le surprit. L'offre était tentante. Sa femme et ses enfants se rapproche-raient de sa famille, mais perdraient aussi les amitiés qu'ils avaient cultivées au fil des ans. Albert demanda à réfléchir et à consulter Rosemarie.

Jules fut étonné de cette requête. Il ne lui serait jamais venu à l'esprit de consulter Violette pour une décision d'affaires. Elle avait carte blanche pour tout ce qui concernait la tenue de la maison, mais les décisions familiales lui revenaient à lui. Jules était cependant assez diplomate pour donner un peu de temps à son frère et pria Edmond de vanter les attraits de la ville à Rosemarie. Ce dernier n'eut pas à se forcer beaucoup. Rosemarie étouffait parmi les épinettes et rêvait d'une vie sociale plus active. L'élégance d'Ariane, le port de tête aristocratique de Violette, la vie épanouissante de Mathilde la convainquirent de quitter sa cuisine et ses pots de confitures pour se joindre à ses belles-sœurs. Albert s'inclina avec plaisir. Ce changement serait peut-être salutaire, après tout. Tous les membres de la famille arrivèrent à Sorel au printemps de 1929. Ils découvrirent une ville plus petite qu'ils ne l'avaient crue, une sorte de gros village entouré d'eau, le fleuve Saint-Laurent au nord, la rivière Richelieu à l'ouest, les marais et les îles où débouchaient les rivières Yamaska et Saint-François, et le lac Saint-Pierre à l'est. Une cité lacustre peuplée de petites maisons de bois à pignons de tôle et de bâtiments commerciaux entassés comme des boîtes de carton. Si on voulait sortir de toute cette eau, il fallait prendre un bac pour traverser le Richelieu et aller vers Montréal.

Rosemarie avait remplacé les murs d'épinettes par des planchers d'eau. Violette l'aida à s'installer. Cela faisait partie de ses bonnes œuvres et de ses devoirs envers Jules. Les enfants accueillirent leurs cousins et cousines avec joie, de nouveaux compagnons étant toujours les bienvenus. Mathilde régala tout ce petit monde de bonbons et Ariane donna quelques conseils vestimentaires à Rosemarie qui portait plus souvent un tablier qu'une robe de soirée. Sa nature campagnarde s'accommoda tant bien que mal à cette nouvelle vie citadine, dans une ville qui n'en était pas encore vraiment une. Les repas du dimanche chez Jules devinrent un rituel. Pendant que les enfants s'amusaient, que les femmes parlaient des problèmes du quotidien et de l'éducation des enfants, les frères Savard fumaient leur cigare et refaisaient le monde en se l'appropriant, des projets plein la tête avec leurs nouvelles acquisitions.

Simone lisait la chronique nécrologique dans le journal local, une habitude prise avec l'âge. Elle avait cinquante-sept ans et voyait la mort emporter de nombreuses gens de la génération qui précédait la sienne. Elle ne s'arrêta d'abord pas aux quelques lignes qui annonçaient le décès de madame Jeanne Léveillée. Ce fut le nom de ses enfants, Lorraine et Martin, qui attira son attention : le fils était un ancien amoureux. Martin était beaucoup plus jeune qu'elle, de presque dix ans. À l'époque où son mari la trompait avec presque tout ce qui portait un jupon en ville, Simone avait rencontré Martin dans un bar. Célibataire incurable, il l'avait séduite par sa simplicité. Il aimait bien avoir des amies de passage, mais ne voulait s'attacher à aucune. C'était exactement ce dont Simone avait besoin à ce moment-là. Ils avaient vécu une merveilleuse aventure érotique, assez longue pour que cette femme délaissée reprenne confiance en elle et décide de mettre à la porte l'imbécile qu'elle avait épousé. Elle était entrée au service d'Aurélie Savard et avait pu faire éduquer ses enfants loin de leur père alcoolique. Simone devait à Martin la vie tranquille qu'elle avait maintenant. Aussi décida-t-elle de se rendre au salon funéraire. Elle ne savait trop ce qui l'y poussait. Ce n'était jamais un endroit bien amusant, mais elle avait envie de voir à quoi ressemblait Martin après toutes ces années.

Elle l'avait connu grand et mince ; elle le retrouva légèrement bedonnant et un peu chauve. Le temps ne l'avait pas épargné, lui non plus. Simone se sentait mal à l'aise parmi tous ces inconnus qui offraient leurs condoléances. Elle allait faire demi-tour quand une femme aux courts cheveux auburn et aux grands yeux bleu-gris la regarda en souriant, la prenant manifestement pour quelqu'un d'autre. Quand elle s'aperçut de son erreur, la femme s'excusa de l'avoir prise pour une lointaine cousine.

— Je suppose que vous connaissez mon frère Martin.

— Très peu, en fait. Vous êtes Lorraine, n'est-ce pas ? Je vous présente toutes mes condoléances.

Lorraine la remercia, lui serra la main et se tourna vers un parent qui arrivait. Simone remarqua que, sur le cercueil fermé était posée une très belle photo d'une femme souriante, aux cheveux argentés. Il y avait quelque chose d'émouvant dans ce portrait. La femme semblait tellement vivante qu'on avait l'impression qu'elle allait parler, nous dire des choses tendres. Simone la regarda longtemps. Elle se rappelait cette femme, l'ayant sans doute vue en faisant des courses, au restaurant ou dans la rue. Elles avaient habité la même ville sans vraiment se connaître. Martin s'approcha d'elle et la reconnut. Simone se sentit mal à l'aise. Leur aventure devait être sans lendemain, et voilà qu'elle se retrouvait, vingt ans plus tard, devant la dépouille de sa mère, comme si elle le poursuivait de ses assiduités. N'ayant rien perdu de sa simplicité, Martin la remercia d'être venue comme s'ils s'étaient vus la veille. Il parla de sa mère, morte d'un lent cancer. Son père n'avait pas pu l'attendre, et était décédé l'année précédente d'une foudroyante crise cardiaque. Simone l'écoutait à peine, troublée par la photographie. Martin le remarqua.

— Ma mère tenait à ce qu'on se rappelle d'elle dans ses meilleurs moments. Elle a elle-même choisi cette photo parmi toutes celles que Lorraine avait accumulées dans des boîtes depuis des années.

— C'est Lorraine qui l'a prise ?

— Oui, elle est photographe et voyage beaucoup. Elle revient de Sarajevo où elle s'était rendue pour Amnistie Internationale. Elle a limité un peu ses voyages à cause de maman, mais je suppose qu'elle va les reprendre de plus belle dès qu'on va avoir vendu la maison.

Simone sourit malgré elle. Elle avait hâte de présenter Lorraine à Aurélie et promit à Martin d'aller prendre un verre avec lui un de ces jours. Il se sentit flatté. Cette femme était encore appétissante. Elle lui demanda son numéro de téléphone et celui de Lorraine. C'était le même : Lorraine habitait la maison familiale et Martin se cherchait maintenant un appartement. Il avait emménagé avec sa mère un an auparavant pour s'occuper d'elle durant les absences de sa sœur, et il reprendrait sa liberté bientôt.

Le lendemain de l'enterrement, Lorraine reçut un appel de Simone qui l'invitait au manoir pour rencontrer madame Savard. Elle se demanda ce que cette femme qu'elle ne connaissait pas pouvait bien lui vouloir. Elle hésita, des éventuels acheteurs devant venir dans la journée visiter la maison. Simone se résigna à lui dire que sa patronne cherchait une photographe.

— Je fais rarement des photos de studio. Je suis habituée à aller sur le terrain et à faire du reportage. Je ne pense pas être la photographe dont madame Savard a besoin.

— J'ai vu la photo de votre mère, et je pense que vous êtes exactement la personne qu'elle cherche.

— Je suis occupée par tous les détails de la succession. Je vous avoue que je n'ai pas le cœur à ça maintenant. Laissez-moi y penser.

— Je vous en prie, venez, ne serait-ce que quelques minutes. Vous avez bien le temps de boire une tasse de thé.

— Je préférerais un bon espresso italien.

— Je vous en préparerai un que vous n'oublierez pas de sitôt. Disons à quatre heures ?

Lorraine raccrocha en s'en voulant d'avoir accepté cette invitation. En fait, elle était surtout curieuse de voir l'intérieur du manoir. Ses parents habitaient près du village de Sainte-Anne-de-Sorel et, pendant une bonne partie de son enfance et de son adolescence, Lorraine était passée souvent devant cette demeure cachée derrière son mur de pierre et sa végétation. Même toute petite, elle n'avait jamais osé y sonner les soirs d'Halloween, trop timide pour cela. C'est cette timidité qui avait fait d'elle une photographe. Elle aimait se cacher pour observer la vie autour d'elle. Son physique assez ordinaire la servait à merveille : les gens l'oubliaient rapidement et redevenaient naturels face à son objectif. Elle considérait la photographie comme une façon honnête de voir le monde, de rendre compte de la réalité, sans la déformer.

Les vautours se présentèrent au début de l'après-midi. L'agent immobilier souriait de tous ses crocs, le couple complice le précédant. Ils regardèrent à peine la maison, ne parlant que de rénovations : il fallait refaire ceci, abattre ce mur, changer cette fenêtre, enlever cette moquette. Ils discutaient devant elle comme si elle n'existait pas, persuadés qu'elle voulait se débarrasser rapidement de cette maison où sa mère venait de mourir. Lorraine les voyait venir avec leurs gros sabots et avait envie de les mettre immédiatement à la porte. Mais elle supporta leurs commentaires en respirant calmement et quand ils voulurent lui faire une offre ridicule, elle ouvrit la porte en silence.

— Nous pourrions discuter, même s'il y a des...

— Je ne veux pas que vous habitiez cette maison, vous ne la méritez pas.

Et elle les poussa à l'extérieur. L'agent leva la main pour l'exhorter à réfléchir, mais elle lui tourna le dos en claquant la porte. Lorraine les regarda gesticuler dans l'entrée du garage, regagnant lentement leur auto, ne comprenant pas cette folle qui voulait rester avec cette bicoque sur les bras. C'était une petite maison modeste qui avait sans aucun doute besoin d'une cure de rajeunissement, mais Lorraine ne pouvait supporter les gens qui essayaient continuellement de profiter des malheurs des autres, que ce soit le lendemain d'un enterrement ou après une guerre ou une famine. Elle erra un peu dans la maison, ne sachant où se poser. Elle était chez elle mais, en même temps, elle ne reconnaissait plus cette demeure qui n'avait pourtant pas changé. C'était elle qui s'était habituée à se déplacer constamment, sentant le besoin impérieux de mettre un pied devant l'autre. Lorraine entendit l'auto de Martin se garer. Elle devrait lui expliquer pourquoi elle avait mis des acheteurs à la porte.

Son frère avait hâte de sortir de cette maison où il avait été enfermé pendant des mois, à regarder leur mère dépérir. Lorraine espérait qu'il trouverait un appartement rapidement.

Aurélie avait sorti de vieux albums de photos. Elle voulait s'occuper un peu car la venue de cette photographe la rendait nerveuse. Elle ne savait pas pourquoi. Le ton impératif de Simone, peut-être. Cette femme, qui ne disait jamais un mot plus haut que l'autre, avait été si enthousiaste qu'Aurélie se demandait ce que pouvait bien avoir cette Lorraine pour l'avoir mise ainsi dans tous ses états. Elle ouvrit un vieil album cartonné aux coins racornis, et un ruban bleu, maintenant tellement jauni qu'il en était presque vert, en tomba. Il enserrait une mèche de cheveux enfermée dans un plastique qui craqua et s'émietta. Les cheveux de Charles probablement, celui qui avait été conçu pendant son sommeil sur la Duchess of York.

Lorraine gara l'auto de son frère près de la tourelle ouest. Elle se sentait encore intimidée par cette demeure et avança d'un pas lent vers le portique. Elle avait l'impression d'être épiée de l'intérieur. Elle dut pourtant attendre un moment avant que Simone ne vienne lui ouvrir. La photographe fut surprise de la dimension du vestibule et du salon oriental adjacent. Elle avait cru les pièces plus grandes et comprit que les murs étaient si épais qu'ils diminuaient grandement leur superficie. Simone la fit passer au salon avec sa cheminée et ses grandes fenêtres donnant sur la véranda et le fleuve.

Lorraine n'osa pas s'asseoir. Les coussins de velours étaient trop bien placés, comme si personne n'y avait posé ses fesses depuis longtemps. Elle resta debout et admira une grande toile sur le mur, un original de Jean-Paul Lemieux. Elle serrait son sac sous son bras. Elle traînait toujours son appareil photo, une déformation professionnelle. Entendant des pas lents venir vers elle, la photographe se retourna. Une femme de l'âge de sa mère entrait dans la pièce. Lorraine se sentit faiblir. Elle en voulait à toutes les femmes âgées d'être encore vivantes, alors que celle qu'elle avait tant aimée était morte. Ce qu'elle trouvait le plus pénible, c'était de fermer les yeux le soir et de revoir sa mère dans ses derniers jours, le visage émacié, les orbites creuses, les yeux vitreux de tant de morphine. Elle était incapable de se la rappeler souriante, en bonne santé et elle était désespérée à l'idée de toujours devoir garder cette image en elle.

Aurélie s'était arrêtée, aussi émue qu'elle. Elles se regardaient en silence. Lorraine voyait une femme en bonne santé, remplie de volonté, qui avait sans doute fait plier bien des gens. Aurélie sentit son cœur défaillir. Elle fixait les yeux de Lorraine avec intensité. Comment pouvaient-ils être si bleus, si verts, si gris ? Elle chercha un appui de sa main, mais ne trouva que du vide. Lorraine accourut et lui prit le coude. Aurélie s'appuya à son épaule un bref instant, le temps de reprendre ses sens.

— Venez, allons nous asseoir dans le séjour. Simone vous apportera votre espresso, à moins que vous ne préfériez un petit porto ?

— L'espresso sera très bien.

Les deux femmes s'assirent dans la grande pièce ronde toute fenêtrée qui donnait l'impression d'être sous les arbres environnants avec le fleuve à ses pieds. De vieilles photos étaient étalées sur une table basse. Lorraine se dit que la vieille dame avait besoin d'une archiviste et non d'une photographe.

– Je suis âgée, vous vous en êtes rendu compte, bien sûr. Tous mes descendants directs sont morts et il ne me reste que cette demeure. Je devrai la quitter un jour et je sais qu'en changeant de main, elle ne sera plus jamais la même. Je voudrais qu'il en reste au moins des images. Elle a vu tellement de choses, on ne peut pas l'abandonner comme ça.

Lorraine la comprenait facilement, surtout après la visite des vautours, mais elle n'avait rien d'une photographe de studio, encore moins de décoration. Elle ne pouvait supporter les scènes arrangées et sans vie. Elle était attirée par les gens, et non par les objets ou les paysages.

– Je suis persuadée que vous pourrez trouver d'excellents photographes habitués à ce genre de travail. Je peux consulter quelques collègues et vous donner des noms.

– Non, c'est vous que je veux.

– Mais vous n'avez même pas vu mes photos. Je fais du portrait, du reportage.

– Je vois vos yeux, ça me suffit. Vous serez bien payée. La maison vous sera ouverte jour et nuit. Vous pouvez même vivre ici si vous voulez ; il y a de nombreuses chambres libres. Ne me dites pas non, laissez-moi au moins vous raconter son histoire.

Lorraine regarda la main d'Aurélie prendre la petite tasse sur le plateau apporté par Simone. La lumière jouait sur les veines bleutées, faisant briller encore plus le vernis rose pâle des ongles. La photographe fut touchée par la beauté de ce geste, de cette lumière caressante. Après tout, qu'avait-elle à perdre à écouter cette femme? Personne ne l'attendait à la maison, sinon des appels de condoléances que le répondeur se chargerait d'enregistrer pour elle. Et puis, Martin était là. L'espresso était en effet délicieux, bien préparé, avec une belle mousse dorée sur le dessus. Lorraine se détendit et écouta Aurélie résumer l'arrivée de son père, sa rencontre avec Ariane, son mariage, la naissance de son aînée en 1922, la même année que sa mère. La vie des gens riches et célèbres l'avait toujours un peu ennuyée, mais elle avait l'impression que cette rencontre lui était offerte pour mieux connaître sa propre mère, l'époque de sa vie dont elle avait si peu parlé, disant qu'il ne s'était rien passé avant la naissance de ses enfants. Aurélie lui montrait une photo d'une petite fille.

– Le jour de mes sept ans.

Aurélie allait avoir sept ans en juillet et Edmond lui promettait une fête comme seule une princesse pouvait en avoir. La petite fille n'en dormait plus, excitée par ce grand jour dont elle anticipait chaque instant. Ariane était dans un état d'excitation très différent. Elle ne pouvait plus supporter la petite maison et le manque d'espace, avec les trois enfants, la nurse et la bonne. Tout le monde se marchait sur les pieds. Les deux garçons, âgés de trois et quatre ans, couraient partout et ne manquaient jamais d'imagination lorsqu'il s'agissait de faire un mauvais coup. Ariane n'arrivait plus à dormir suffisamment pour effacer les cernes sous ses yeux. Tous ces va-et-vient de l'aube au soir avaient au moins eu un avantage : Ariane avait perdu rapidement le surplus de poids de sa grossesse et retrouvé sa taille d'antan. Edmond la trouvait toujours aussi désirable.

— Pas question d'un autre enfant ! Le prochain devra dormir dans le tiroir de la commode. Nous n'avons plus de place.

— Il y aura bientôt plus d'espace pour nous tous, je te le promets.

— Edmond, cette petite maison était temporaire. Depuis la naissance d'Aurélie, tu me dis que nous allons déménager.

— Et nous allons le faire bientôt, j'ai déjà le terrain en vue. Je te construirai la maison de tes rêves.

– Mais oui, bien sûr! Tu es prêt à dire n'importe quoi quand tu veux te coller contre moi. Je n'ai pas envie de promesses en l'air.

– Et si je te dis que j'ai commandé les plans à un architecte de Montréal?

– Pour vrai?

– Je pense que l'année 1929 sera une année merveilleuse pour entreprendre la construction de notre maison. Les plans seront achevés bientôt. Il ne manque que le terrain. Le fermier est gourmand, mais je finirai bien par avoir mon prix.

Il lui souriait en caressant ses seins. Ariane, plus expérimentée, était bien décidée à diversifier ses pratiques sexuelles pour ne plus avoir d'enfants. Edmond en fut agréablement surpris, même s'il craignait un peu pour l'âme de sa femme. Ariane se procurait régulièrement des livres dans une librairie de Montréal, et toutes ses lectures lui avaient ouvert de nouveaux horizons. Pourquoi se contenter d'aller droit au but et d'expédier toute l'affaire en quelques minutes, alors que le plaisir rapprochait les partenaires? Que le curé décide de l'excommunier parce qu'elle faisait tout pour éviter la venue d'un enfant lui était maintenant totalement indifférent. Elle était devenue une Savard, et ce n'était certainement pas un petit pète-sec qui allait lui dicter sa conduite. Ariane ne pouvait pas croire que Dieu avait pour seul objectif de faire multiplier les humains comme des animaux. Si l'homme avait la faculté de réfléchir à sa vie, il pouvait aussi bien la prendre en main. Si Jules et Edmond pouvaient régner sur une multitude de travailleurs, elle avait bien le droit de décider de porter ou non un enfant. Elle avait écouté à la radio les discours de madame Thérèse Casgrain qui venait de changer le nom du comité provincial, dont elle était la présidente, pour celui de la Ligue des droits de la femme. La femme avait donc des droits, elle aussi, pas seulement des obligations. Ariane caressa Edmond et il respira plus fort.

– Et ce terrain, tu le vois où ?

– Au bord de l'eau.

– Difficile d'aller ailleurs, il n'y a que ça ici…

– Au bord du fleuve, pas trop loin de la ville, avec beaucoup d'espace pour un grand parc. Ah, n'arrête pas ! Les enfants pourront s'y amuser. Il y aura tout un étage pour les domestiques. Continue !

Ariane continua et se mit à rêver. Tout un étage pour le personnel, un étage pour les chambres des enfants, un grand salon avec un piano. Elle ne savait pas jouer mais trouvait cela tellement beau quand Violette faisait courir ses doigts blancs sur les touches et sortait des mélodies de cet instrument. Elle lui avait même demandé de donner des leçons à la petite Aurélie. La fillette faisait ses gammes avec application et Ariane rêvait d'en faire une grande pianiste.

Pour le moment, la petite fille ne rêvait, pour sa part, qu'au grand jour de ses sept ans. Il arriva enfin par une journée chaude. Charles et Roland avaient revêtu leurs beaux habits blancs de marins et essayaient de tenir leur promesse d'être sages. Ariane avait mis une robe de soie bleue avec des motifs blancs qui mettait en valeur son bronzage. En se regardant dans le miroir, elle avait cru revoir la jeune fille qu'elle avait été il n'y avait pas si longtemps. Elle portait sa nouvelle trentaine avec entrain. La perspective d'avoir enfin une grande maison l'avait rajeunie.

Les belles-sœurs se rendirent chez Violette dans l'après-midi avec leurs enfants et leur chauffeur. Les maris, tous occupés à leur bureau, seraient là pour le dîner. Ariane se devait d'arriver la dernière avec Aurélie qui ne tenait plus en place. La fillette faisait des caprices. Elle s'était réveillée à l'aube et, depuis, rien ne lui plaisait. La nourriture du déjeuner, les vêtements à porter, la façon de tresser ses nattes, rien n'était assez parfait. C'était le jour où elle atteignait enfin l'âge de raison et elle se montrait capricieuse comme jamais. Elle avait été déçue de voir son père partir pour le bureau, puis avait souri en observant ses frères qui se faisaient beaux pour elle. Quand l'auto vint la prendre, Aurélie sentit enfin l'importance de ce septième anniversaire. Arrivée à destination, elle fut la dernière à sortir du véhicule pour laisser le temps à tout le monde de se regrouper pour l'accueillir. Elle venait de découvrir qu'une princesse a besoin de la cour assidue de ses sujets. Elle retrouva avec plaisir ses cousins et cousines plus âgés qui la traitaient enfin comme une grande.

Des jeux s'organisèrent dans la grande cour arrière sous la surveillance des nurses, et les mères purent enfin s'asseoir sous la tonnelle et boire leur limonade. Rose-marie, qui avait quitté les épinettes, mais que les épinettes n'avaient pas quittée, se sentait encore un peu perdue dans cet environnement si différent. Elle regardait Violette donner des ordres, surveiller enfants et domestiques de son œil de lynx, et elle se demandait si jamais elle arriverait à dire à un bonne : « Faites ceci » ou « Faites cela. » Elle avait plutôt tendance à demander : « Si vous pouviez faire ceci » ou « Si ça ne vous dérange pas de faire cela » et elle s'était aperçue que les jeunes filles qui travaillaient pour elle étaient toujours surprises de sa façon de parler. Venues de la campagne, habituées à un travail rude et exigeant, ces filles trouvaient souvent la tâche dans ces maisons cossues plus facile, même s'il fallait parfois subir les caprices des patronnes. Les conditions étant plus intéressantes, elles préféraient gagner moins de cinq dollars par semaine dans une maison bourgeoise que le double dans une usine. À vivre parmi toutes ces femmes élégantes, elles passaient une partie de leur vie dans un luxe qu'elles n'auraient jamais pu connaître autrement. Encore fallait-il s'entendre avec les autres employés, car des querelles constantes avec eux rendaient la vie insupportable. Mais Violette avait toujours eu un œil sûr pour choisir son personnel et éviter les querelles intestines. Elle aurait pu en apprendre à Jules sur ce point, mais celui-ci n'aurait jamais pensé à lui demander son avis.

— Il m'a promis une grande maison, mais c'est une promesse d'homme, ça ne leur coûte jamais rien. Nous n'avons même pas le droit de voter, nous ne sommes que des fabriques d'enfants.

Rosemarie s'approcha d'Ariane au moment où Violette levait les mains pour l'interrompre.

— Notre rôle est plus important que de choisir ceux qui vont nous gouverner comme ils l'entendent de toute façon. Nous devons éduquer nos enfants pour en faire des adultes responsables et ce n'est pas toujours évident.

— Tu parles d'éduquer tes fils et tes filles de la même manière ?

— Non, ils n'auront pas à faire les mêmes choses. Je ne veux pas que mes filles soient obligées de partir pour le bureau à tous les matins comme des ouvrières. Elles devront à leur tour éduquer…

– Et se placer les pieds en se trouvant un mari !

– Mais tu peux nous en parler, Ariane, n'as-tu pas travaillé comme secrétaire ? Pas longtemps, c'est vrai.

Ariane se sentit rougir. Elle avait envie d'étrangler Violette pour que son visage prenne la couleur de son nom. Rosemarie avait les yeux écarquillés : cette conversation s'annonçait bien intéressante, encore plus que les ragots colportés par ses domestiques. Mathilde ne disait mot, mais surveillait Violette derrière son éventail. Il commençait à faire chaud sous la tonnelle.

– Oui, et le travail me plaisait. J'avais l'impression d'accomplir quelque chose par moi-même et non d'être simplement une usine à bébés.

– Tu regrettes d'avoir eu tes enfants ?

– Jamais de la vie ! Ils sont adorables, mais ils ne sont pas tout, j'existe aussi. Et je veux que ma fille ait le choix de faire ce qui lui plaira, et non pas ce que les curés vont lui dire de faire. Ils s'y connaissent en religion, mais, en ce qui concerne les femmes, ils sont nuls.

Violette sourit. Tous les regards étaient maintenant tournés vers Mathilde, la plus religieuse des quatre. Celle-ci sentit qu'elle devait dire quelque chose, mais elle ne savait pas quoi ajouter. Elle haussa les épaules et déclara qu'il fallait en prendre et en laisser avec eux.

– Ton confesseur ne t'a jamais demandé pourquoi tu n'avais que trois enfants ?

Cette question d'Ariane choqua Mathilde qui ne sut quoi répliquer. C'est Violette qui répondit à sa place :

– Mon plus jeune a trois ans et je pense bien qu'il n'aura pas de petit frère ou de petite sœur, mais comme j'en ai sept, un prêtre serait mal placé pour me dire que je n'ai pas fait mon devoir. Mon rôle maintenant est de les éduquer.

– L'usine est fermée. Et qu'en dit Jules ?

Violette se sentit rougir à son tour. Cette conversation devenait trop personnelle et manquait de classe. On aurait dit des midinettes en réunion. Elle en voulait à Ariane qui, selon elle, avait toujours du crottin de cheval collé à ses souliers et voulait jouer les grandes dames avec ses vêtements chic. Une carte de mode ne faisait pas une aristocrate.

Des cris d'enfants mirent fin à leur discussion. Un homme, qui portait un haut-de-forme et une grande cape de satin noir doublé de tissu rouge, s'approchait, conduit par le majordome. Une jeune femme, vêtue d'une robe rose à volants et arborant une couronne de fleurs sur la tête, l'accompagnait avec une cage qui contenait deux tourterelles blanches. Les enfants se regroupèrent autour du magicien en poussant des cris de joie. Celui-ci s'arrêta et demanda à rencontrer la princesse Aurélie. Toute fière, la fillette s'avança et l'homme lui prit la main pour la conduire vers une chaise que venait d'apporter une servante. Aurélie s'y assit et tous les enfants prirent place sur les bancs que les domestiques disposaient dans le jardin. Ce spectacle improvisé avait permis à Violette de couper court à la conversation en allant retrouver les enfants. Mathilde prit le bras d'Ariane et lui chuchota de garder pour elle ses commentaires et de ne pas contrarier Violette. Une guerre entre Jules et Edmond n'aiderait personne.

– Tu as peur d'eux ?

– Je n'ai rien à craindre, mon mari a son propre commerce, mais pense à Edmond. Tu veux qu'il retourne faire du porte-à-porte ?

Ariane n'avait jamais songé que ses propos, qu'elle jugeait censés, pouvaient avoir de telles conséquences. Jules était donc si puissant qu'il conduirait son propre frère à la faillite ! Elle regarda le grand jardin converti en salle de spectacle, les enfants assis au premier rang, les mères debout derrière. Les domestiques, un peu plus loin, profitant du spectacle en prenant bien soin de ne pas en avoir l'air. Une petite bonne, les yeux pétillant de bonheur, un pichet de limonade vide à la main, reçut du majordome l'ordre de courir aux cuisines. Elle obéit, déçue de manquer une partie des tours de magie qu'exécutait le grand homme mince aidé de son assistante. Les enfants avaient les yeux rivés sur lui, et les « ah ! » et les « oh ! » fusaient de toutes parts devant les tourterelles qui disparaissaient sous un mouchoir de soie pour réapparaître dans leur cage. Ariane regarda les deux étages de la maison de pierre, le parterre avec sa pelouse impeccable, les tabliers immaculés des servantes, le plastron du majordome, huma la bonne odeur de nourriture qui s'échappait de la cuisine. Perdre tout ça pour devenir un être entier, fidèle à ses idées, ou jouer les femmes du monde pour ne pas retourner vivre dans une bicoque sans eau courante. Un frisson la traversa. Elle caressa ses bras d'un geste instinctif. Cette peau ne serait pas si douce sans les bains de mousse et les crèmes. Ariane soupira : Violette avait encore une fois gagné.

Le repas terminé, les petits couchés, Ariane observait Jules, Edmond et Albert qui fumaient leur cigare, assis dans les grandes chaises de bois installées sur le parterre, face à la rivière. Malgré la chaleur de l'été, ils étaient tous en costume, les plis de pantalon impeccables, les mains manucurées. Ils dirigeaient le monde, du moins leur monde, avec un plaisir évident, pendant que les femmes surveillaient les domestiques et les enfants, compagnes indispensables qui devaient rester dans l'ombre. Ariane regarda Aurélie qui tombait de fatigue avec un sourire sur le visage. Que ferait donc cette princesse dans ce monde d'hommes ? Une Violette gouvernante, une Mathilde bonne sœur ou une Rosemarie naïve ? Rien de tout ça. Sa fille prendrait possession de ce monde. De princesse, elle pouvait devenir reine. Si Victoria avait régné sur un empire où le soleil ne se couchait jamais, Aurélie pouvait régner sur l'empire qu'érigeait son père. Faute de régner elle-même, Ariane était décidée à devenir reine mère.

Quand vint le temps de se mettre au lit, Edmond borda Aurélie comme il avait l'habitude de le faire, puis Ariane vint embrasser sa fille.

— Bonne nuit, ma princesse. Et n'oublie pas, tu es une Savard, il faudra te conduire comme tel.

— Ça veut dire quoi ?

— Ça veut dire que tu dois toujours être bien mise, polie, attentive à l'école. Tu dois donner le bon exemple à tout le monde, comme une princesse qui va devenir reine.

— Reine de quoi ?

— Reine de ceux qui t'entourent.

— Je vais être la reine de Charles et de Roland ?

— Tu te dois de donner le bon exemple à tes frères pour leur montrer comment se conduire.

— Et ils m'écouteront ?

— Ne te préoccupe pas d'eux, pense seulement à bien te conduire. Bonne nuit.

La petite Aurélie regarda sa mère sortir de sa chambre avec plein de questions dans les yeux. Elle savait qu'elle était princesse, son père l'appelait fréquemment comme ça, mais elle ne savait pas qu'elle allait devenir reine de toutes les gens qui l'entouraient. Il y avait une rue de la Reine près de chez elle ; c'était peut-être là qu'elle devait marcher le plus souvent possible pour s'entraîner. C'était donc ça, l'âge de raison ! Est-ce qu'elle devrait porter une couronne tout le temps ? Et une longue traîne à sa robe ? Pour les jours de fête, peut-être, car ce n'était pas très pratique pour l'école. Mais l'école était loin, il y avait encore plein de vacances pour être seulement une petite princesse.

Edmond lisait le journal assis dans le petit fauteuil près du lit, pendant qu'Ariane enlevait ses bijoux et son maquillage devant sa coiffeuse.

– Les plans, je peux les voir ? Edmond leva les yeux de son quotidien.

– Quels plans ?

– Je ne veux pas d'une simple maison cossue, Edmond. Je veux habiter ce qu'on appellera le « château des Savard ». Tu bâtis un empire, tu mérites au moins ça. Et tes enfants aussi.

– Qui t'a mis ces idées en tête ? Violette, avec son envie d'habiter Westmount ? Ce n'est pas Mathilde…

– C'est moi, je peux avoir des idées aussi. Tant qu'à bâtir une grande maison, pourquoi ne pas lui ajouter une tourelle ou une de ces tours carrées comme on en voit en Italie ? Je ne veux pas d'un bloc de pierre ou d'un château fort. Il y aura une piscine et des statues dans le grand parc.

Edmond regardait sa femme rêver à voix haute en se brossant les cheveux. Un château avec des tours et quoi d'autre ? Jules l'accuserait de dilapider l'argent qu'il n'avait pas encore. Peut-être pas, après tout. Ce serait un gage de confiance en l'avenir, aux succès vers lesquels ils se dirigeaient. Pour obtenir de l'argent, il fallait d'abord montrer qu'on en possédait. Il avait pensé à une maison à trois niveaux avec un toit pentu. L'architecte pouvait bien y ajouter une tourelle sur le côté ; ça aurait l'air d'un château. Edmond se leva et s'approcha de sa femme. Il se pencha vers elle et l'embrassa dans le cou. Elle le regardait dans le miroir et souriait. Il descendit sa main vers ses seins. Ariane savait qu'elle aurait un château.

Les deux femmes étaient encore assises dans la salle de séjour. Le soleil déclinait. Lorraine souriait, imaginant Ariane devant sa coiffeuse. Les femmes n'avaient donc que ce moyen, à cette époque, pour arriver à leurs fins! Aurélie la regardait, devinant ses pensées.

— Vous savez, Lorraine, la sexualité n'a pas été inventée dans les années soixante. Ma mère a caché la sienne. Même moi, j'y ai été obligée. Il n'y a que ma fille Gisèle qui a pu s'afficher un peu plus, et encore! Elle a vécu son adolescence au temps des hippies, comme vous, je pense, mais la position de son père à l'époque rendait sa vie difficile. En quelle année êtes-vous née? Je ne veux pas me montrer indiscrète, mais vous avez dû connaître Gisèle.

— Je ne me souviens pas d'elle. Vous savez, à l'école, un an ou deux suffisent pour qu'on soit dans un autre groupe. Gisèle était plus jeune que moi. Je suis née en 1950. Aurélie pâlit et ses mains se mirent à trembler. Lorraine se pencha vers elle, inquiète. Simone arrivait pour allumer les lampes. Elle se précipita vers Aurélie qui gesticulait.

— Ça va, ça va, je me sens très bien. Un peu d'émotion et de fatigue, c'est tout. Restez avec moi pour le dîner, Lorraine, je vous en prie.

— Je ne sais pas. J'ai emprunté l'auto de mon frère. Il en aura peut-être besoin. Et puis, vous êtes fatiguée.

– Appelez votre frère. S'il a besoin de son auto, Jean-Paul ira vous reconduire dans la soirée. J'ai encore tellement de choses à vous dire.

Lorraine hésitait, mal à l'aise. Elle avait l'impression de trahir sa propre mère en écoutant les propos d'une autre. Jeanne n'avait jamais fait la moindre confidence à ses enfants, gardant son jardin secret sous clé toute sa vie, femme réservée et discrète. Aurélie était tout le contraire. Elle n'en finissait plus de vouloir dire les choses, comme pour se libérer avant de sombrer dans l'oubli. Elle regardait Lorraine, les yeux brillants, la bouche tendue en un faible sourire. Elle voulait garder près d'elle cette femme qui lui rappelait tant de belles choses, tant de douleurs aussi. Tout un pan de son passé se tenait à ses côtés, mais elle ne pouvait pas en parler tout de suite ; elle ne voulait surtout pas l'effrayer. Lorraine se leva pour téléphoner et suivit Simone dans le bureau adjacent à la salle à manger. Cette dernière referma doucement la porte pour lui laisser un peu d'intimité. Martin répondit tout de suite. Il n'avait pas besoin de son auto : il y avait un match de football à la télé.

– Alors, la vieille a réussi à t'embobiner ?

– Pourquoi tu dis ça ? Tu ne la connais même pas.

– Sa famille a régné sur la région avec une poigne solide, sans parler de son mari au gouvernement. Elle doit bien leur ressembler un peu. N'aie pas peur de te faire payer. Laisse ton âme de Saint-Bernard dans la valise du char.

– Tu te penses drôle ? Je ne rentrerai pas tard.

Lorraine raccrocha. Martin la traitait de Saint-Bernard depuis l'enfance. Dès qu'elle se portait au secours de quelqu'un, elle essuyait les railleries de son frère qui se vantait de ne pas avoir de cœur, mais qui était, au fond, un grand sentimental.

Il avait tellement peur de ses émotions qu'il les enfouissait au plus profond de lui. La photographe sortit du bureau et aperçut Simone en train de mettre le couvert dans la grande salle à manger. Elle se demanda si on avait écouté sa conversation, ou si Aurélie était certaine de l'avoir à sa merci. Se sentant un peu offusquée, Lorraine eut envie de dire qu'elle devait rentrer sur-le-champ, mais elle ne put s'y résoudre quand elle vit Aurélie, toute souriante, lui tendre les mains pour l'inviter à passer à table.

— Vous restez, j'espère ?

— Pourquoi manger ici, avec tout ce faste ?

— Parce que vous êtes une invitée de marque. Ne soyez pas modeste. Laissez-moi vous séduire. Je veux que vous aimiez cette maison et son histoire. Comme ça, vous pourrez raconter sa vie avec vos photos.

— Je préfère photographier les gens. Les objets ne sont beaux qu'entourés de vie. Ils ne prennent de la valeur que lorsque les humains leur donnent une histoire.

— Alors, c'est ce que je vais essayer de faire.

Edmond redoubla d'efforts auprès d'Irénée Beauchemin, mais le fermier le voyait venir. Des éclairs dans ses yeux trahissaient son empressement d'acheter. Le fermier se laissait donc courtiser en attendant que l'homme accepte son prix, lequel augmentait au même rythme que l'impatience d'Edmond. L'automne apporta ses pluies, ses vents et ses feuilles mortes. Les négociations étaient au point mort. Les plans, eux, étaient terminés : une tourelle et une tour carrée avaient été ajoutées et l'architecte avait refait l'extérieur du manoir dans les proportions d'un château médiéval miniature. Un toit en ardoises rouges ajouterait une touche plus spectaculaire aux murs de crépi blanc. Un peu de lierre et un aménagement paysager feraient le reste. On se préparait à construire la bâtisse au printemps. Il fallait avant tout remblayer la zone inondable et marécageuse se trouvant sur le bord du fleuve pour asseoir solidement la construction. L'ancien propriétaire qui habitait derrière la cuisine d'Edmond venait de mourir, rendant la vente de la maison de la rue Georges encore plus facile. Il ne manquait que le terrain.

Tout se décida un jeudi d'octobre 1929. Après le dîner, Edmond appela Jules comme il le faisait tous les soirs, question de lui raconter sa journée et d'entendre son frère lui parler de la sienne.

– La Bourse de New York est tombée. A big crash.

– Et ça nous concerne ?

– C'est tellement gros que ça va concerner tout le monde. On n'a pas d'argent là-dedans, mais les gros qui vont tomber vont entraîner les autres. Il faudra suivre ça de près pour arriver à tirer notre épingle du jeu. Les fortunes vont changer de main. L'argent ne disparaît jamais vraiment. Il déménage tout simplement. Ce serait bien s'il venait habiter chez nous. On a construit un chaland et transformé un bateau en brise-glace l'an dernier. Cette année, six navires sortent de nos chantiers. Il en faut plus l'année prochaine.

– On en a déjà en commande des dragues, des chalands.

– C'est pour nous autres. Il faut aussi aller chercher des commandes ailleurs.

– Il y a un cargo en acier en vue.

– C'est signé ?

– La semaine prochaine. À moins que le crash les tue…

Le crash ne les tua pas, bien au contraire. Les fermetures d'usines qui eurent lieu un peu partout et la sécheresse qui sévissait dans l'ouest américain amenèrent leur lot de chômeurs, et la main-d'œuvre devint abondante et bon marché. Ces événements eurent cependant un effet inattendu chez Irénée Beauchemin. Il se dit que les Savard ne tarderaient pas à tomber en faillite et qu'il ne pourrait même plus leur vendre une motte de gazon. Aussi s'empressa-t-il de téléphoner à Edmond pour lui demander un rendez-vous. Au ton de sa voix, Edmond comprit immédiatement qu'il serait bientôt l'heureux propriétaire de ce vaste terrain le long du fleuve. Il feignit le découragement, invoquant les temps difficiles, l'argent volatile, et il obtint les terres à très bas prix. Les deux hommes se hâtèrent de passer chez le notaire, tous les deux pour des raisons bien différentes. Le dégel amorcé, des ouvriers heureux d'échapper au chômage commencèrent à préparer le terrain en vue de la construction de ce manoir, dont le sous-sol à lui seul avait la grandeur d'une vaste maison avec ses chambres et sa grande cuisine.

La misère sévissait partout, mais les Savard n'avaient pas à se plaindre. La flotte de bateaux blancs d'Edmond grossissait. Le nombre de pèlerinages augmentait, les gens cherchant secours dans le rosaire. Les contrats de dragage étaient solides et les travailleurs nombreux à se présenter chaque matin devant la barrière du chantier naval pour demander du boulot. La plupart du temps, le contremaître arrivait, regardait ces hommes massés devant lui et leur criait : «Je prends pas personne à matin.» Les meilleurs jours, il faisait signe à l'un ou à l'autre en disant : «Toi, entre!» et l'heureux élu partait travailler pour quelques sous de l'heure. Les jeunes, qui voulaient gagner leur pain et aider leur famille, devenaient apprentis sans être payés pendant des semaines, voire des mois, question de montrer leurs aptitudes au contremaître.

L'année 1930 apporta aussi ses consolations. Le premier homme qui s'était associé avec Jules pour acheter le chantier naval Savard, le notaire Beaudry, décéda en laissant à Jules et à Edmond ses parts en héritage. Les frères Savard fondèrent alors la Compagnie maritime Savard ltée que tout le monde appellerait bientôt «la Maritime». Le carnet de commandes se remplissait grâce à l'entregent d'Edmond. Aussi Jules considéra-t-il qu'il était temps que Lucien vienne les rejoindre. Lucien, de trois ans l'aîné d'Edmond, vivait depuis dix-sept ans à Bathurst. Cette fois-ci, Edmond n'eut pas à dire du bien de Sorel à sa belle-sœur Antonine, une sainte femme comme disait Mathilde, soumise et dévouée à son mari et à ses sept enfants. Jules offrit la présidence de la fonderie Sorel à Lucien. Ce dernier avait vu ses frères prospérer depuis quelques années et il saisit l'occasion d'en faire autant. Il avait fait tous les métiers, ayant en outre possédé une fabrique de balais et un magasin général. Il était heureux de se rapprocher de ses frères. Le clan Savard était maintenant au grand complet. Tous les enfants du capitaine Savard vivaient à Sorel.

Ariane lisait tous les magazines et journaux qui lui tombaient sous la main. Quand elle apprit que le nouveau pont de la rive sud allait bientôt être ouvert à la circulation, elle se rappela son premier voyage à Montréal, cette journée d'automne qui l'avait laissée trempée et pleine de boue dans une chambre d'hôtel de Contrecœur. Elle se souvint aussi des bras chauds et enveloppants d'Edmond. Elle se leva de son fauteuil, s'assit près de son mari, qui lisait le journal, et l'embrassa sur la bouche. Edmond eut un sursaut. Il jeta un rapide coup d'œil autour de lui : Aurélie lisait un livre de contes ; les deux garçons, allongés sur le tapis du salon, jouaient avec des animaux de bois. Personne ne semblait les avoir vus.

– Chérie, les enfants…

– Le nouveau pont sera bientôt ouvert. Ce sera plus facile pour aller à Montréal.

– Et alors ?

Ariane le regarda et soupira. Cet homme ne comprenait décidément rien au romantisme. Elle chuchota à son oreille :

– Une petite escapade loin de cette maison trop petite, une petite journée de vacances, rien que nous deux…

Edmond sourit. Il aimait bien voir Ariane sous ce jour. Ça lui arrivait de plus en plus souvent depuis le début de la construction du manoir. Il l'avait même surprise en train de chantonner le matin.

– Et tu pourras magasiner, acheter des vêtements à la dernière mode…

– Je ne suis pas une ingrate, Edmond, tu le sais. Après les magasins, il faudra se reposer un peu. On peut revenir le lendemain.

Edmond était fortement tenté par cette proposition, mais il devait en analyser toutes les conséquences. Que diraient Jules et surtout Lucien s'ils apprenaient qu'il avait passé l'après-midi dans une chambre d'hôtel avec sa femme ? On le traiterait de fou ou de pervers, incapable de faire son devoir dans sa propre maison. Mais ce n'était pas un devoir qui lui était proposé, plutôt une récréation. Il y avait peut-être une solution. Edmond sourit à Ariane et lui promit d'y penser très sérieusement.

Le pont de la rive sud fut ouvert à la circulation le 14 mai 1930, mais son inauguration officielle et son baptême du nom du pont du Havre eurent lieu dix jours plus tard. Ariane n'ayant pas plus envie d'attendre les discours que d'assister aux cérémonies, le voyage fut reporté au 30 mai. Elle accompagna son mari, qui avait un rendez-vous d'affaires à Montréal à cette date, sous prétexte de renouveler sa garde-robe et de donner de nouvelles idées à sa couturière. Le couple partit tôt le matin et traversa à Saint-Ours la rivière

Richelieu. Il faisait un temps magnifique. La silhouette du pont les émerveilla de loin. Il semblait si léger au-dessus du fleuve. Sa travée centrale était suspendue à plus de trois cents pieds de hauteur, et des poutrelles d'acier y traçaient un énorme M évasé au-dessus des piliers. Edmond, qui avait insisté pour partir sans chauffeur, s'engagea sur le tablier du pont large de trois voies. À l'entrée, un homme à casquette beige lui demanda vingt-cinq cents pour lui et son véhicule, et quinze cents pour sa jolie passagère. Une citerne d'huile tirée par deux chevaux les précédait et des piétons s'arrêtaient pour admirer le fleuve. Étant donné qu'il était interdit de doubler un autre véhicule, Edmond dut rouler au pas derrière la citerne, ayant ainsi tout le temps d'admirer le paysage.

– Il devrait y avoir une voie pour les chevaux.

– Ils vont en faire deux pour les tramways. Tu as vraiment un rendez-vous ?

– Quelques papiers à faire signer. Tu auras tout juste le temps de t'acheter une nouvelle robe. J'ai réservé une chambre à l'Hôtel Mont-Royal. Après le repas, on pourra s'y reposer.

Ariane sourit. Son mari pensait à tout. Il avait même pensé à faire un détour pour lui montrer le mât d'amarrage qui venait d'être achevé, au nouvel aéroport de Saint-Hubert, pour l'arrivée prochaine du gros dirigeable britannique R-100. La technologie était pleine de promesses.

Le premier ministre du Canada, William Lyon Mackenzie King, avait inauguré le pont du Havre de ses bureaux d'Ottawa, transmettant son discours par téléphone et commandant à distance l'ouverture des rideaux dévoilant la plaque commémorative. Ariane avait l'impression de vivre à une époque formidable, même si elle savait que la crise économique apportait son lot de chômeurs et de pauvres. Elle se disait que tout cela rentrerait bientôt dans l'ordre. C'était simplement une question de temps.

Ariane n'eut en effet que le temps d'acheter une robe de soirée en mousseline crème avec un petit imprimé bleu, une taille froncée, des volants aux manches, une encolure en forme de V; le bord de la robe était coupé plus court en avant, dévoilant ses mollets. Elle prit en vitesse un maillot de bain à pois blancs sur fond marine qui laissait bien voir les jambes avec sa culotte courte et un pyjama de plage qui faisait fureur en Europe. Ariane ferait sensation cet été. Elle rejoignit Edmond dans le hall de l'hôtel avec ses paquets, souriante, détendue et affamée. Le repas fut rapide et le couple, marié depuis bientôt neuf ans, répandit avec plaisir ses vêtements dans la chambre. Edmond avait l'impression que leur première nuit d'amour datait de la veille. Il retrouvait enfin une Ariane épanouie, plus mature et plus sûre d'elle. Il découvrit aussi qu'elle lisait des romans à l'index. Où avait-elle pu apprendre ces caresses nouvelles ? Certainement pas de ses belles-sœurs. Edmond ne voulut pas vraiment le savoir et savoura cette journée de congé en se promettant de n'en parler à personne, même pas à Jules, surtout pas à Jules.

Ariane ne se doutait pas que ces simples achats de femme élégante causeraient un tel émoi. Lors du huitième anniversaire d'Aurélie, tous les Savard se retrouvèrent chez Jules qui possédait la plus grande maison et le plus grand terrain. Le manoir d'Edmond en était encore aux travaux de remblayage et à la construction des fondations. Avec Lucien, Antonine et leurs sept rejetons, le clan Savard comptait maintenant dix adultes et vingt-deux enfants. Cinq femmes tenaient ainsi leur maison, chacune à sa manière. Mathilde, la plus âgée, n'hésitait jamais à donner des conseils à quiconque le demandait, mais elle savait le faire avec discrétion. Violette agissait en matrone sûre d'elle, étant l'épouse du fils aîné. Rosemarie était aussi effacée que son mari, mais n'en pensait pas moins et, quelquefois, son opinion bien arrêtée sortait avec force au moment où personne ne s'y attendait. Antonine, enceinte de son huitième enfant, était la plus silencieuse, mais aussi celle qui racontait le plus la vie des autres à son mari Lucien. Chrétienne fervente, presque fanatique, elle voyait le mal partout et s'était donné pour mission de l'extirper là où il se présenterait. Et, ce soir-là, justement, il se présenta sous les traits de la plus jeune et de la plus élégante des dames Savard : Ariane.

Aurélie arriva la dernière avec sa mère et tout le monde l'applaudit. Tout semblait se répéter comme l'année précédente : une journée idyllique de juillet, le soleil, le ciel sans nuages, les domestiques efficaces et un clown, dont le maquillage blanc coulait sous la chaleur et qui remplaçait le magicien. Les enfants s'amusèrent ensemble, les femmes se retrouvèrent sous la tonnelle avec leur limonade et les hommes à l'ombre des arbres avec leurs cigares. Ariane était arrivée vêtue de son pyjama de plage : un pantalon blanc, souple et évasé, sur un corsage marine sans manches. Ses bras bronzés, ses cheveux courts et ses bracelets d'ivoire, qui cliquetaient au moindre mouvement, attiraient l'attention de tous, mais surtout celle des fils adolescents de Mathilde et de Violette. Antonine remarqua tout de suite les regards furtifs que lui lançaient les garçons et demanda à Ariane si elle se sentait bien.

– Je suis en pleine forme. Merci de vous intéresser à ma santé.

– Je ne m'intéresse pas à votre santé, mais à votre âme. Pourquoi venez-vous à la fête de votre aînée en pantalon? C'est d'une vulgarité! Et ces bras nus! Vous auriez dû faire du théâtre. C'est un domaine où on accepte les débauchés.

Le silence tomba sous la tonnelle. On entendait les mouches voler. Ariane avait une envie folle de partir, mais elle ne pouvait faire cet affront à Aurélie. Elle ne pouvait pas non plus se taire devant ce discours aussi dépassé que celui de sa mère. Mathilde et Violette suivaient attentivement la conversation. Rosemarie avait la bouche entrouverte de surprise et fixait les bras d'Ariane, à la recherche d'un signe quelconque.

– Et vous, pourquoi n'êtes-vous pas devenue religieuse? Le couvent vous irait si bien!

– Dieu en a voulu autrement. Lucien voulait entrer au séminaire et j'ai moi-même pensé au couvent. Quand nous nous sommes rencontrés, nous avons compris que nous devions offrir à Dieu une famille chrétienne. Votre fille aînée a fait sa première communion?

– Bien sûr! Et nous allons à la messe tous les dimanches. Je n'ai jamais lu dans la Bible que Dieu interdisait à qui que ce soit le port du pantalon.

– C'est un vêtement d'homme.

– Cela n'a pas toujours été le cas. Moïse portait une robe, non? Jésus aussi. Si les hommes et les femmes de Galilée portaient des robes, pourquoi ne porterions-nous pas tous des pantalons?

Mathilde ne put réprimer un sourire. Violette fit remarquer que les femmes n'avaient pas toutes un corps leur permettant de porter ce vêtement. Ariane fut pour la première fois d'accord avec la femme de Jules, mais ce n'était pas une raison pour l'interdire. Antonine ne voulut pas en rester là.

– Une chrétienne se doit d'être décente.

– Mais, ma chère Antonine, ce pantalon couvre mieux mes mollets que votre robe de cotonnade.

– Mais ce sont vos fesses! On ne voit qu'elles!

Antonine avait crié si fort cette dernière phrase que les hommes se retournèrent en se demandant ce qui se passait sous la tonnelle. Les femmes leur sourirent et Rosemarie se pencha vers Antonine.

– Calmez-vous, chère belle-sœur. Malgré ses trois enfants, notre Ariane peut encore se permettre de montrer ses fesses, ce qui n'est plus possible pour nous toutes. N'est-ce pas, Mathilde?

– Je suis trop vieille pour ça, mais j'avoue que si j'avais l'âge et le corps d'Ariane, je serais peut-être tentée par le pyjama de plage. Ça semble si confortable. Tu ne trouves pas, Violette?

Violette se sentait coincée. Elle ne voulait pas complimenter Ariane qu'elle avait toujours vue comme une intruse dans leur monde, mais elle devait admettre qu'Antonine, pourtant de cinq ans sa cadette, tenait un discours désuet. Jules ne cessait de lui répéter que l'avenir était de sortir de son coin de pays, pas pour le quitter mais pour voir plus grand. Antonine voyait trop petit pour le clan Savard. À regret, Violette sourit à Ariane.

– Ariane est une avant-gardiste. Elle aime la mode parisienne et nous sort de notre petite ville. Mais c'est ça, l'avenir, Antonine. Il faut s'ouvrir au monde.

Ariane regarda Violette avec surprise. Pourquoi était-elle soudain son alliée ? Pour l'unité du clan, certainement. Les Savard ne montraient jamais de discordances en public, et leurs femmes se devaient d'en faire autant. Est-ce que Violette en parlerait à Jules ce soir ? Sans doute. Mais, elle, elle n'avait pas envie d'en parler à Edmond. Il savait déjà combien Lucien et Antonine l'ennuyaient ; elle n'allait pas en rajouter. Les femmes se levèrent et allèrent rejoindre les enfants. La cuisinière apportait l'énorme gâteau d'anniversaire. Ariane prit Rosemarie à l'écart pour la remercier d'avoir éteint les flammes.

– Ariane, je n'aime pas beaucoup les pantalons. Je trouve aussi que c'est un peu vulgaire, mais je pense que la liberté est un droit important qu'il faut exercer, si possible, avec finesse. Gardez vos mondanités pour Montréal et ne faites pas de guerre de famille.

Les femmes Savard n'avaient qu'un seul but : maintenir le clan uni, coûte que coûte. Le message était clair et Ariane, qui ne perdait jamais de vue les ambitions qu'elle avait pour elle et sa fille, se promit de les faire taire un jour. Celle dont on parlerait dans les pages mondaines serait une Savard, oui, mais on la connaîtrait sous son prénom. La reine mère Ariane.

L'événement dont tout le monde parlait au Canada approchait. Le vol du R-100, qui devait avoir lieu en mai, avait été reporté à cause des dommages qu'avait subis l'appareil en avril, et ensuite à cause des élections fédérales à la fin de juillet. Ariane avait téléphoné à la femme d'un député libéral pour avoir une place parmi les invités d'honneur. Manque de chance, le premier ministre Lyon Mackenzie King avait été remplacé par un conservateur, Richard Bedford Bennett, lors des élections. Ariane devrait donc se joindre à l'immense foule attendue pour l'arrivée de ce paquebot volant.

Les dirigeants de l'Empire britannique étaient persuadés que les grands dirigeables rigides pourraient un jour transporter fret et passagers au-dessus de l'Atlantique et du Pacifique. De nombreux projets avaient été étudiés et le gouvernement britannique avait instauré, en 1924, un vaste programme impérial de transport par zeppelins, prévoyant la construction de deux dirigeables géants, les plus gros du monde. Le R-100 avait été construit par une firme privée et son frère, le R-101, par une société d'État. Le but ultime du projet était de créer un service commercial régulier entre les dominions et l'Angleterre afin de rapprocher les membres de l'Empire et de leur permettre de faire face à la concurrence des États-Unis à l'échelle mondiale. On visait principalement la liaison avec l'Inde. Le Canada n'était pas vraiment pris en considération, car les vents forts de l'Atlantique Nord rendaient la traversée périlleuse.

Le projet avait connu des problèmes techniques, politiques et financiers qui avaient retardé sa mise en œuvre. Si des vols d'essai, en 1929, avaient obligé le R-101 à retourner à son hangar, son rival, le R-100, avait passé ces tests avec succès. Il était prêt pour se rendre au Canada. La participation canadienne au programme de transport par dirigeables avait débuté en 1926 quand Mackenzie King, alors ministre des Affaires extérieures, avait fait preuve d'un enthousiasme inhabituel durant une conférence impériale, en promettant l'appui de son pays à la mère patrie. Il espérait obtenir en contrepartie une augmentation des exportations canadiennes. De tous les dominions, les moutons noirs à tendance isolationniste comme le Canada et l'Afrique du Sud avaient été ceux qui avaient montré le plus d'intérêt pour ce projet. L'Australie, la Nouvelle-Zélande et l'Irlande n'étaient pas convaincues.

Le Canada avait donc assumé les coûts de la construction de l'aéroport de Saint-Hubert, d'une base de dirigeable et d'un mât de cent quatre-vingts pieds de haut renfermant la machinerie complexe nécessaire à l'amarrage, à l'entretien et au ravitaillement en hydrogène et en carburant des dirigeables qui viendraient au pays. Tout était maintenant en place pour accueillir ce palais des airs. Les Chemins de fer nationaux avaient installé des voies ferrées supplémentaires en direction de Saint-Hubert. Les journaux avaient diffusé des

directives strictes pour la circulation automobile, et six cents
miliciens furent réquisitionnés pour surveiller la foule et les
véhicules.

Tout le pays attendait fébrilement cet événement et
Ariane était furieuse de ne pouvoir faire partie des dignitaires. Mais elle était bien résolue à visiter ce transporteur de
l'avenir. Le R-100 entreprit finalement son voyage au Canada
le 29 juillet 1930 avec trente-sept membres d'équipage et six
passagers à son bord. La traversée de l'Atlantique Nord ne
posa aucun problème, mais les vents changeants de la vallée
du Saint-Laurent secouèrent si violemment l'appareil, près
de l'île aux Coudres, que la toile se déchira à plusieurs
endroits. Les gens furent nombreux à acclamer le dirigeable
pendant qu'il volait doucement en longeant le fleuve. Les
activités de Sorel s'étaient pratiquement arrêtées, la plupart
des habitants de la ville s'étant regroupés pour admirer le
zeppelin. Ariane et ses enfants s'étaient rendus sur le terrain
de leur futur manoir pour bien voir la forteresse volante
lorsqu'elle passerait au-dessus d'eux. La petite Aurélie fixait
l'horizon et ne pouvait détacher son regard du gigantesque
ballon qui avançait vers elle lentement. Son cœur battait plus
vite, tant elle était émotionnée. C'était si gros qu'on pouvait
sans doute se perdre à l'intérieur de ce cigare géant que le
soleil frappait et rendait encore plus lumineux. Ses petits
frères furent impressionnés seulement quand le R-100 passa
au-dessus de leur tête dans un silence étonnant. Ariane et
Aurélie étaient les seules à ne pas quitter des yeux l'aérostat.
Elles le regardèrent jusqu'à ce qu'il ne fût qu'un point gris
dans le ciel d'été.

– On va le voir pour vrai, maman ?

– Oui, ma chérie. On va le voir pour vrai, c'est promis.

Tôt le matin du vendredi 1er août 1930, le dirigeable R100 s'amarra au mât de Saint-Hubert. La traversée avait duré presque soixante-dix-neuf heures. Le maire de Montréal, Camillien Houde, et une dizaine de dignitaires étaient sur place, accompagnés d'une foule énorme. C'était la folie. Le flot de visiteurs était constant. Un train spécial partait de la station Guy toutes les quinze minutes, emportant pour la seule journée du samedi cent cinquante mille personnes alors que trente mille autres curieux arrivaient en voiture. Beaucoup de gens s'approchaient du dirigeable, mais seulement quelques-uns réussissaient à y entrer. Par mesure de sécurité, les miliciens du Royal Canadian Dragoons maintenaient la foule à quarante-cinq pieds des poids mobiles reliés au dirigeable. Les marchands de cartes portales, d'épinglettes, de fanions et autres souvenirs se remplissaient les poches. Les «petits formats» – ces feuilles sur lesquelles étaient imprimées les paroles et la musique d'une chanson avant l'apparition des premiers disques – de Toujours l'R-100 de La Bolduc s'écoulaient rapidement. C'était l'euphorie face à l'avenir.

La radio ne parlait que de cet événement et Ariane ne tenait plus en place. Edmond refusait de se rendre à l'aéroport de Saint-Hubert avec toute cette foule, mais il faisait des appels téléphoniques pour trouver une solution. Il finit par joindre le secrétaire du nouveau député de Verchères-Chambly, élu tout récemment à Ottawa. Celui-ci lui promit un laissez-passer pour monter à bord le mardi. Il tint parole et Edmond amena Ariane et Aurélie à Saint-Hubert.

Il n'avait pas été facile pour lui d'annoncer à Jules qu'il prenait une journée de congé. Son frère ne voyait pas d'un bon œil ce projet de vols réguliers en dirigeables. Les bateaux restaient un moyen de transport plus sécuritaire que ces bombes volantes. Mais il ne dit rien, ne voulant prendre le risque de déplaire à Ariane. Cette belle-sœur un peu excentrique qui n'avait pas la langue dans sa poche était capable de leur apporter autant la gloire que la honte. Jules ne savait trop comment la jauger et préférait s'en faire une alliée quand c'était possible.

Le monstre volant de près de sept cent vingt pieds de long était sagement attaché à son mât. Des ouvriers s'affairaient à réparer les dommages que les vents avaient causés à la toile. La foule étant moins nombreuse, le chauffeur put déposer Edmond et sa famille non loin du zeppelin. Ariane marchait fièrement au bras de son mari pendant qu'Aurélie courait vers l'appareil, encore plus grand qu'elle ne le pensait. Après avoir montré leur laissez-passer aux miliciens, Edmond, Ariane et Aurélie, accompagnés d'un officier, montèrent les nombreuses marches du mât d'amarrage. Pour éviter les risques d'explosion, les visiteurs devaient enlever leurs souliers et passer des chaussures spéciales à semelle de caoutchouc. Aucune paire de souliers n'allait à Aurélie, puisque les enfants n'étaient pas autorisés généralement à monter dans le dirigeable. La petite fille de huit ans aurait dû attendre sagement ses parents. Elle avait regardé l'officier, les larmes aux yeux. Mal à l'aise, ce dernier l'avait laissée monter sans souliers. Edmond s'essoufflait un peu pendant qu'Aurélie montait avec la légèreté d'une plume. Les marches n'en finissaient plus et Ariane se demandait combien de temps il faudrait encore grimper. Lorsqu'ils arrivèrent enfin presque au sommet de la tour, un petit problème se posa pour embarquer dans le dirigeable. Une distance de deux pieds séparait la plate-forme de la porte d'entrée du ballon. Edmond sauta. La petite Aurélie passa des bras de l'officier à ceux de son père. Ariane regrettait de ne pas avoir revêtu son pyjama de plage, mais rien n'aurait pu l'empêcher de visiter ce majestueux hôtel aérien, capable de recevoir une centaine de passagers sur deux niveaux. Aussi, elle releva sa jupe plus que la décence ne le permettait et enjamba l'écart comme une sportive.

L'énorme structure métallique du R-100 était recouverte de tissu luisant, à l'épreuve de l'eau. La partie inférieure de la coque abritait l'équipage et les passagers. On y trouvait quatorze cabines à deux couchettes et dix-huit cabines à quatre couchettes. La salle à manger de cinquante-six places, la plus grande pièce à bord, se trouvait au niveau inférieur, reliée au premier étage par un double escalier surplombé d'une mezzanine. De chaque côté, il y avait des cabines et un corridor menant à un balcon d'observation à partir duquel les passagers pouvaient regarder les lieux qu'ils survolaient. Une promenade avait été aménagée sur les ponts bâbord inférieur et supérieur. Des hublots et des cordages donnaient au dirigeable l'aspect d'un navire. Aurélie était un peu déçue de constater que c'était comme une grande maison de toile, sans plus. Que faisait-on de toute la place qui restait, cachée dans le ballon ? Après avoir visité l'espace réservé aux passagers, Ariane demanda à voir la nacelle de commandement fixée sous la coque. Spacieuse, celle-ci offrait une vue imprenable sur la piste de l'aéroport et les environs. Il était facile de s'imaginer les paysages spectaculaires qui pouvaient s'offrir en vol au-dessus des forêts, des montagnes, des vallées, des rivières, des villes comme des villages. Aurélie rêva un moment de parcourir le monde dans cette pièce, la plus belle de tout le vaisseau. Edmond dut même arracher sa fille à sa contemplation devant les grandes fenêtres et la prendre dans ses bras pour revenir sur terre. La descente du mât d'amarrage se fit en silence. Tous trois rejoignirent le chauffeur qui les attendait près de l'auto et ils revinrent à Sorel dans le même silence. Aurélie fixait le ciel et Ariane fermait souvent les yeux, s'imaginant à bord d'un palace des airs.

– Vous n'êtes pas très jasantes. C'est tout l'effet que ça vous fait ? Des heures de perdues pour voir un ballon géant et vous avez des faces d'enterrement !

– Non, Edmond, on n'a pas des faces d'enterrement, on est encore dans les airs.

Ariane posa sa main sur celle de son mari et l'embrassa sur la joue.

– Tu nous as offert du rêve, c'est un beau cadeau, mon chéri.

Aurélie se retourna et embrassa aussi son père en le serrant fort. Edmond se sentit enfin récompensé de ses efforts. Il aimait voir sa femme et sa princesse souriantes.

Le R-100 partit le 10 août survoler l'Ontario jusqu'à la péninsule du Niagara, provoquant des embouteillages monstres à Toronto. C'est plus loin que les engrenages d'un moteur lâchèrent et que l'hélice se retrouva dans le fleuve Saint-Laurent. L'équipement spécial qui permettait de changer ce moteur étant demeuré en Angleterre, le R-100 retourna chez lui le 13 août avec cinq moteurs au lieu de six. Grâce à un vent arrière, le vol ne prit qu'un peu plus de cinquante-six heures. Le R-100 réintégra son hangar pour y être réparé et, le 4 octobre de la même année, son frère, le R-101, entreprit son long voyage vers l'Inde, avec à son bord cinquante-quatre personnes dont le secrétaire d'État à l'aviation, lord Thomson, et le directeur de l'aviation civile. Après sept heures de vol, le dirigeable, pris dans un orage, piqua du nez, toucha une colline près de Beauvais, en France, et s'embrasa en ne laissant que quelques survivants. Ce désastre mit fin au programme impérial de transport par dirigeables. Aurélie apprit la nouvelle avec étonnement. Une si grosse chose pouvait donc être détruite en un instant? Mais la petite fille avait d'autres préoccupations. La construction de son château n'allait pas très vite et elle avait hâte de quitter sa petite chambre de la rue Georges.

Durant l'été de 1931, on commença à monter la structure du manoir. Aurélie allait régulièrement avec sa mère voir où en étaient les travaux. Ariane lui montrait où se trouveraient le salon, la salle à manger, la cheminée, le piano. La fillette admirait surtout le fleuve et demanda un jour à sa mère pourquoi il n'y avait pas une jolie tour sur ce côté du château, la tourelle étant tournée vers la route, à l'entrée. Ariane fit de nouveau le tour du chantier et trouva que sa fille, qui avait alors neuf ans, avait eu une très bonne idée. Et pourquoi pas une véranda à l'arrière du bâtiment? La vue sur le fleuve et sur la piscine serait imprenable. Il fallait maintenant persuader Edmond de modifier le manoir avant qu'il ne soit terminé. Une longue entreprise de séduction débuta. Edmond ne fut pas dupe quand il vit Ariane amoureuse comme aux premiers jours et Aurélie qui ne cessait de le suivre partout en lui disant : « Je t'aime, petit papa. » Il joua le jeu un certain temps, content de se faire courtiser de la sorte et se demandant combien cela allait lui coûter. Il n'y avait aucun événement majeur en vue. Que voulaient donc ses deux femmes ?

Un dimanche après-midi de fin d'été tranquille, après un bon repas à la maison, Jules réunissant de moins en moins les familles Savard devenues trop nombreuses, Edmond demanda à sa fille ce qui lui valait tant de mots tendres. Aurélie sourit, gênée, lui répéta qu'elle l'aimait beaucoup, puis lui assura qu'elle avait eu une bonne idée, mais qu'elle préférait laisser sa mère la lui exposer. Ariane ne se fit pas prier pour parler de la grande tour et de la véranda. Edmond l'écouta sans broncher et garda le silence quand elle eut terminé.

– Alors ?

– Alors quoi ? Laisse-moi y réfléchir. Je ne comprends pas pourquoi l'architecte n'a pas pensé à la véranda donnant sur le fleuve.

– Il s'est dit que nous nous contenterions de sortir des chaises sur le parterre. Il vient de Montréal, alors il ne sait pas que les maringouins nous mangent tout crus à certaines périodes de l'année et qu'il vaut mieux avoir une véranda fermée si on veut profiter du paysage.

– Le salon donne sur le fleuve et aura de grandes fenêtres. Il l'a peut-être vu comme une véranda en soi.

– Mais ça n'a rien à voir. Le salon peut donner sur la véranda toute vitrée et ça nous protégera contre le vent du nord en hiver. On admirera les glaces du fleuve bien au chaud.

– Et qu'est-ce qu'on ferait d'une autre tour ?

– Un salon de séjour, une salle pour les réceptions, une chambre au deuxième avec vue sur le fleuve, comme une proue de bateau. Ce serait romantique de dormir dans une grande chambre ronde.

– Ariane, les enfants…

– Quoi, les enfants ? Tu penses que ça les traumatise de voir leurs parents se dire des mots doux, s'embrasser. C'est permis dans le mariage. Demande au curé.

– Je sais, je sais… mais je ne veux pas qu'ils aillent raconter notre vie à tout le monde.

– Ils savent que ce qui se passe à la maison n'a pas à en sortir. N'est-ce pas, mes chéris ?

Aurélie, tout près d'eux, fit un signe affirmatif. Les garçons, qui jouaient à démolir un petit camion, ne s'arrêtèrent pas et crièrent en chœur : « Oui, maman. » Edmond se mit à rire et se tourna vers sa femme.

– Tu as gagné, ma chérie, comme toujours.

– Et tu le regrettes ?

– Non, je n'ai jamais rien regretté à tes côtés.

L'architecte refit encore une fois les plans et ajouta les pièces supplémentaires. Les travaux progressaient lentement et s'arrêtèrent au début de l'hiver pour reprendre au printemps. Une autre construction, grandement attendue, fut entreprise à la même époque, celle d'un pont reliant Sorel à Saint-Joseph au-dessus de la rivière Richelieu. Montréal serait enfin plus accessible, tout comme les usines Savard, situées sur la rive ouest de la rivière. Les travaux débutèrent à l'automne de 1931 et se terminèrent à la fin de l'automne de 1932. La flotte de chaloupes qui amenaient tous les jours les travailleurs d'une rive à l'autre diminua, mais le bac resta utile pour ceux qui demeuraient au bord de la rivière. Ce pont, construit dans le prolongement de la rue Sophie, se soulevait au centre pour laisser passer les bateaux. Il fut baptisé Turcotte en l'honneur du député de Richelieu, J. C. A. Turcotte.

Mais c'est un tout autre événement qui secoua le clan Savard, surtout les femmes : l'enlèvement, le 1er mars 1932, de l'enfant de vingt mois de Charles Lindberg. Ariane et ses belles-sœurs ne parlèrent que de ça pendant des semaines. Et si une chose pareille arrivait à l'un de leurs enfants ? Les Savard n'avaient certes pas la notoriété ni la fortune du célèbre pilote, mais un enlèvement contre rançon pouvait être envisagé. Ariane avait encore plus peur que ses belles-sœurs. En faisant construire ce manoir, Edmond affichait sa prospérité et, dans ce climat de crise économique, quelqu'un pouvait bien un jour avoir l'idée d'enlever un de ses enfants pour obtenir de l'argent. Les nurses avaient pour consigne de ne jamais perdre les enfants de vue ; les sorties étaient surveillées de près et on ne laissait pas les gamins jouer dehors sans surveillance. Edmond et Jules ne s'en faisaient pas trop, convaincus que les gens qui les entouraient ne feraient jamais une telle chose, mais leur attitude ne rassurait pas les femmes. Quand on retrouva le cadavre du bébé Lindberg au milieu du mois de mai, la tension monta et Edmond dut promettre à Ariane de faire construire un mur de pierre autour de leur nouvelle propriété, et de poser une grille métallique pour en fermer l'accès.

Ariane était de plus en plus impatiente de déménager, mais les travaux s'étiraient, surtout à cause des modifications apportées aux plans d'origine. Elle accepta donc d'emménager dans le manoir avant que ne soient achevées la véranda et la grande tour, prête à vivre avec des ouvriers sur un chantier, plutôt que de continuer à se sentir coincée comme un rat dans ce qu'elle appelait maintenant son «trou» de la rue Georges. Mais elle devait attendre que la plomberie fut installée. Chaque chambre possédait sa propre salle de bain et tout ne serait terminé qu'à l'automne de 1932. Ariane se rendait régulièrement au manoir avec Aurélie, espérant que leur présence augmenterait la cadence du travail. Cependant, les ouvriers ne chômaient pas. Construire un tel manoir avec ses huit chambres et ses sept salles de bain, en plus des quatre chambres de domestiques et de leurs trois salles de bain, prenait du temps. À l'automne, la finition intérieure n'était même pas commencée, mais le manoir était fermé avec ses portes et ses fenêtres.

Edmond réussit à persuader sa femme d'attendre le printemps pour déménager, le temps qu'un décorateur fasse son travail. Ariane passa l'hiver à choisir des tissus, des couleurs, des tapis et des meubles. Pour elle, ce manoir était un espace fait de couleurs, de lumières et de formes dont les vibrations auraient un effet bienfaisant sur ses habitants et sur ses visiteurs. Le tape-à-l'œil était accessoire. Il fallait trouver l'emplacement idéal pour le meuble ou l'objet parfait. Cette activité l'accaparait suffisamment pour qu'elle en oublie son «trou». Aurélie aimait bien accompagner sa mère quand elle partait à la recherche d'un fauteuil confortable, d'une tenture veloutée, d'un tapis soyeux ou d'une lampe finement décorée. Elle venait d'avoir dix ans et se disait qu'un jour, quand elle serait grande, elle deviendrait architecte, elle aussi. Ariane souriait en lui disant qu'il était préférable de vivre dans ces maisons plutôt que de les construire pour les autres. La fillette la suivait partout, admirant sa beauté, son élégance, son bon goût.

Violette, qui avait satisfait sa curiosité en venant visiter le chantier, fut, elle aussi, surprise par les goûts raffinés d'Ariane. D'où lui venait cette justesse de ton, ce don de mêler des coloris qui ne semblaient pas aller ensemble au départ pour en tirer une harmonie nouvelle? Consulter des revues et avoir un bon décorateur ne suffisait pas. Il fallait un sens inné de la couleur, un œil, un regard comme en avaient certains artistes. Ariane passa, aux yeux de sa belle-sœur, de petite parvenue ayant trempé dans le crottin de cheval à dame du monde. Violette possédait déjà une grande maison de pierre de deux étages qu'un professionnel avait décorée dans l'esprit «nouveau riche», avec ses lourdes tentures de velours cramoisi et ses boiseries sombres, mais elle rêvait à son tour de déménager à Westmount dans une plus grande demeure. Si Edmond pouvait se payer un château à Sorel, Jules pouvait bien s'offrir un manoir dans le quartier le plus cossu de Montréal.

Aurélie fêta ses onze ans dans son château. Sa tour donnant sur le fleuve était érigée, mais pas tout à fait terminée. Le reste du manoir plaisait à Ariane, luxueux et remarquable. Tous les Savard avaient été conviés à célébrer l'anniversaire d'Aurélie et l'inauguration de la résidence. Ariane s'était vue obligée d'inviter aussi sa mère et ses sœurs. Elle n'aimait pas beaucoup mêler les deux familles, même si sa mère avait appris depuis longtemps à se faire discrète en présence des Savard. Malgré la chaleur, les enfants couraient dans le grand parc, et la piscine, qui se révélait être plutôt un grand bassin, accueillit les voiliers miniatures de Charles, de Roland et de leurs cousins. Les hommes s'installèrent sous les arbres pour fumer leur cigare et faire des projets d'expansion.

Les femmes entourèrent Ariane qui leur fit les honneurs de sa maison, du salon oriental, à l'entrée, en passant par la grande salle de séjour avec son piano et sa vue sur le fleuve et la véranda, la salle à manger, au mobilier d'acajou éclairé d'un lustre aux mille facettes, communiquant avec le fumoir bibliothèque réservé à Edmond et la petite cuisine de service. Les dames montèrent l'escalier central à la rampe de fer forgé et d'acajou pour visiter la grande chambre des maîtres, les chambres des enfants et la chambre de la nurse. Seule la mère d'Ariane descendit au sous-sol voir les quartiers des domestiques, la grande cuisine et le cellier. Elle se sentait plus à l'aise dans ces vastes pièces peintes en blanc et dont les fenêtres étroites, habillées d'un simple voilage immaculé, diffusaient une belle lumière. La grande cuisine moderne et fonctionnelle l'éblouit, avec ses appareils électriques, les lignes pures des armoires et le tracé géométrique des comptoirs. Elle sourit en se disant qu'Ariane ne mettrait pas souvent les pieds dans cette pièce pour profiter de sa beauté.

Violette se rapprochait de plus en plus d'Ariane pendant qu'Antonine gardait les lèvres pincées face à cet étalage de luxe. Rosemarie ne cessait de s'extasier et Mathilde félicitait Ariane de son bon goût, pendant que Josette et Lysiane, les sœurs d'Ariane, se demandaient pourquoi elles n'avaient pas réussi un aussi beau mariage. Les hommes qu'elles avaient épousés étaient aussi charmants qu'Edmond, mais pourquoi étaient-ils donc pauvres ? Aurélie régnait sur ses cousines en leur expliquant que la grande tour abriterait sa chambre à l'étage, une vraie chambre de princesse avec un lit tout blanc à baldaquin et frisons de dentelle. Les plus vieilles souriaient de ses goûts de petite fille, rêvant plutôt de jouer les belles au balcon de la façade, souriant au jeune homme venu leur chanter son amour.

Les travaux furent achevés au printemps de 1934. Edmond était plus que confortablement installé avec sa famille et faisait l'envie de tout le monde. Lui qui cherchait toujours à imiter son frère aîné était très fier d'avoir eu le premier un manoir. Certains lui reprochaient d'avoir utilisé les pauvres comme main-d'œuvre bon marché, ce qui lui avait permis de se construire un château à peu de frais, pendant que d'autres admettaient que les riches avaient du bon : ils dépensaient leur argent dans la région et créaient des emplois dans une période de chômage aigu et de misère noire. Les dames Savard étaient depuis quelques années reconnues pour leurs œuvres de charité et leurs paniers de Noël généreux, surtout Antonine qui utilisait le magasin de vêtements de son mari à cette fin. Les clients de Lucien étaient presque tous des employés de la Maritime. Ils achetaient habits de travail et vêtements d'enfants en faisant marquer leurs achats dans un grand cahier noir. S'ils ne payaient pas leur crédit à la date voulue, le montant était prélevé sur leur salaire. Une façon habile de fidéliser une clientèle qui avait toujours besoin, avec ses nombreux enfants, de vêtements plus grands. Antonine se réjouissait d'aider les pauvres alors qu'Ariane ne cachait pas son dégoût des méthodes esclavagistes et chrétiennes de sa belle-sœur. Mais Ariane se gardait bien d'affronter Lucien. Elle avait compris que la paix au sein du clan Savard était nécessaire à sa prospérité.

Et la prospérité était le but premier de Jules et de ses frères. Des élections auraient lieu en 1935 et Jules savait que la Maritime perdrait à nouveau de bons ouvriers qualifiés et devrait recruter d'autres travailleurs. Ce cycle recommençait sans fin. À chaque élection, ceux qui avaient milité pour le parti politique qui prenait le pouvoir se voyaient offrir du travail aux chantiers navals du gouvernement et ceux qui ne l'avaient pas fait se retrouvaient au chômage et allaient frapper aux portes de la Maritime. Jules, Edmond et Lucien se réunirent pour discuter de leur principal concurrent, le gouvernement.

Ces chantiers qui appartenaient maintenant au gouvernement avaient d'abord été achetés par les frères McCarthy au milieu du XIXe siècle. La construction de navires avait pris de l'expansion grâce à l'esprit d'initiative dont avaient fait preuve les deux frères, d'origine irlandaise. Le personnel des chantiers était passé d'une demi-douzaine à une centaine d'employés en quelques années. Beaucoup de navires étaient sortis de là, et les McCarthy avaient donné du travail à une bonne partie de la population de Sorel pendant de nombreuses années. Quand les frères s'étaient retirés des affaires en 1871, la Commission du Havre de Montréal avait loué l'établissement dans le but d'en faire son principal chantier et d'y placer tous ses bâtiments. Après des années de négociations, la Commission avait fini par acheter les chantiers aux héritiers McCarthy. Sa flotte comportait plus de soixante-dix bateaux et toutes les réparations importantes étaient désormais effectuées à Sorel. Mais le favoritisme allait bon train et la population grognait, tellement que le gouvernement avait dû former un comité d'enquête qui avait fait couler beaucoup d'encre et donné peu de résultats. Le ministère des Travaux publics avait pris les chantiers sous sa tutelle jusqu'en 1904 et le ministère de la Marine et des Pêcheries avait ensuite pris la relève. Les frères Savard connaissaient toute cette histoire et Jules croyait avoir trouvé une solution.

— Quand on a, comme nous, un concurrent de taille, il n'y a qu'un moyen de s'en défaire… l'acheter. Edmond sourit et Lucien faillit s'étouffer.

— L'acheter? Mais avec quoi? Tu imprimes de l'argent maintenant?

— Dis-moi, Lucien, qui gère les chantiers? Le ministère de la Marine. Qui sera ministre de la Marine? Joseph Alfred Cardinal, qui sera à nouveau notre député et qui est déjà notre ami.

–Tu sembles bien certain que les conservateurs vont perdre le pouvoir et que nos amis libéraux seront élus.

— Ne dis pas «nos amis libéraux», nos amis n'ont pas de couleur. Si les conservateurs restent au pouvoir, ça ne change pas mes plans. Ça prendra un peu plus de temps, c'est tout. Et toi, Edmond, tu ne dis rien?

— Ton idée me plaît beaucoup. Si on possède les chantiers, on double, on triple même notre fabrication de navires, mais il faut les rendre rentables. C'est le travail de Lucien et d'Albert de voir aux chiffres et au rendement. Ça me plairait plutôt de me frotter aux grosses gommes fédérales pour leur soutirer un contrat d'achat.

— Tu vas avoir du frottage à faire, mon petit frère ! Ils ne laisseront pas aller ça pour une bouchée de pain.

— T'en fais pas pour l'argent, Lucien. On va les payer avec les contrats qu'ils vont nous donner. C'est bien ce que tu as envisagé, Jules ?

Jules sourit et joignit ses mains sur son bureau. Il aimait bien la perspicacité d'Edmond. Lucien les regardait, surpris, attendant d'en savoir plus. La complicité entre l'aîné et le cadet l'avait toujours agacé. Il s'en était accommodé en raison de la distance qui les séparait de lui, mais maintenant qu'il vivait dans la même ville qu'eux et les rencontrait tous les jours, il en prenait de nouveau ombrage. Heureusement que son travail et sa famille prenaient tout son temps et qu'il n'avait pas à suivre ses frères dans leur vie sociale et mondaine. Il ne comprenait pas qu'un contrat puisse se négocier devant un verre d'alcool ou dans un cabaret. Les choses sérieuses devaient se faire entre gens sérieux dans un bureau sérieux. Mais Jules réussissait très bien en restant sérieux dans ses affaires et en confiant la partie fantaisiste à Edmond, celui qui chantait, dansait, riait, buvait et séduisait tout le monde, hommes et femmes, en les amusant. Le rôle du clown lui allait bien et Lucien n'aurait pour rien au monde échangé sa place contre la sienne. Il fixait Jules en attendant des éclaircissements.

— Il ne faudra surtout pas leur dire ça tout de suite. Mais si nous achetons les chantiers, nous aurons ensuite tous les contrats de dragage de la province, puisque le gouvernement fédéral ne sera plus là pour les prendre. Et ces contrats nous rapporteront assez pour payer les chantiers.

— Alors pourquoi le gouvernement vendrait-il ses chantiers?

— Les chantiers vont plutôt mal. Nous ferons un meilleur travail qu'eux et ce sera une bonne façon d'abolir le patronage et de stabiliser la main-d'œuvre de la région.

— J'imagine Edmond disant au ministre que c'est une bonne chose d'abolir le patronage. Il va falloir que tu le soûles pas mal pour ça…

— Détrompe-toi, Lucien, Cardinal ne se soûle pas, mais il a à cœur de développer sa région et il connaît nos problèmes de main-d'œuvre. Il faut mettre au point un contrat qui satisfasse tout le monde. Le gouvernement aura l'air d'un saint voulant abolir le péché du patronage, le ministre verra sa région se développer et la population sera contente d'avoir des emplois plus stables.

— Tu devrais faire de la politique, Edmond, tu as ça dans le sang.

— Pas de politique pour Edmond, Lucien. Il vaut mieux tirer les ficelles que d'avoir les bras entravés par des cordes. Tu as déjà reçu Cardinal à ton manoir, Edmond?

— Plus d'une fois. Il se demande encore pourquoi il ne s'est pas fait construire une telle demeure. Ça donne un cachet de prospérité à toute la région, selon lui.

— Maintenant, il va falloir passer du cachet à la vraie prospérité.

— Les affaires vont assez bien de ce côté, Jules.

– Lucien, des fois tu te conduis comme un épicier. Arrête de compter des boîtes de conserve pour évaluer ta richesse. La prospérité, c'est grand et national, même mondial. C'est le vrai pouvoir. À l'exception de celui de l'Église, bien sûr.

Jules ne manquait jamais de mettre le pape au-dessus de tout quand il s'adressait à Lucien. Edmond revint chez lui, ce soir-là, avec un large sourire. Il y avait de l'action dans l'air et cela le stimulait toujours.

Lorraine avait fait le tour du manoir pendant qu'Aurélie en racontait l'inauguration. Elle avait bu un peu trop de vin et avait envie de somnoler dans ce confort douillet qui anéantissait en elle toute volonté. Elle se sentait soudain terriblement fatiguée, prenant conscience de tout ce que lui avait fait vivre la mort de sa mère. Même si, depuis un certain temps, elle savait bien que Jeanne n'en avait plus pour longtemps, il y avait, jusqu'au dernier instant, une partie d'elle qui n'y croyait pas et ce départ lui avait causé un choc, une surprise. Lorraine était reconnaissante à Aurélie de la distraire avec ses histoires de famille. Et puis, cette histoire du R-100 lui avait rappelé son père qui lui avait souvent parlé de ce dirigeable qui l'avait impressionné, comme s'il avait vu passer une soucoupe volante au-dessus de sa tête. Elle avait imaginé ce garçon de huit ans avec sa casquette sur la tête, ses culottes courtes ornées de bretelles, sa chemise sans collet et ses bottines lacées. Cette image qu'elle n'avait jamais vue s'était imprégnée comme une photographie dans sa mémoire. Sa mère, par contre, avait simplement dit qu'elle ne se souvenait pas de cet événement. Ce qui était assez surprenant, car elle devait bien être la seule personne à être restée enfermée chez elle ce jour-là.

La nuit était tombée depuis longtemps et l'éclairage donnait un aspect singulier, presque lugubre aux pièces qui s'enchaînaient comme celles d'un petit hôtel, des chambres vides joliment décorées avec leur salle de bain attenante. La grande chambre ronde de la tourelle était la plus impressionnante. Aurélie avait éteint les lumières un instant et Lorraine avait eu l'impression d'être en pleine nature, avec toutes ces fenêtres qui donnaient sur le fleuve et le ciel couvert de fins nuages blancs, éclairés par la lune. Elle avait eu soudain envie de capter cette image, même s'il n'y avait personne d'autre que la nature à photographier. Aurélie avait rallumé.

— J'ai longtemps dormi dans cette chambre.

— Et pourquoi l'avez-vous quittée ?

— C'était devenu trop vaste. J'avais besoin de me sentir entourée de murs, de tentures. Je sentais que c'était devenu dangereux de s'exhiber. Surtout avec les soldats dans la cour.

— Les soldats ?

— Vous devez vous souvenir des événements d'octobre. Mais je n'ai pas envie de parler de ça en ce moment. Je suis un peu fatiguée.

— Moi aussi. Je vais rentrer.

— Si un jour vous avez envie de rester, vous pourrez prendre cette chambre.

Lorraine avait regardé cette vaste pièce. Elle était belle et intimidante à la fois. De toute façon, pourquoi resterait-elle ici alors qu'elle avait une maison qui l'attendait ? Les deux femmes étaient redescendues au salon où Simone avait servi une tisane pour la vieille dame. Lorraine avait accepté un doigt de porto avant de rentrer chez elle, laissant le temps à Aurélie de lui raconter les ambitions de son père et ses oncles. Elle commençait à lui trouver de plus en plus de ressemblances avec les frères Savard, une volonté qui n'acceptait aucun refus, un pouvoir de séduction certain et une vision claire de l'avenir que si peu de gens semblaient posséder. La photographe refusa l'invitation pour le petit-déjeuner. Elle devait passer au moins quelques heures à trier les affaires de sa mère et aussi de son père, car rien n'avait bougé depuis son décès. Ce retour dans le passé était parfois douloureux et Lorraine se relayait avec Martin pour faire un premier tri. Ils décidaient ensuite ensemble du sort de chaque objet : poubelle, don ou souvenir à conserver.

Aurélie lui demanda de passer le lendemain. Lorraine ne savait plus si elle devait revenir ou non. Le temps était passé incroyablement vite en compagnie de cette vieille femme qui semblait avoir une profusion d'histoires à raconter. Mais Lorraine n'était ni historienne ni archiviste, alors que pouvait-elle faire de toutes ces vies étalées pour elle ? Aurélie se tenait devant elle, nerveuse, prête à lui servir un autre argument en cas de refus. Sa main jouait avec son collier de perles. Lorraine capta le geste. Elle se rappela la phrase d'un de ses professeurs de photographie : « L'essentiel est souvent invisible, l'œil ne le capte pas, mais le cœur, oui, et l'appareil en retient parfois des soupçons. » Lorraine n'avait pas envie de photographier le manoir, ses meubles luxueux, ses tableaux et ses portraits d'ancêtres, mais elle avait envie de connaître Aurélie et d'en faire son modèle. Ses doigts qui jouaient sur les perles comme sur la nacre des touches d'un piano, la lumière qui donnait au collier des reflets chatoyants, le rose des ongles qui constituait la seule couleur de ce portrait tout en noir et blanc.

— Je vais revenir mais à une seule condition : je veux vous photographier, vous. Si vous voulez des photos du manoir, vous devrez être dans le cadre.

– Je ne suis qu'une vieille dame. Je gâcherai le décor.

– Vous lui donnerez vie.

– J'accepte, si c'est le prix pour vous revoir. Mille dollars par jour, ça vous va ?

Lorraine cligna des yeux. Cette femme la prenait pour une photographe de mode ou quoi ? Martin avait raison, elle ne devait pas refuser son offre. Elle acquiesça d'un signe de tête en se disant qu'Aurélie changerait certainement d'idée au moment de remplir son chèque. Et puis, elle aurait peut-être un magnifique portfolio et, qui sait, un livre de photos aux belles pages satinées, une exposition dans un musée. Pourquoi ne pas rêver un peu ?

Dès que l'auto de Martin se fut éloignée, Aurélie s'approcha de Simone.

– Je veux tout savoir d'elle.

Lorraine revint deux jours plus tard. Simone était contente de la voir : sa patronne souriait de nouveau. Elle avait passé la journée, la veille, à promener son âme en peine dans toutes les pièces du manoir, regardant pendant des heures des photos de Gisèle et de Benjamin. La photographe fut accueillie par une Aurélie émue qui lui prit les mains affectueusement. Elle se dit que la vieille dame essayait peut-être de remplacer sa fille décédée quelques semaines plus tôt. Lorraine était aussi consciente qu'elle essayait elle-même de retrouver une partie de la vie de sa mère, cette femme si discrète. Qu'y avait-il de mal à vouloir s'épauler face à un deuil douloureux ? Les séances de photos ne dureraient que quelques jours, quelques semaines tout au plus, le temps que se cicatrisent un peu les blessures.

Lorsqu'elle apprit que les Savard allaient devenir encore plus riches, Ariane rappela à son mari sa promesse de voyage de noces à Paris. Elle venait de lire dans une revue la description du voyage inaugural du plus beau paquebot que la mer eût jamais porté, le Normandie. Parti du Havre en mai 1935, il avait atteint New York après quatre jours et trois heures de traversée. Ce navire représentait le summum de la construction navale, tant par son architecture que par son somptueux décor en laque, verre gravé, marbres et bois exotiques. Il possédait une salle à manger de mille mètres carrés, des salons, des fumoirs, des dancings, des jardins d'hiver, des piscines et même, pour la première fois sur un paquebot, un théâtre. Les plus grands artistes – peintres, sculpteurs, ébénistes, laqueurs, céramistes – avaient travaillé à en faire un palais flottant. Le Normandie pouvait accueillir mille neuf cent soixante-douze passagers et Ariane était bien décidée à être de ce nombre avec Edmond. Ce dernier voulait attendre le résultat des élections pour être bien certain qu'il avait des chances de voir se concrétiser le projet d'achat des chantiers du gouvernement. Mais un tel voyage ne se préparait pas à la dernière minute. Il fallait réserver une cabine en première classe – Ariane n'accepterait pas moins –, se rendre à New York, passer quelques jours à Paris et revenir à nouveau par bateau. Tout cela représentait des semaines passées loin de ses bureaux au moment où il fallait entamer des négociations qui risquaient de durer longtemps. Edmond en parla à Jules. Il insista sur le fait que ce paquebot avait une architecture et un design particuliers qu'il pourrait être intéressant de connaître en tant que constructeur de navires. Jules sourit.

– Voyons, Edmond, nous ne sommes pas des ingénieurs, mais des hommes d'affaires. On dit que le Normandie a une coque de forme révolutionnaire, et alors? Tu crois qu'on pourrait bâtir ça à Sorel? La France peut se permettre ce bateau. Elle veut concurrencer les compagnies de transport britanniques qui sillonnent les mers du monde. Le Canada ne fera jamais ça. Dis plutôt que tu veux offrir un voyage de luxe à ta femme. Le manoir ne l'a donc pas comblée?

– C'est une vieille promesse. Un vrai voyage de noces.

– J'ai fait le mien chez ma belle-mère et je n'en suis pas mort. Ta femme te fait vivre au-dessus de tes moyens.

– Jules, tu parles comme Lucien. Serais-tu en train de devenir épicier, toi aussi? Un empire se construit aussi dans les pages mondaines des journaux.

– En période de crise et de chômage?

– Justement, le gouvernement voudra vendre ses chantiers à des gens prospères et il faut être prospère pour s'offrir un tel voyage. «Le couple Savard s'embarque sur le plus beau des palaces flottants pour visiter la Ville lumière.» Il vaut mieux lire ça dans le journal que: «La majorité des employés des chantiers seront congédiés pour faire place aux partisans du nouveau gouvernement», ou encore: «Les chantiers privés recueillent les perdants.»

– Personne n'oserait écrire ça, même si c'est vrai. Mais j'ai l'impression que les gens vont nous en vouloir pour ça. Ils aiment les riches qui leur font des cadeaux, pas ceux qui se font des cadeaux.

– On leur donne du travail, que faut-il faire de plus ? Les religieuses et les frères les éduquent. Les curés les sermonnent et veillent sur leurs âmes. Les cultivateurs les nourrissent. Même si je donnais l'argent du voyage aux orphelins, ça ne changerait pas leur sort pour longtemps et ils resteraient orphelins.

– Les œuvres de charité ont toujours besoin de plus.

– Je sais, c'est ce que Violette répète. Mais tu sais aussi bien que moi que ce sont les Sœurs grises qui en profitent le plus. Et tu l'as dit, nous sommes des hommes d'affaires. Ce sont les affaires qui doivent prospérer, pas les orphelins. Ce voyage va donner confiance aux politiciens qui préfèrent les affaires aux orphelins.

Jules soupira. Il savait qu'Edmond avait raison sur certains points, mais il savait aussi que sa femme et ses belles-sœurs lui feraient la gueule. « Pourquoi elle et pas nous ? » En fait, Antonine ne dirait rien, pinçant davantage ses lèvres dans un mutisme réprobateur. Rosemarie se réjouirait pour eux, elle qui n'aimait pas beaucoup voyager. Mathilde en profiterait pour voir plus souvent les enfants, elle qui prenait plaisir à materner tout le monde. En fait, ce serait Violette qui dirait : « Pourquoi pas moi ? » Jules devrait offrir quelque chose en compensation. Ce manoir à Westmount, il ne pourrait plus y échapper longtemps. Et il fallait acheter les grands chantiers pour y parvenir. Il devrait faire, comme Edmond, une promesse qu'il espérait pouvoir tenir bientôt.

Les préparatifs du voyage se firent dans une extrême fébrilité. Ariane ne savait plus quelles robes emporter. Ses petites robes brodées de l'année précédente lui semblaient d'un charme désuet pour affronter la mode parisienne. Ses robes d'été à fronces et à col châle étaient mignonnes, mais pour l'après-midi seulement. Ses tailleurs à jupes portefeuilles étaient trop chauds pour l'été et ses robes du soir, presque inexistantes. Elle courut chez sa couturière pour implorer son aide. La bonne madame Ferland se fit un plaisir de rajeunir quelques robes au goût du jour et travailla presque sans relâche pour confectionner des nouveautés comme ces robes à manches courtes bouffantes ou à volants, allongeant la silhouette avec leurs plis plats, ou encore celles dont la jupe était coupée en biais, avec des encolures rondes, carrées ou en V. Et elle était toute fière d'annoncer à ses clientes qu'elle habillait une Savard qui partait pour Paris – « Oui, madame, la capitale de la mode, et elle s'habille chez moi ! » Pendant ce temps, Ariane courait chapeliers et bottiers pour trouver ses accessoires. Il ne restait que les robes de soirée qu'Ariane finit par dénicher à Montréal avec quelques maillots de bain. Elle emporta avec elle le minimum pour les cinq journées de traversée, se promettant de garnir sa garde-robe à Paris. Ariane et Edmond prirent tout de même le train pour New York avec deux grosses malles.

Aurélie, qui allait sur ses treize ans, fit tout pour être du voyage. Elle cajola son père, sa mère, essaya même de mettre la tante Mathilde de son côté. Mais rien n'y fit. Edmond resta de marbre face à ses « papa chéri », ne voulant assumer le coût d'une cabine supplémentaire. Ariane n'avait aucune envie de s'encombrer de sa fille alors qu'elle rêvait de nuits torrides avec Edmond, sans avoir à retenir ses gémissements pour ne pas réveiller les enfants. Une fille éveillée comme Aurélie transformerait ce voyage de noces en un enfer de cachotteries. Comme l'année scolaire n'était pas terminée, la réponse était toute trouvée et Aurélie dut se résigner à jouer les princesses solitaires dans son château, pendant que le couple royal prendrait le large. L'adolescente avait de quoi alimenter ses rêveries en imaginant sa mère sur un luxueux transatlantique, se promenant sur les ponts ou dansant, vêtue d'une somptueuse robe de soirée, dans les bras de son père, en imaginant aussi les cadeaux que ne manqueraient pas de lui rapporter ses parents. Et puis, elle profiterait de l'absence d'Ariane pour utiliser son parfum, porter ses robes, ses bijoux et parader devant le miroir de sa chambre, pendant que les garçons feraient diversion avec leurs chamailleries habituelles pour occuper tante Mathilde.

Ariane laissa à son mari le soin de s'occuper du voyage, lui faisant confiance totalement. Edmond avait le don d'obtenir rapidement ce qu'il voulait et de recevoir un excellent service. Les gens semblaient toujours contents de le voir et heureux de satisfaire ses attentes. Après un voyage en train sans histoire, Ariane et Edmond arrivèrent à la Pennsylvania Station, au cœur de New York. Ils longèrent le quai, puis montèrent un large escalier de pierre. Ariane s'arrêta en haut des marches, éblouie par l'architecture grandiose du hall de la gare avec ses poutres d'acier enserrant des panneaux de verre comme s'il s'agissait d'un fin réseau de dentelle. Pendant qu'Edmond s'occupait de faire envoyer leurs malles à l'hôtel, elle admira la voûte de plus de cent cinquante pieds de hauteur inondant de lumière une foule bigarrée qui allait et venait dans toutes les directions. En sortant de la gare, elle fut étonnée par le contraste qu'il y avait entre la légèreté de l'intérieur et la lourdeur de l'imposant bâtiment de granit rose bordé d'une longue colonnade dorique et s'étendant sur deux coins de rue. Une sorte de temple grec en l'honneur de la ville des dieux. Ariane leva la tête, à la recherche de l'édifice qu'elle tenait particulièrement à visiter. Elle avait vu au théâtre Eden, quelques années auparavant, le film *King Kong* et elle cherchait le fameux gratte-ciel où la bête avait grimpé. Au bras d'Edmond, elle longea la 33e Rue jusqu'à la 5e Avenue pour découvrir le plus grand immeuble du monde, fleuron de l'Art déco. Il était encore plus impressionnant que tout ce que pouvaient montrer les cartes postales. Le soleil frappait ses milliers de fenêtres, illuminant la tour comme une énorme torche de cent deux étages.

– Tu veux qu'on monte ?

Pour toute réponse, Ariane sourit et serra davantage le bras de son mari. L'édifice avait été inauguré seulement quatre ans auparavant et il y avait encore des gens qui s'inquiétaient de voir s'effondrer comme un château de cartes ce monstre d'acier. Mais Ariane ne faisait pas partie de ceux-là. Après avoir acheté leurs billets, les Savard s'engouffrèrent dans le hall tout doré et empruntèrent un des soixante-treize ascenseurs pour arriver, quelques minutes plus tard, au quatre-vingtième étage. Ariane avait les oreilles qui bourdonnaient et se sentait étourdie. Ils prirent un autre ascenseur qui les laissa six étages plus haut, à l'observatoire. Arrivés sur la plate-forme rectangulaire, ils purent admirer, le souffle coupé, le panorama qui s'étendait à leurs pieds. La ville de New York n'était pas grande, elle était immense, grouillante à perte de vue, une série d'immeubles plantés comme des mâts prêts à affronter l'océan. Edmond sentait la main de sa femme trembler. Il mit son bras autour de ses épaules pour la rassurer.

– Nous sommes au sommet du monde, ma chérie. Tous les deux.

Muette d'émotion, elle acquiesça. Beaucoup de couples autour d'eux s'embrassaient. Ariane sourit tendrement en regardant son mari. Edmond se pencha alors vers elle et l'embrassa. Il n'avait jamais osé faire une telle chose en public, mais il se sentait bel et bien au sommet du monde et personne n'aurait pu le déranger. Ils restèrent un moment là-haut, puis, comme le soleil déclinait, ils se décidèrent à prendre un taxi pour se rendre à leur hôtel.

– On peut faire un détour de quelques rues pour voir le Chrysler Building que l'Empire State Building a détrôné ?

– C'est un voyage de noces et, en tant que jeune marié, les désirs de mon épouse sont des ordres.

Edmond baisa la main d'Ariane et elle émit un petit rire joyeux et cristallin comme il aimait. Le taxi les arrêta dans la 42e Rue près de l'édifice Chrysler et ils descendirent du véhicule dans une circulation dense et bruyante. Ariane regarda rapidement la silhouette baroque, luisante de soleil de l'édifice de soixante-dix-sept étages au toit ouvragé comme un temple asiatique. Les coups de klaxons répétés les obligèrent à s'engouffrer dans le taxi qui reprit la 5e Avenue pour les conduire au Plaza, l'un des plus célèbres hôtels en Amérique. Inauguré en 1907, il avait été érigé dans le quartier résidentiel le plus en vogue de New York, face à l'entrée de Central Park, point charnière entre l'avenue des boutiques de luxe et celle des résidences somptueuses et des palais de pierre. Ariane ouvrit grand les yeux quand elle vit cet hôtel de dix-neuf étages construit dans le style Renaissance française. Son petit château semblait ridicule en comparaison. Tout était gigantesque dans cette ville, comme si rien n'était impossible. Quand elle pénétra dans le hall et vit les plafonds lumineux, les lustres géants, les ascenseurs à grillages dorés, le comptoir de la réception où trois employés accueillaient les clients, Ariane se sentit aussi intimidée qu'à son arrivée à l'hôtel Ritz Carlton durant son voyage de noces. Elle releva la tête un peu plus et suivit Edmond, admirant au passage les riches dames et les beaux messieurs qui semblaient se sentir comme chez eux dans tout ce luxe.

Avant de monter à leur chambre, Ariane put admirer le Palm Court avec son plafond à caissons lumineux encerclés de dorures. Le salon de thé était entouré de piliers formant une cour intérieure où les palmiers en pot, la porcelaine, le cristal et l'argenterie se faisaient concurrence pour séduire ses convives. Ariane trouva la chambre plus sobre que la suite du Ritz. De la fenêtre, elle admira l'immense parc et la fontaine, constituée de plusieurs vasques superposées et surmontée de la statue de l'Abondance. Des automobiles luxueuses faisaient descendre ou monter des gens élégants. Ariane se rendit compte que ce monde de conte de fées qu'elle avait à peine entrevu à Montréal existait vraiment à une plus grande échelle. Son mari voulait en faire partie et elle pouvait aussi y être admise. Cette idée la réconforta. Edmond s'approcha d'elle et l'embrassa dans le cou.

– Heureuse ?

Elle se retourna pour l'embrasser. Oh oui ! elle était heureuse. Le voyage tant attendu commençait sous les meilleurs auspices. Ils dînèrent dans la salle à manger du rez-de-chaussée donnant sur Central Park, puis ils allèrent se promener un peu, admirant la ville illuminée.

Au matin, le Normandie les attendait dans le port de New York avec ses trois immenses cheminées et sa proue effilée. Tout était à l'image de la ville : gigantesque. Une seule cheminée était plus grosse qu'un silo à grains ; les passerelles qui donnaient accès au navire semblaient être des ficelles rattachant le paquebot au quai ; et les autres bateaux avaient l'air, à côté de ce monstre, de frêles embarcations. Ariane avança, le cœur battant, sur la passerelle couverte de la première classe de la French Line. Elle prit le bras d'Edmond et le serra. Un officier français les accueillit en leur souhaitant la bienvenue en anglais, puis, devant les remerciements d'Edmond, il leur présenta, en français, le garçon de service qui les mènerait à leur cabine, suivi des deux jeunes hommes qui transportaient leurs bagages.

Les longs corridors semblaient sans fin et l'éclairage courant sur les murs près du plafond leur donnait une perspective illimitée. Quand le garçon de service ouvrit la porte de la cabine, Ariane fut surprise de découvrir une vaste chambre avec deux grands lits enchâssés dans des bases d'acajou. Les hublots étaient en fait des fenêtres carrées laissant passer beaucoup de lumière. Il y avait, devant, deux fauteuils douillets et un guéridon. Des fleurs ornaient deux grands vases de céramique. Une coiffeuse était placée contre un mur de miroir, encadrée par deux garde-robes aux portes arrondies en bois d'acajou. Les couleurs étaient brillantes. Une moquette habillait le sol et des appliques murales diffusaient une lumière tamisée. La salle de bain adjacente était confortable et moderne avec ses carreaux de céramique bleus et blancs. Edmond donna un généreux pourboire aux trois garçons et se retrouva seul avec sa femme. Il l'enlaça et elle l'embrassa, éperdue de bonheur. Ce serait une traversée grandiose, elle le sentait.

Ils sortirent sur le pont arrière pour voir le navire quitter New York. Les remorqueurs avaient des allures d'abeilles bourdonnantes. Les gens sur les quais agitaient des mouchoirs pendant que les voyageurs leur lançaient des rubans colorés. Dans un vacarme de coups de sirène et de cris, la statue de la Liberté se fit minuscule et les gratte-ciel de Manhattan prirent des airs de jeu de cubes. Ce serait bientôt la mer à l'infini. Avant de prendre le chemin de leur cabine où ils se prépareraient pour le dîner, Ariane et Edmond longèrent le beach deck, un grand espace ouvert où on pouvait prendre des bains de soleil et même se faire servir un repas. Ariane se voyait déjà allongée sur un transat, mais il faudrait pour cela que l'Atlantique Nord offre des journées ensoleillées. Pour le moment, le temps se couvrait et elle regagna sa cabine au bras de son mari.

Devant sa garde-robe, Ariane se demandait quelle robe porter pour ce premier dîner, la robe de taffetas bleu ou celle en organdi pêche. Elle enleva son tailleur de voyage et sa blouse, puis plaça tour à tour les deux robes devant elle. Edmond s'approcha et, en la prenant par la taille, lui assura que la bleue était plus chic et faisait moins petite fille.

— Tu me trouves trop vieille pour l'organdi?

— Tu ne seras jamais trop vieille, tu es trop belle pour ça.

— Mais j'ai trente-sept ans et l'organdi fait jeune fille, c'est ça ? Tu aurais pu me le dire avant. Je n'aurais pas acheté cette horreur.

— Mais ce n'est pas une horreur ! Elle est très jolie et te va très bien. La couleur fait plus été, plus… couleur du jour.

— Tu essaies de me vendre ta salade ? Nous sommes en été, enfin presque.

— Plus champêtre, c'est le mot que je cherchais. À bord de ce luxueux paquebot, le bleu est peut-être mieux. Mais si tu as envie de porter la robe en organdi…

Ariane lança la robe pêche au fond de la garde-robe et déposa la bleue sur le fauteuil devant la coiffeuse. Edmond abaissa les bretelles de sa combinaison et embrassa son épaule. Elle le regardait dans la glace.

— Qu'est-ce que tu fais ?

— Je t'aide à te déshabiller. Je peux ? C'est la bonne date ou je dois aller prendre une douche froide ?

— Je dois vérifier. Attends un peu.

Elle se pencha pour prendre dans son sac un petit calepin, calcula sur ses doigts, puis se tourna vers son mari avec un sourire. Un médecin japonais du nom d'Ogino avait découvert, dans les années vingt, une méthode de contraception qui avait été popularisée au début des années trente. Ariane s'était enfin sentie plus libre. Après la naissance de Roland, Edmond avait juré de faire davantage attention, mais il lui était parfois difficile de faire l'amour à côté, comme il disait, et il appréciait cette méthode du calendrier qui lui permettait de jouir pleinement de sa femme quelques jours par mois. Il lui enleva sa combinaison. Il la trouvait toujours

aussi belle après tant d'années de mariage. Ariane débou-
tonna sa chemise et caressa de ses deux mains sa poitrine
glabre. Elle aimait bien le confort douillet de son ventre un
peu rond et la douceur étonnante de sa peau. Elle aimait
surtout le regard d'envie et de désir qu'il posait sur son corps.
Et elle avait envie qu'il prenne tout son temps. Il n'y avait ni
enfants ni domestiques pour venir frapper à la porte ou
entendre leurs gémissements.

Allongés nus côte à côte sur un des lits, ils reprenaient leur
souffle. Le temps venait de s'arrêter et ils étaient repus et
alanguis. Ariane repensa aux admonestations que lui servait
régulièrement le curé au cours de ses visites annuelles. Le
corps d'une femme mariée, assurait-il, ne lui appartenait
plus ; elle devait accomplir tous ses devoirs envers son mari.
S'il avait su qu'Ariane faisait ses devoirs régulièrement mais
en trichant un peu, il l'aurait excommuniée et lui aurait
ordonné de revenir tout de suite dans le droit chemin, sous
peine d'être condamnée aux feux de l'enfer. Si Antonine ne
voulait pas se damner pour un enfant de moins, Ariane ne
croyait pas que Dieu puisse être courroucé de son comporte-
ment. Elle n'en parlait à personne, bien sûr, ayant appris à
ménager ses belles-sœurs qui croyaient maintenant que la
main de Dieu l'avait punie en la rendant stérile. Ariane se
tourna vers Edmond qui était la seule personne avec qui elle
pouvait parler ouvertement.

– Tu crois que nous serons damnés pour ça ?

– Pourquoi ? Nous faisons notre devoir de chrétiens.
Nos rencontres charnelles, comme dit le curé, se déroulent
normalement. La semence n'est pas gaspillée. Dieu a créé
des périodes d'infertilité chez la femelle, pas moi.

Il avait pris la voix nasillarde du prêcheur et Ariane se mit à rire.

– Quelle façon de parler, tout de même ! On a l'impression d'être pour eux des animaux.

Edmond l'embrassa et lui demanda de se dépêcher à revêtir sa belle robe ; il avait faim. Ariane passa en sautillant à la salle de bain et Edmond soupira. Il avait quelquefois l'impression que le bonheur le visitait souvent et que Dieu le punirait en lui envoyant un jour une série de malheurs. Mais il chassa immédiatement cette sombre pensée et alla chercher une chemise propre et un complet foncé dans sa malle qu'il n'avait pas encore défaite.

Lorsque, après avoir longé d'interminables corridors, ils arrivèrent à la salle à manger de la première classe, Edmond et Ariane restèrent figés devant l'immensité de la pièce qui était longue de plus de trois cents pieds. Le plafond à caissons avait la hauteur de trois ponts, et l'éclairage était fourni par douze colonnes de verre moulé de quinze pieds de hauteur créées par Lalique. Avec ces piliers lumineux, le Normandie méritait bien son surnom de « navire de lumière ». Deux énormes chandeliers, faits aussi de colonnes de verre, trônaient comme deux gâteaux de noces. Le lieu était grandiose et Ariane s'y sentit perdue. Un maître d'hôtel les conduisit à leur table où ils s'assirent en silence. Edmond se demandait comment on avait pu créer un tel espace sur un bateau, une prouesse technique dont il aurait aimé connaître le secret. Ariane était loin de la technique. Elle découvrait que l'univers sur lequel elle avait l'impression de régner était bien petit. Le manoir lui apparaissait maintenant comme une demeure campagnarde. Le luxe qu'elle avait cru y mettre n'était que pacotille à côté de cette salle ornée d'un bas-relief où un paysage de Normandie était modelé avec de l'or sur un fond de marbre rouge. Les élégants dîneurs qui les entouraient, le luxe des robes de soirée et des bijoux lui donnaient l'impression d'être une pauvre fille échappée d'une cabine de troisième classe. Tout ce qu'elle voyait la paralysait, même les couverts d'argent. Elle prit une fourchette pour entamer son potage et en rougit. Edmond sourit et lui caressa doucement la main. Il était aussi impressionné qu'elle, mais il avait une plus grande capacité d'adaptation. Ariane lui sourit enfin et se détendit un peu au milieu de cette salle où les bruits de voix se perdaient dans ce vaste espace au-dessus de leurs têtes et où le service était fait par des elfes. Les plats apparaissaient et disparaissaient comme par magie, comme si les serveurs devinaient les désirs de tous ces dîneurs.

Ariane était trop nerveuse pour savourer le délicieux repas qu'on lui servit, mais elle but du vin, ce qu'elle faisait rarement. Edmond l'invita ensuite à aller au grand salon adjacent prendre un digestif qui la détendrait peut-être. Tout était fait selon la loi de la démesure. Ariane et Edmond purent le constater quand ils pénétrèrent dans le grand salon. De hautes colonnes soutenaient un plafond lumineux. Des couples distingués déambulaient, d'autres étaient regroupés autour du piano à queue où jouait un homme aux cheveux brillantinés et à la fine moustache. Un bas-relief du sculpteur Jean Dunand racontait l'histoire de France d'une façon impressionnante. Ariane avait la sensation de visiter un musée flottant. Aux côtés d'Edmond, elle se promena parmi les passagers et prit un verre de liqueur qui la détendit un peu trop. L'alcool, dont elle n'avait pas l'habitude, la désorienta encore plus et elle dut s'accrocher au bras de son mari pour ne pas se perdre dans cette immensité. Edmond lui suggéra d'aller voir la fameuse peinture du chevalier normand qui était accrochée dans le grand foyer du pont C.

— Une autre merveille ? Je ferais peut-être mieux d'aller m'étendre dans la cabine.

— La soirée est jeune, tu ne vas pas dormir déjà. Nous n'avons que quelques jours à passer ici.

— Le chevalier sera encore là demain.

Edmond acquiesça, déçu, puis il lui proposa de la conduire à leur cabine. Comme il n'avait pas sommeil, il se promènerait un peu et la rejoindrait plus tard. Ariane se dit que c'était ridicule de s'enfermer alors que ce navire recelait tant de merveilles.

— Tu as raison, allons voir ce chevalier normand.

Ils ne furent pas déçus. Le fier chevalier, sur son cheval sombre, portait sa lance et son bouclier orné d'une croix. Il avançait dans une aura de lumière pour combattre les ténèbres. Ariane apprit que c'était l'œuvre du peintre François Louis Schmeid qu'elle ne connaissait pas. Comme elle commençait à se sentir plus à l'aise, ils décidèrent de sortir sur le pont supérieur pour regarder les étoiles. Quelques lampadaires offraient un éclairage doux et plusieurs personnes circulaient sur la galerie de bois du *beach deck*. Ariane s'allongea sur un transat pour admirer le ciel où quelques fins stratus glissaient sur les étoiles. Le quartier de la lune lui souriait au-dessus d'un nuage rond bordé d'argent. L'air étant assez frais, Edmond mit son veston sur les épaules de sa femme avant de s'allonger à son tour sur un transat. Ariane avait la tête qui tournait à cause de l'alcool et elle lui prit la main.

– Je suis contente de t'avoir rencontré, Edmond Savard, tu as changé ma vie, totalement. Tu m'as donné de beaux enfants, une vie de rêve et je me demande encore ce que j'ai pu faire pour que tu m'aimes autant.

Il lui sourit et embrassa le bout de ses doigts. Elle avait aussi changé sa vie. Il n'aurait jamais entrepris un tel voyage sans elle. Il n'aurait pas connu ce monde luxueux, cette sensation d'être dans un autre univers. Ariane le sortait de ses affaires, de ses préoccupations financières, le forçait à se dépasser. Il fallait aller chercher ces contrats, comme il fallait acheter ces chantiers pour assurer au clan Savard une plus grande prospérité. Jules avait raison, le monde les attendait ; ils devaient aller le capturer.

Le couple prit le petit-déjeuner dans sa cabine. Edmond alla ensuite lire journaux et revues dans un des fumoirs pendant qu'Ariane revêtait son maillot de bain sous sa robe de plage. Elle se dirigea ensuite vers la piscine et ce qu'elle vit ne la surprit pas vraiment. Elle commençait à se faire à l'idée que tout était grandiose. Mesurant quatre-vingt-deux pieds de long sur dix-neuf pieds de large, la piscine était éclairée indirectement par le plafond. Des carreaux de faïence émaillée d'un blanc bleuté décoraient les murs, et une frise de mosaïque créée par Victor Menu donnait également un aspect de musée à cette grande salle qui comprenait aussi un gymnase et un bar. Beaucoup de passagers avaient envahi la piscine à cause du temps maussade, fréquent dans l'Atlantique Nord. Regardant quelques enfants s'ébattre dans le petit bain de la piscine, Ariane pensa à Aurélie qui aurait tant aimé faire ce voyage, mais c'était un voyage de noces et sa fille n'y avait pas sa place. Elle nagea un peu. Habituée à nager dans le fleuve avec de forts courants, elle trouva l'eau de la piscine bien tranquille, mais il y avait trop de monde pour faire des longueurs, même si la majorité des gens étaient autour du bassin et non dans l'eau. Ariane regagna son transat et revêtit sa robe de plage pour se rendre au bar chercher un jus de fruits. Pendant qu'elle attendait, accoudée au comptoir, un homme dans la quarantaine la complimenta sur ses talents de nageuse. Elle reconnut le pianiste du grand salon et le remercia du compliment d'un signe de tête.

— Vous n'êtes pas française ?

— Non. Mais, vous, vous êtes français. Vous avez l'accent de Paris.

— Ah ! je vois, vous êtes canadienne. Excusez-moi, je ne me suis pas présenté. Jean Philippe de Vaugenard.

— Enchantée, Ari… Madame Edmond Savard.

Le pianiste prit la main d'Ariane, l'avança vers lui en soutenant son coude de l'autre main et se pencha légèrement pour poser ses lèvres sur ses doigts sans la quitter du regard. Ariane se sentit paralysée. Elle avait peur de fermer les yeux et de se retrouver immédiatement nue dans ses bras. Elle n'avait jamais ressenti une telle sensation. Un désir fulgurant montait en elle. Si Edmond la voyait… Ariane devait partir, tout de suite, mais elle n'arrivait pas à détacher son regard de cet homme à la voix chaude qui lui parlait de Paris. Elle ne comprenait pas grand-chose de ce qu'il disait, ne pensant qu'à cette chaleur qui irradiait de son ventre et remontait à sa gorge. Ses seins se gonflaient et elle avait peur qu'il ne s'en aperçoive. Elle devait fuir et tout de suite. Elle regarda autour d'elle : personne ne semblait vouloir lui porter secours. Puis elle vit une jeune femme blonde, élégante dans un maillot de bain échancré, s'approcher.

– Ah ! vous voilà, Jean Philippe. Venez, la baronne vous réclame.

Ariane était sauvée. Elle sourit à la femme, qui ne la regarda même pas, et murmura un « au revoir » au beau pianiste qui lui sourit de nouveau en montrant ses magnifiques dents blanches. Elle se jeta sur son verre de jus et le but goulûment. Son corps se calma un peu et elle retourna à sa cabine pour trouver Edmond admirant la fiche technique du navire, un verre de whisky à la main. Il leva à peine les yeux sur elle.

– Tu sais comment ils ont fait pour créer ce grand espace de la salle à manger et aussi cette perspective du pont promenade qui permet de voir de la scène du théâtre jusqu'à l'arrière du bateau, deux cents mètres plus loin ? Au lieu de faire monter les conduits de fumée tout droit vers les cheminées au centre du navire, ils les ont divisés pour les faire monter le long des côtés du bateau et les ont réunis à nouveau à la base des cheminées.

Edmond semblait tout excité par cette découverte, mais Ariane ne l'écoutait pas. Elle sentait encore les lèvres de Jean Philippe sur ses doigts, sa main sur son coude, revoyait ses dents trop blanches, sa bouche. Non, elle devait cesser de penser à lui. Qu'est-ce qu'ils avaient fait déjà à la base des cheminées ? Peu importe, son corps était une cheminée et le feu l'embrasait. Elle s'approcha d'Edmond et fit glisser sa robe de plage. Son maillot était encore mouillé. Edmond la regarda, surpris. Ariane fit glisser les bretelles de son maillot, dévoila ses seins, son ventre, puis son sexe. Edmond sourit.

C'était vraiment un voyage de noces. Sa femme n'avait jamais eu autant d'audace. Il fit tomber le maillot par terre et Ariane le chevaucha, le poussant à la renverse sur le lit. Il en fut si étonné qu'il ne bougea pas. Elle défit rapidement sa ceinture et s'empara de son sexe sans qu'il quitte ses vêtements. Il ne comprenait plus rien à l'attitude de sa femme, mais se laissait faire docilement. Quand elle l'enfourcha, il jouit immédiatement et elle cria de rage. Ariane retomba sur le lit, défaite, anéantie par la force de ces soudaines pulsions inconnues. Sa tête tournait, son ventre palpitait, sa gorge était serrée. Elle devenait folle, il n'y avait pas d'autres explications. Elle se tourna vers Edmond pour s'excuser de son inconduite. Il lui souriait en caressant ses cheveux mouillés. Elle se blottit dans ses bras et sanglota. Il murmura des excuses, la surprise, sa beauté, le désir qui submerge tout. Elle avait honte de s'être comportée ainsi ; ce pianiste était le diable en personne. Elle devait se reprendre, elle était une Savard après tout, elle ne devrait plus jamais l'oublier.

Le reste du voyage fut paisible et mondain. Edmond rencontra quelques messieurs bien et leurs dames. Ariane appréciait ces rencontres en petit groupe où il ne se disait que des banalités réconfortantes, les affaires commerciales et politiques pour les hommes, la mode des couturiers et des décorateurs pour les femmes. Elle avait toujours peur de tomber nez à nez avec le pianiste, mais elle ne le vit qu'une seule fois de loin et put l'éviter facilement. Le luxueux navire débarqua Edmond et Ariane au Havre quelques jours plus tard.

Paris les attendait. Ils prirent un train qui traversa une campagne verdoyante, ce qui apaisa un peu Ariane. Dans le taxi qui les conduisit à leur hôtel près des Champs-Élysées, elle fut littéralement éblouie par tout le va-et-vient de cette grande capitale. La circulation, les nombreux passants et, surtout, les gens assis à l'extérieur des cafés, carrément sur le trottoir, la surprirent. Comment pouvait-on s'installer ainsi dans la rue pour boire un café ou un verre de vin ? Les femmes étaient toutes élégantes. Même les plus modestes portaient leur chapeau, tenaient leur sac à main, posaient leurs gants sur le coin de la table avec grâce. Il y avait toujours un détail pour les distinguer, une broche, un foulard, un ruban coloré, un petit bouquet de myosotis à la ceinture ou sur le rebord d'un chapeau. Aucun accessoire n'était oublié. L'ostentatoire luxe new-yorkais était remplacé ici par la douceur de vivre et de séduire. Les hommes regardaient les femmes qui se laissaient admirer, non pour le luxe de leurs vêtements, mais pour leur agréable apparence.

Ne voulant manquer aucune des attractions touristiques habituelles, Edmond et Ariane se promenèrent beaucoup, visitant la tour Eiffel, admirant l'Arc de triomphe, marchant le long des Champs-Élysées. Les journées passaient rapidement et les soirées étaient consacrées aux grandes sorties : les meilleurs restaurants, les salles de spectacles, tous les endroits où se retrouvait le grand monde. Ariane était épuisée. Mais il lui restait un rêve à réaliser.

— Chéri, j'aimerais voir la boutique de Coco Chanel.

Edmond sourit. Ce voyage était tellement merveilleux, pourquoi ne pas y ajouter la maison Chanel ? Il téléphona pour prendre rendez-vous.

— Je regrette, monsieur, mais mademoiselle Chanel a des rendez-vous pour plusieurs semaines.

– Mais nous repartons pour l'Amérique dans deux jours.

– Un instant, monsieur.

Edmond attendit un long moment pour finalement obtenir un rendez-vous pour la présentation du lendemain après-midi. Ariane était excitée et nerveuse. Cette sensation de n'être qu'une campagnarde ne la quittait pas. Elle avait l'impression qu'elle avait tout à apprendre, l'élégance, les bonnes manières et le langage, car personne ne semblait comprendre ce qu'elle disait. Elle ne savait plus quoi porter. Elle avait envie d'enfiler un pantalon, mais elle n'osa pas. Après bien des hésitations, elle opta pour une robe à plis plats, simple et de qualité, qu'elle orna d'un collier de perles.

Ariane imaginait les salons de haute couture grands et sobres comme la collection Chanel, tout en noir, blanc et beige. Ce qu'elle vit quand elle entra dans l'immeuble du numéro 31 de la rue Cambon la stupéfia. L'appartement où Mademoiselle recevait ses clientes était d'un baroque débridé, décoré de grands miroirs ouvragés, de lustres scintillants et de paravents de Coromandel, où des camélias et des paons se fondaient avec élégance dans des rouges et des ocres. Des statues de jeunes hommes à la peau d'ébène montaient la garde, vêtus d'or et de bleu. Une jeune femme convia Ariane à se joindre aux autres clientes dans le salon orné de livres et baigné de lumière avec ses deux larges portes-fenêtres. Tout était ocre, jaune et paille sous un immense lustre de cristal. Ariane se sentit encore plus campagnarde quand elle vit les deux autres clientes assises sur le grand divan de velours or. Ces femmes la regardèrent à peine, même quand la jeune employée la leur présenta comme une dame américaine. Ariane décida de ne pas s'en laisser imposer par ces snobs et s'assit avec une grâce un peu forcée sur une bergère, répondant par l'indifférence à leur mépris.

Tout le monde attendait Mademoiselle et la jeune employée revint pour leur annoncer que cette dernière les rejoindrait plus tard. Des mannequins commencèrent à défiler dans le salon avec les créations les plus récentes. Des ensembles tout simples et confortables, au style dépouillé. Des vestes de tweed, des tricots de marin, des chemisiers. Les deux dames commandèrent quelques ensembles et accessoires en les regardant d'un air hautain qui semblait être leur air de tous les jours. Ariane fut séduite par un ensemble noir et blanc et l'acheta, ne cachant pas son enthousiasme. Coco Chanel vint enfin les retrouver, toute mince dans sa petite robe noire ornée de nombreux rangs de perles, les poignets ornés de larges bracelets, les cheveux courts légèrement ondulés. Elle fumait une longue cigarette.

– Mesdames, je veux parer les femmes d'étoiles et j'aimerais vous présenter le collier Comète que je viens tout juste de créer. Son assistante tenait un coussin de velours sur lequel scintillait un collier de diamants qui avait la forme d'une étoile filante entourant le cou. Les deux clientes le regardèrent avec un petit sourire.

– Je sais maintenant quoi demander pour mon cadeau d'anniversaire, dit l'une d'elles. Je peux l'essayer ?

Chanel fit un signe à son assistante et celle-ci tendit le collier à la cliente qui le passa autour de son cou. L'autre femme assura qu'il lui irait très bien aussi et toutes deux se mirent à imaginer les réactions que provoquerait ce bijou à leur prochaine grande réception. Ariane, silencieuse, observa longuement le collier, sachant fort bien qu'elle n'aurait jamais les moyens de l'acheter. Mais elle le voulait, ce collier, ne serait-ce que pour en mettre plein la vue à ces snobs. Après les remerciements d'usage, Chanel reconduisit ses clientes pendant que son assistante demandait à Ariane de patienter un peu.

Ariane resta assise sagement, se demandant ce que Chanel lui voulait. La jeune femme revint et la pria de la suivre : Mademoiselle l'attendait dans ses appartements. Ariane eut du mal à se lever tant ses jambes flageolaient. Elle avait envie de fuir, mais elle ne pouvait pas faire cet affront à la grande couturière qu'elle aimait tant. L'assistante la conduisit à l'entrée et ouvrit deux portes miroirs dévoilant un escalier en colimaçon conduisant à l'appartement de Mademoiselle. Des miroirs recouvraient les murs de l'escalier et découpaient l'image d'Ariane en tranches. Elle dut agripper la rampe métallique pour ne pas tomber. Les premières marches furent les plus difficiles. Peu à peu, Ariane reprit son assurance. Son corps se redressa et sa main devint plus légère sur la rampe. Gabrielle Chanel la reçut avec le sourire et l'invita à s'asseoir dans un fauteuil confortable face à elle. Ariane était muette et la regardait en souriant béatement.

– Vous êtes canadienne, je crois ?

Ariane hocha la tête, incapable de prononcer un seul mot. Mademoiselle croisa les jambes et la fixa, une main sous le menton. Quelques rides se formaient aux commissures de ses lèvres et Ariane se demandait quel âge pouvait avoir cette femme sûre d'elle. Elle avait une maison de couture depuis vingt ans et Ariane aurait juré qu'elles avaient le même âge, la jeune quarantaine. Chanel en avait pourtant beaucoup plus.

– Je vous impressionne tant que ça ?

– Oh oui!… Ça fait dix ans que je vous admire. Je n'ai acheté qu'un ensemble mais…

– Je sais… vos origines sont modestes. Je me trompe?

Ariane replaça les plis de sa robe d'une main tremblante.

– Ça se voit tant que ça?

Mademoiselle n'allait certes pas lui dire que c'était aussi son cas. Ses origines, comme son âge, étaient des secrets bien gardés. Chanel aimait les femmes audacieuses qui cherchaient à aller toujours plus loin et elle avait été heureuse de voir comment Ariane avait fièrement tenu tête aux deux comtesses casse-pieds.

– J'ai des clientes qui achètent mes robes pour s'en vanter dans leur salon, mais elles ne les portent jamais. Je crois que vous aimez assez mon idée de l'élégance pour vous en inspirer. Mes vêtements vous ont plu?

– Beaucoup. Le jersey est si confortable, on se sent libre de ses mouvements. Et j'ai beaucoup aimé les camélias partout.

– C'est un symbole de longévité et de pureté en Asie. J'en ai fait mon emblème. Et la Comète vous a ravie aussi.

– Oui, et j'ai bien l'intention de revenir vous l'acheter.

– Je vous crois, j'ai reconnu cet éclair dans vos yeux. L'ambition me plaît et vous savez être différente.

Mademoiselle se leva et Ariane la suivit. Elles redescendirent toutes les deux, puis Chanel lui tendit la main.

– Au plaisir de vous revoir, madame.

Ariane avait envie de lui sauter au cou et de l'embrasser. Mais elle se contenta de lui sourire en la remerciant du plaisir qu'elle venait de lui offrir. Quand elle retrouva Edmond, elle avait encore le cœur qui battait à tout rompre et elle lui parla de Coco Chanel, de la Comète et des deux comtesses pendant des heures.

Le lendemain, ils reprirent le train vers le Havre et embarquèrent pour New York. La traversée fut tout aussi idyllique qu'à l'aller. Edmond se fit de nouveaux amis au fumoir. Sa femme dormit souvent et longtemps dans sa cabine et évita la piscine. Leur vie de couple reprenait le rythme rassurant des dernières années et elle espérait qu'Edmond oublie à jamais cette façon vulgaire avec laquelle elle s'était offerte à lui. Ariane fut heureuse de retrouver les enfants et le manoir ; elle avait besoin de tranquillité. Mais elle vit au premier coup d'œil que sa fille avait changé pendant son absence.

Aurélie allait avoir treize ans dans quelques jours, mais elle était devenue une jeune fille entre-temps. À son réveil un matin, elle avait vu sa chemise de nuit tâchée de sang. Elle avait d'abord paniqué, mais s'était ensuite rappelé ce que lui avait dit sa mère. Elle avait essayé de se calmer en se disant que tout cela était normal : elle était devenue une femme et pouvait maintenant avoir des enfants. Mais elle ne pouvait s'empêcher de se sentir angoissée. La petite princesse ne voulait pas quitter tout de suite l'insouciance de l'enfance. Elle s'amusait bien au manoir et ne voulait pas se marier et avoir des bébés. Aurélie avait senti qu'une énorme responsabilité venait de lui tomber sur les épaules. Que faire ? Elle avait eu beau chercher, elle n'avait rien trouvé de mieux que de cacher son nouvel état. Après avoir lavé la chemise de nuit dans le lavabo, elle avait pris un bain, puis, enveloppée dans une grande serviette, elle s'était faufilée dans la chambre de ses parents pour prendre les bandes de tissus dont sa mère se servait en pareilles circonstances. C'est là que la tante

Mathilde l'avait surprise. C'en était fait du secret. Aurélie avait eu droit aux chuchotements, comme s'il s'était agi d'une chose honteuse : elle ne devait pas en parler à ses frères ni entrer dans la cuisine pour ne pas faire tourner le lait, et surtout pas regarder les garçons dans les yeux. Quand elle avait demandé pourquoi, elle avait reçu un simple « parce que » comme réponse. Elle avait senti, dans les jours qui avaient suivi, un changement d'attitude de la part de Mathilde. Celle-ci la surveillait davantage, lui disait de ne pas monter aux arbres comme ses frères, de s'asseoir en rapprochant les genoux, de boutonner le col de sa blouse. Aurélie avait bien hâte que sa mère revienne.

Ariane et Aurélie eurent un long tête-à-tête le lendemain matin. Mathilde était retournée chez elle, non sans avoir mentionné les changements survenus chez sa nièce. Ariane avait eu un choc en apprenant cette nouvelle. Déjà ! Sa petite fille était devenue une femme ! Cela revenait à dire qu'elle-même devenait une vieille femme. L'épisode du pianiste avait donc été le dernier soubresaut d'une jeunesse qui s'envolait. Ariane essaya d'effacer les préjugés que Mathilde avait mis dans la tête de sa fille et prit la décision de se consacrer maintenant à l'éducation de son adolescente. Elle lui apprendrait à être élégante comme une Parisienne et à mieux parler.

Ariane se préparait à entrer dans une phase plus tranquille de sa vie quand elle s'aperçut qu'elle n'avait pas eu ses dernières menstruations. Elle refusa de s'affoler ; c'était peut-être le début de la ménopause. Mais elle était trop jeune pour ça. Et les nausées matinales ne mentaient pas : Ariane était de nouveau enceinte. Le bon docteur Ogino n'était pas aussi infaillible qu'elle l'avait cru. Elle avait trente-sept ans ; elle en aurait trente-huit à la naissance de son bébé. C'était un gros prix à payer pour un voyage de noces sur un luxueux navire. Elle était partie jeune et légère ; elle était revenue lourde et vieille. Elle annonça la nouvelle à son mari qui s'en réjouit, bien sûr. Comme il n'y avait plus de risque de grossesse, il se fit plus pressant au lit. Edmond voulait retrouver la femme qui avait enlevé son maillot de bain en mettant son sexe sous son nez. Ariane se sentait trop vieille pour ça et préférait jouer les soumises au missionnaire. C'est Edmond qui changea, explorant le corps de sa femme comme il ne l'avait jamais fait auparavant. Mais rien n'y fit. Ariane s'était refermée comme une huître, insensible aux caresses, aux mots d'amour. Elle n'avait qu'un désir : expulser cet être qui prenait toute son énergie.

Aurélie se rapprocha de sa mère, observant les changements que la grossesse provoquait chez elle et s'émerveillant de l'imminente venue de ce bébé. La mère et la fille passaient beaucoup de temps ensemble, l'une corrigeant la prononciation des mots et le port de tête, l'autre essayant d'imaginer ce qu'on pouvait ressentir quand un bébé grandissait en soi. Aurélie devenait plus mature et jouait moins avec ses camarades d'école, préférant revenir dès la sortie des classes à la maison pour y retrouver sa mère. Edmond, devant l'indifférence de ses femmes à son égard, reprit le chemin du club nautique et de l'hôtel Saurel où il savourait son whisky, fumait ses cigares, jouait aux cartes et admirait les rares femmes qui y entraient. Le printemps de 1936 vit l'arrivée de Muriel dans la famille Savard. L'accouchement fut long et Ariane en sortit épuisée. Les belles-sœurs parlaient beaucoup de ce bébé tardif. Antonine, qui allait accoucher de son onzième enfant à l'automne, applaudit la fertilité retrouvée de la plus excentrique de ses belles-sœurs. Violette, à quarante-deux ans, avait peur de subir le même sort et elle fut soulagée de constater qu'elle était en période de pré-ménopause. Mathilde offrit ses services de « ma tante », mais c'est Aurélie qui s'empara du poupon comme d'un cadeau. Pendant qu'Ariane ruminait sa jeunesse passée devant le miroir de sa coiffeuse, Aurélie devenait maman par procuration, passant presque tout son temps à la maison avec l'enfant dans les bras, à un point tel que ses parents se demandaient pourquoi ils avaient engagé une nurse.

Aurélie avait raconté le voyage de ses parents et l'arrivée de Muriel avec plaisir. Elle revivait le passé avec une telle ardeur qu'elle avait l'impression que Lorraine pouvait voir les événements comme si elle y avait assisté. Après un petit-déjeuner léger, les deux femmes étaient sorties se promener dans le parc. Le temps était doux et ensoleillé. Lorraine, un appareil photo accroché au cou et un autre en bandoulière, avait pris plusieurs clichés d'Aurélie, laquelle marchait en gesticulant sous le feuillage automnal qui les entourait comme une coquille d'or.

Lorraine était si discrète que la vieille dame avait à peine remarqué qu'elle la prenait en photo, les clics des appareils se confondant aux bruits de pas sur la terre humide et les quelques feuilles déjà tombées. Elle avait écouté l'histoire qu'Aurélie racontait tout en étant attentive aux images qui se formaient sous ses yeux. Elle s'était aperçue que son discours trouvait un écho dans le présent : Aurélie parlait du Normandie et le fleuve Saint-Laurent glissait devant elles, amenant son cortège habituel de navires de toutes sortes ; les arbres immenses du parc faisaient office de décoration et le regard portait loin à l'horizon. Elle avait photographié le paysage en y intégrant une main, un geste furtif, la ligne d'une épaule, des mèches de cheveux au vent, un pied laissant son empreinte sur l'herbe humide. La présence humaine permettait de capter les lieux dans un moment précis, de les inscrire dans le temps.

Les deux femmes s'étaient assises sur le banc, près du bassin, et fixaient maintenant le fleuve en silence.

Lorraine repensait à la Comète de Chanel qui lui avait rappelé le bijou qu'elle avait découvert dans une boîte à chaussures de sa mère, enfoui dans un vieux soulier, comme si Jeanne, incapable de s'en défaire, avait voulu qu'il soit jeté par quelqu'un d'autre. C'était une broche en or avec des brillants, finement ouvragée. Son design montrait qu'elle était assez ancienne. Elle avait sans doute une grande valeur. Comment sa mère était-elle entrée en possession d'un tel bijou ? Lorraine ne l'avait jamais vu auparavant et se promettait de l'apporter chez un joaillier pour le faire évaluer. Mais elle savait déjà que son père n'avait jamais eu les moyens de lui faire un tel cadeau. Martin ignorait également tout de cette broche, et cette énigme s'ajoutait à d'autres depuis qu'ils fouillaient les boîtes, les malles et les garde-robes de leur mère.

Simone s'approcha avec sa discrétion habituelle : le repas était prêt. Aurélie prit le bras de Lorraine et l'invita à passer à table. Elle se sentait si bien en sa présence qu'elle ne voulait jamais, comme Schéhérazade, finir son histoire. Elle se disait que tant qu'elle raconterait, elle ne mourrait pas et garderait Lorraine à ses côtés.

Ce déjeuner, pris cette fois-ci dans la petite cuisine en compagnie de Simone et de Jean-Paul, ressemblait à un repas familial et il ramena Lorraine à la réalité. Après le faste et le luxe du passé, elle se rappela que son père lui avait parlé des grèves et des actes de violence qui avaient eu lieu durant la période qu'on avait appelée la Grande Dépression, même s'il était alors trop jeune pour y participer. Aurélie semblait si heureuse que Lorraine hésitait à lui en parler. Cela faisait pourtant partie de l'histoire. Rendue au dessert, elle se décida à aborder le sujet.

– Madame Aurélie, tout n'était pas que mondanités à la fin des années trente, les gens avaient faim, le travail était rare. Comment vous sentiez-vous dans ce château entouré de la misère des autres ?

Aurélie la regarda. Il lui plaisait de plonger dans ces yeux clairs et changeants ; elle pouvait y lire l'émotion selon la couleur. Elle n'aimait pas beaucoup le gris qu'elle y voyait maintenant. Elle laissa un ange passer en souriant. Jean-Paul s'excusa : il avait du travail. Simone se leva pour desservir. En tête-à-tête avec Lorraine, Aurélie parla doucement :

– C'était une époque difficile et j'étais bien jeune. Ce dont je me souviens surtout, c'est de l'urgence d'agir, de changer le cours des événements. Les Savard n'ont jamais voulu s'enfuir avec leur argent dans un paradis fiscal. Ils étaient attachés à leur région et ils ont voulu faire bouger les choses, mais ça n'allait pas toujours aussi vite qu'ils le désiraient.

Les élections qui eurent lieu à l'automne de 1935 confir-mèrent les prévisions de Jules : le Parti libéral de Mackenzie King fut de nouveau porté au pouvoir en écrasant les conservateurs. Le nouveau ministre des Travaux publics, Alfred Cardinal, proposa la vente des chantiers du gouverne-ment aux frères Savard. Edmond et Jules passèrent beaucoup de temps à essayer de convaincre les politiciens de leur sol-vabilité. Le chantier de la Compagnie maritime Savard et la Compagnie générale de dragage apparaissaient comme des grains de sable à l'ouest du Québec. Alfred Cardinal s'était lié d'amitié avec Jules et Edmond. L'argent et la prospérité se trouvaient principalement dans les mains des descendants d'Anglais, d'Irlandais et d'Écossais. Peu d'hommes d'affaires canadiens-français et catholiques avaient de réels pouvoirs et Alfred Cardinal avait l'intention de faire sa part pour les aider. Il ne ménageait pas ses efforts pour la région, même si, en plus d'être député de Richelieu, il était ministre de la région de Montréal. Il se disait que Montréal était déjà une grande fille et que la petite Sorel avait besoin de grandir un peu. La misère et le chômage étaient partout les mêmes, et les gouvernements ne savaient plus que faire pour changer cette situation. Les projets d'infrastructures, de routes et de ponts ne suffisaient pas.

Pendant ce temps, la Maritime aidait le gouvernement à résoudre le problème du transport du radium pour le compte de la seule mine de radium au Canada. Comment faire arriver deux bateaux sur la rivière Mackenzie, dans les Territoires du Nord-Ouest? Les Savard, inventifs, décidèrent de fabriquer le Radium King et le Radium Queen dans leur chantier, puis de les sectionner pour les transporter par train sur une distance de plus de trois mille cinq cents miles. Les bateaux seraient ensuite remontés et soudés sur place sous la surveillance de spécialistes de la Maritime. Ce travail leur valut l'estime du gouvernement, mais les négociations avançaient lentement malgré les efforts de Jules, d'Edmond et du ministre Cardinal.

En avril 1937, des milliers de travailleurs firent la grève aux États-Unis pour faire reconnaître les syndicats ouvriers. Les patrons parlaient de communisme, ce spectre de plus en plus redouté depuis que la Russie était devenue l'Union soviétique. Le 15 avril, cinq mille ouvrières de Montréal formaient des piquets de grève devant des centaines de petits ateliers du bas de la ville, dans le quadrilatère constitué par les rues Bleury, Peel, Dorchester et Ontario. Ces femmes protestaient contre la Loi du cadenas avec cette grève qui allait durer vingt-cinq jours, malgré les menaces de déportation proférées à l'endroit des responsables syndicaux. Le 29 avril, les débardeurs se battaient dans le port de Montréal entre membres de deux syndicats différents. Le climat s'assombrissait. Le clergé s'en mêla.

Les frères Savard suivaient tous ces événements avec attention. Edmond sentait que les problèmes ne faisaient que commencer. Sa vie idyllique se fissurait. Ariane était froide et distante depuis la naissance de la petite Muriel, uniquement préoccupée par les bonnes manières de son adolescente. Aurélie, que l'école ennuyait royalement, passait tout son temps libre à jouer à la mère avec sa petite sœur. Charles et Roland, après des études primaires au Collège du Sacré-Cœur, venaient d'entrer comme pensionnaires au Séminaire de Saint-Hyacinthe, mais ils étaient trop jeunes pour saisir la gravité de la situation. Edmond se sentait bien seul devant les problèmes qui s'accumulaient. D'autant plus que le curé de la paroisse Saint-Pierre avait invité ses fidèles, du haut de la chaire, à résister au mal social. Pour tout le monde, ce mal ne pouvait être personnifié que par les deux seuls employeurs de la région : la famille Savard et le gouvernement fédéral dont les chantiers fonctionnaient plutôt mal. Edmond et Jules passaient beaucoup de temps en tête-à-tête à discuter de tout cela.

— Il faut prendre le pouls de la situation, on a six navires en commande pour l'année prochaine. Des retards pourraient nous coûter cher.

— Les négociations avancent enfin un peu et nous serons bientôt propriétaires des chantiers du gouvernement. Les travailleurs seraient idiots de faire la grève, puisque nous serons bientôt les seuls à pouvoir leur donner du travail. Ils vont se calmer, Edmond, je t'assure, dès qu'ils vont voir où sont leurs intérêts.

— Je n'en suis pas si certain. Ils se font monter la tête par ce gars de Montréal, Giroux. De plus en plus de monde vont l'écouter. On devrait aller l'entendre, nous autres aussi, pour savoir ce qu'il leur dit.

— Tu veux aller là ? Tu vas te faire sortir.

— Tu ne sors pas ton patron à coups de pied si tu veux négocier.

— Ils ne veulent peut-être pas négocier. Je pense que la majorité de nos ouvriers veulent tout simplement travailler. Mais ce serait peut-être bon effectivement de connaître les têtes enflées qui poussent les autres. Si ça te tente d'y aller, Edmond, vas-y. S'ils s'en prennent à toi, on ferme tout et on s'en va ailleurs, ils pourront toujours crever.

— T'es pas sérieux ?

— Je suis fatigué de cette atmosphère de peur, de ces gens qui veulent nous dire comment faire notre travail. On passe notre temps à essayer de faire grossir notre entreprise, de s'agrandir et de créer plus d'emplois et, maintenant, ils veulent travailler moins pour plus d'argent. Si on allait pas les chercher, les contrats, ils feraient quoi, ces gens-là ? La pêche, la chasse pour se nourrir, ils redeviendraient coureurs des bois ou trappeurs ?

Félix Giroux, syndicaliste de Montréal, rassemblait des foules de plus en plus nombreuses. Quand Edmond arriva, la salle était déjà pleine et des gens se tenaient à l'extérieur pour écouter le discours par les fenêtres ouvertes. Il se faufila à l'intérieur. Les hommes le reconnaissaient et se poussaient pour le laisser passer. Edmond décida de rester au fond de la salle ; il voulait se faire discret. Félix Giroux était un orateur talentueux qui ne mâchait pas ses mots. « Le pire foyer d'exploitation que j'ai vu est ici, à Sorel. C'est la population la mieux préparée à faire la lutte. Ce n'est pas moi qui ai fait les ouvriers de Sorel. Ils ont appris à travailler avec ordre, discipline. Ils sont loyaux, sincères et ils veulent leur libération. Plus de privations, d'exploitation, d'intimidation, de mensonges. On va forcer les employeurs à traiter d'égal à égal et à signer une convention collective qui donne des droits et la sécurité du travail. C'est fini d'avoir peur de perdre son emploi parce qu'on n'a pas voté du bon bord.» Le discours était ponctué de cris d'approbation. Les plus silencieux étaient ceux qui se trouvaient près d'Edmond. Monsieur Giroux annonça qu'il allait se rendre à Québec pour rencontrer le premier ministre. «Maurice Duplessis doit intervenir pour éviter la grève et nommer un médiateur. Il s'est fait élire en promettant que l'esclavage des travailleurs allait cesser, il est temps pour lui de passer aux actes.» La foule applaudit à tout rompre.

En ayant assez entendu, Edmond quitta les lieux et alla rejoindre Jules chez lui. Les frères Savard étaient inquiets.

– Ils sont convaincus qu'ils auront l'appui de Duplessis parce qu'il est bleu et qu'on est rouges. On fait affaire avec Ottawa et on ne baise les fesses de personne à Québec.

– Edmond, tu as une de ces façons de parler quelquefois! Négocier avec le gouvernement, ce n'est pas baiser les fesses de quelqu'un, comme tu dis.

– Et je suis poli! Eux, ils n'utilisent pas le mot «fesses». Quand il a dit qu'on les exploitait, j'ai eu envie de lui casser la gueule. Pour qui il se prend, celui-là, pour venir nous dire quoi faire? C'est pas lui qui a monté ces usines-là, c'est nous autres. À l'entendre, on est des esclavagistes alors qu'on fait vivre la région.

– Calme-toi, Edmond. Il n'aura rien de Duplessis.

– Comment peux-tu en être certain?

– Je n'en suis pas certain, mais Duplessis est un politicien, il veut gouverner sans virer la province comme une crêpe.

Il sait qu'il a besoin de nous et de nos capitaux, sinon c'est la misère encore plus grande. Et la grande misère, c'est la révolution.

— Tu penses qu'on pourrait finir comme la Russie ?

— Non, la révolution, c'est : dehors, Duplessis ! Il voulait ce poste depuis trop longtemps pour le lâcher comme ça. Et l'Église est derrière lui. Tu imagines les Canadiens français aller contre leurs curés ? Non, ils vont se calmer.

Jules avait raison. Félix Giroux alla à Québec demander une rencontre avec le premier ministre Duplessis et elle lui fut refusée. La réponse était claire : «Touche pas aux Savard, c'est la crise, les ouvriers travaillent, mêle-toi pas de ça.» Pendant ce temps, les travailleurs de la fonderie Sorel et des Ateliers mécaniques se mettaient en grève, suivis par les employés de la manufacture de vêtements.

Lucien et sa famille habitaient une grande maison tout près de la fonderie Sorel. Jules lui proposa d'envoyer les plus jeunes de ses enfants chez Mathilde, chez Ariane et chez lui, mais Lucien ne voulut rien entendre. Dieu le protégeait et il n'arriverait rien de fâcheux. Des vitres furent brisées aux Ateliers mécaniques et à la résidence du chef des chantiers de la Maritime. Quand elle apprit la nouvelle, Violette appela Antonine pour l'exhorter à lui amener les petits. Lucien, élu échevin depuis quelques mois et maire suppléant de la ville de Sorel, refusa de fuir face à une poignée d'agitateurs. Antonine le soutenait, un chapelet à la main, même si elle avait peur.

Ariane vivait isolée dans son manoir, les grilles fermées en permanence. Aurélie avait l'impression d'étouffer. Depuis quelque temps, elle s'était mise à lire les journaux, même si Edmond n'aimait pas voir sa fille la tête penchée sur toutes les horreurs qu'on y racontait. Elle le rejoignait parfois le soir dans son bureau pour parler un peu avec lui. Il aimait ces tête-à-tête. Cela le consolait de la distance qui s'était créée entre lui et sa femme. Aurélie allait avoir quinze ans et elle prenait conscience du monde autour d'elle. Les premiers pas et les balbutiements de Muriel l'amusaient, mais elle savait que le monde était plus vaste que ça.

– Qu'est-ce qu'on peut faire, papa?

– Ne te mêle pas de ça, ma chérie. Laisse les hommes régler leurs affaires. Occupe-toi plutôt de ta mère. Elle passe ses journées à lire des revues et à changer les meubles de place.

– C'est vrai que notre château a été construit avec la sueur de ceux qu'on exploitait?

– Qui t'a mis des idées aussi stupides dans la tête? Le manoir a été bâti avec mon travail et celui de tes oncles, avec de l'argent honnêtement gagné. On ne vole personne. Au contraire, on donne du travail aux gens. Si on n'était pas là, ils n'auraient qu'un bout de terre pour faire pousser des carottes. Cette ville est prospère grâce à nous. Tu es une Savard, Aurélie, ne l'oublie jamais. On t'en voudra pour ça, mais on te sera aussi reconnaissant pour la même raison. Tu as un rôle social à tenir et je sais que tu peux être à la hauteur. Mais tu es encore une petite fille, bon, bon, une jeune fille, mais pas encore une adulte. Attends avant de prendre des engagements sans pouvoir en mesurer toutes les conséquences.

– J'aimerais que la petite Julienne vienne passer quelques jours ici avec Muriel. Tu penses que tante Antonine accepterait? Oncle Lucien ne veut pas que ses enfants s'en aillent, mais Julienne n'a pas deux ans. Tu penses qu'il peut faire une exception?

– Téléphone-lui. Il acceptera peut-être si ça vient de toi.

Aurélie se précipita, enthousiaste, sur le téléphone. Antonine n'y voyait pas d'inconvénients, mais elle devait en parler à Lucien qui allait rentrer sous peu. Aurélie proposa de se rendre chez son oncle pour l'attendre, convaincue qu'elle avait plus de chances de le convaincre en lui parlant de vive voix. Edmond n'aimait pas beaucoup voir sa fille sortir si tard, mais il accepta de la conduire chez Lucien. Le chauffeur passerait dans une heure la chercher. Aurélie attendit son oncle tout en bavardant avec sa tante et ses cousines. La petite Julienne dormait et personne ne voulait la réveiller. Lucien arriva peu après. Il fut touché par le geste de sa nièce et, devant le regard suppliant d'Antonine, il accepta que Julienne aille passer quelques jours avec la petite Muriel. Aurélie se demandait ce que faisait le chauffeur : il aurait dû être là depuis un bon moment. Antonine lui offrit de dormir avec sa cousine Évelyne, mais Aurélie préféra passer un coup de fil à son père. Le téléphone ne fonctionnait pas. Des bruits de verre cassé se firent soudain entendre. Lucien appela tous les enfants. La bonne courut chercher les plus petits ; Aurélie s'empara de Julienne pendant qu'Antonine rassemblait les plus grands. La pluie de boulons et d'écrous continuait. Les petits pleuraient ; leurs aînés essayaient de les consoler. Lucien fit sortir sa famille par la porte arrière de la cuisine. Les lumières des réverbères avaient été brisées ; on n'y voyait rien. Le chauffeur d'Edmond était bloqué à une rue de là. Des hommes armés de bâtons lui avaient conseillé de ne pas s'aventurer plus loin. Il sortit pour aider Aurélie, Antonine et les plus jeunes enfants à s'engouffrer dans l'auto et les amena à l'hôtel Saurel. Julienne hurlait sans arrêt. Aurélie essaya de l'endormir, mais la petite n'acceptait que les bras de sa mère.

— Tu peux rentrer, Aurélie. Je pense que nous serons tous en sécurité ici, Julienne aussi. Je te remercie de te préoccuper de nous, mais on va se débrouiller.

Aurélie revint au manoir avec le chauffeur pour apprendre par son père que le piano sur lequel sa cousine Évelyne aimait tant jouer avait été jeté à la rue par les manifestants.

— Ils vont venir ici aussi, un jour ?

— Non, Aurélie, nous habitons loin des usines et de la ville. Tu es protégée dans ton château, ma princesse. Ici, tu seras toujours en sécurité.

Aurélie eut du mal à dormir cette nuit-là et refusa d'aller à l'école le lendemain. Lucien engagea immédiatement des poursuites contre la ville de Sorel pour les dommages qu'avait subis sa maison, alléguant qu'il n'avait pas reçu une protection adéquate de la police. Le greffier de la ville envoya un télégramme à l'évêque de Saint-Hyacinthe pour condamner l'action de ses syndicats catholiques. Monseigneur Decelles répliqua qu'il ne possédait aucun syndicat, mais que les ouvriers avaient le droit de s'associer pour défendre leurs intérêts. Le greffier répondit que la salle paroissiale était devenue un repaire de bandits. Un vent de folie avait soufflé sur la population, ajoutait-il, et la ville aurait bientôt mille familles dépendantes du secours direct.

Un médiateur fut nommé par le gouvernement et proposa un règlement à Lucien, mais les grévistes le refusèrent, car il ne contenait pas de clause concernant la sécurité d'emploi. Ceux qui avaient passé des commandes à la fonderie Savard s'impatientaient des retards de livraison et menaçaient d'aller ailleurs. Edmond et Lucien rencontrèrent Félix Giroux et l'abbé Dubuc au bureau de l'avocat Salvas. Félix Giroux, persuadé que les pertes de commandes feraient très mal aux Savard, était prêt à aller en prison s'il le fallait. Lucien en avait assez et accepta de reconnaître le syndicat. Giroux refusa l'entente proposée par l'avocat et Edmond finit par sortir de ses gonds.

– On va te donner les clauses que tu demandes. Tous les gars vont être repris au travail quel que soit leur rôle dans les grèves. Les salaires et l'évaluation des tâches vont aller dans les mains d'un conseil d'arbitrage.

Félix Giroux n'en revenait pas d'avoir obtenu autant en quelques minutes. Edmond et Lucien se rendirent immédiatement à la salle du syndicat. Lucien, responsable de la fonderie Sorel, annonça à ses ouvriers rassemblés qu'ils conserveraient tous leur emploi. Les travailleurs se levèrent pour l'applaudir et acceptèrent de retourner au travail.

Tout semblait s'arranger, mais cela ne dura pas longtemps. Une deuxième grève éclata et se prolongea durant tout le mois de juin. Lucien vivait encore avec sa famille à l'hôtel. Ses fils aînés reviendraient bientôt du pensionnat pour l'été et il fallait trouver une solution pour ne pas éparpiller la famille aux quatre coins de la ville. Albert faisait son travail sans trop s'occuper des conflits, mais les trois autres frères Savard se réunissaient quotidiennement dans les bureaux de la Maritime. Jules était sur le point de s'entendre avec le gouvernement fédéral. Il pensait que cette nouvelle acquisition et les contrats qui en découleraient calmeraient les travailleurs. Edmond n'était pas aussi optimiste.

– Ils vont se dire qu'on est encore plus riches et vont demander plus. On n'a pas le choix, Jules, il va falloir reconnaître le syndicat à la Maritime aussi. On va se ramasser comme les Français, l'année dernière, après leur série de grèves. La semaine anglaise de cinq jours et des congés payés.

– Ça, ça ne me dérange pas. Ce qui me dérange, c'est que nous n'aurons plus le droit de congédier un incapable sous prétexte qu'il est là depuis longtemps. Et c'est à ça qu'ils tiennent le plus.

– Il va falloir ne plus engager d'incapables.

– Ils sont toujours bien bons quand ils sont apprentis, ils arrivent sobres et travaillent vite. Tu leur laisses une couple d'années et ils arrivent soûls et en retard.

– De toute façon, Jules, ils ont l'Église avec eux. Je le sais, je me rappelle par cœur de la lettre de monseigneur Decelles. Je dois trouver une autre maison pour ma famille. Nous ne pouvons plus vivre près des usines.

– Je pense que c'est une bonne idée, Lucien. Tu pourrais prendre ma maison, mais ce ne sera pas avant quelques mois.

– Tu déménages ?

– Ça fait longtemps que Violette veut partir de Sorel. Avec ce qui se passe actuellement, je peux difficilement lui dire non. Tu sais ce que c'est, Edmond, quand une femme s'est mis quelque chose dans la tête, elle ne lâche pas. On regarde les maisons à Montréal. Si les papiers se signent, on va peut-être acheter quelque chose à Westmount. Le climat sera meilleur qu'ici.

– Moi, je ne pars pas, c'est certain.

– Tu n'en as pas besoin, tu es le mieux logé dans ton château au bord de l'eau.

– Lâchez-moi avec votre château! C'est une maison avec des tourelles.

– Et un mur de pierre et une grille. Tu as été prévoyant, Edmond, c'est bien. Lucien vit à côté de son usine pour la surveiller et c'est elle qui le surveille maintenant.

Aurélie fêta ses quinze ans avec sa famille, enfermée dans le manoir comme s'il était mal vu d'être heureuse. Elle n'osait plus sortir, tout comme ses cousines. Les Savard restaient entre eux: les femmes gardaient le fort; seuls les hommes mettaient le nez dehors et c'était le plus souvent pour se rendre au travail. Même Ariane dut admettre qu'elle ne pouvait plus se rendre à sa plage favorite dans les îles sans entendre des murmures dans son dos. Les domestiques étaient devenus son seul lien avec l'extérieur.

En juillet 1937, la Compagnie générale de dragage obtint du gouvernement fédéral un contrat de dragage de plus de onze millions de dollars et le 1er août, cette même compagnie, filiale de la Maritime, se porta acquéreur des chantiers du gouvernement et de sa flotte de dragage. Cette acquisition agrandit considérablement la Compagnie maritime Savard. Lucien fut nommé directeur gérant des chantiers, remplaçant Edmond qui partait à la recherche de nouvelles industries. Tout se déroulait donc comme Jules l'avait prévu. Les adversaires des Savard crièrent à l'injustice; c'était pour eux un acte de favoritisme à l'égard d'un important souscripteur à la caisse électorale. Le gouvernement se défendit en disant que ses chantiers et sa flotte de dragage étaient un problème important pour tous ceux qui se succédaient à la direction du ministère des Transports. Pour faire taire ses détracteurs, Jules offrit au nouveau ministre des Transports, Alfred Cardinal, la garantie que les coûts de continuation des travaux de dragage n'excéderaient pas ceux des années précédentes.

Mais un ordre de grève générale fut de nouveau lancé et plus de mille ouvriers furent touchés. Lucien était persuadé que des agitateurs avaient obligé les employés des chantiers à se mettre en grève. En fait, Jules était en partie responsable de ce qui se passait. Il avait invité le juge Migneault, qui présidait le conseil d'arbitrage, à le rencontrer, avec Edmond et Lucien à bord de son luxueux yacht La Dauphine par une belle journée chaude de juillet. Il serait sans aucun doute plus plaisant de discuter de toutes ces clauses fastidieuses en descendant le fleuve et en se promenant entre les nombreuses îles de Sainte-Anne-de-Sorel et de Berthier que dans un bureau. Le juge n'y avait pas vu d'inconvénients ; sa tâche serait effectivement plus agréable et il comptait bien la faire avec honnêteté. Mais, les voyant passer, les travailleurs s'étaient dit que les riches manigançaient encore dans leur dos. La grogne couvait. Sans laisser au syndicat le soin de négocier quoi que ce soit, ils sortirent en bloc des usines. Les curés s'en mêlèrent. Celui de la paroisse Saint-Pierre prit position pour les travailleurs, et celui de la paroisse Notre-Dame exhorta ses ouailles à ne pas se laisser influencer par les meneurs, étrangers à leur race et à leur ville. La guerre des prêches commençait.

Ariane et Aurélie allaient à la messe à la petite église de Sainte-Anne-de-Sorel et n'avaient aucunement conscience de ce qui se passait. On leur lançait certes des regards obliques, mais elles n'y prêtaient pas attention, croyant que, comme d'habitude, on reluquait leurs vêtements. Depuis des mois, elles veillaient pourtant à se faire discrètes. Peu ou pas de bijoux, des robes simples, mais leurs robes les plus simples restaient toujours plus luxueuses que les vêtements de la plupart des gens qui les entouraient. Un jour, Aurélie entendit une conversation entre une bonne et la cuisinière et apprit ce qui se passait à l'église Saint-Pierre. Elle emprunta une robe à la petite bonne et se rendit le dimanche suivant écouter le curé de cette paroisse.

Au moment du sermon, le curé, un gros homme chauve qui avait un bon sourire, monta en chaire et Aurélie apprit que le pape Pie XI approuvait la cause ouvrière, assurant que les travailleurs n'avaient pas d'autres moyens de défendre leurs droits qu'en s'organisant en syndicats. « Les législateurs sont menés par la haute finance. Les grands riches, que le pape appelle "dictature économique", accaparent dans cette province quatre-vingt-dix pour cent de la fortune.» Aurélie s'était assise à l'avant par habitude et regrettait de ne pas avoir choisi le banc le plus proche de la porte d'entrée. Le curé continuait sur sa lancée, son visage devenant de plus en plus rouge. «On meurt de faim parce que cette dictature économique aime mieux laisser mourir des gens pour faire des profits élevés. Une machine qui vaut cinq mille dollars est mieux traitée que l'ouvrier qui la fait fonctionner. La grève est parfois le seul moyen que les ouvriers ont de faire reconnaître leurs droits.»

Aurélie se sentait blêmir et avait l'impression que le curé la montrait du doigt. «La cause de toutes ces grèves est ce petit groupe qui fait de l'ingérence politique. Vous avez entendu ces gens-là dire qu'ils doivent se débarrasser des syndicats catholiques pour garder leur mainmise sur la ville de Sorel et continuer de la gouverner comme ils le font depuis vingt-cinq ans. Ce sont eux qui ont fait tant de mal aux ouvriers et aux patrons.» Aurélie avait hâte que le sermon finisse. Dès que le curé redescendit de chaire, elle se glissa vers l'allée de côté et profita, pour sortir de l'église, du fait que les fidèles se levaient tous en même temps. Le soleil la frappa en plein visage. Des hommes fumaient sur le parvis, parlant à voix basse. Quand ils la virent, ils se turent. Aurélie les fixa un bref instant et la peur s'empara d'elle. Elle descendit les marches et courut tout le long du chemin Sainte-Anne, jusque chez elle, sans se retourner. Elle arriva essoufflée et tremblante. La petite bonne vint ouvrir la grille et regarda d'un œil attristé sa robe tachée de sueur. Aurélie se faufila à l'arrière du manoir et descendit dans la grande cuisine boire un grand verre de limonade. La cuisinière et la bonne la regardaient, silencieuses.

— Je te donnerai deux de mes robes. Promis.

La jeune bonne sourit. Certaine d'y gagner au change, elle assura à sa patronne qu'elle pouvait emprunter ses vêtements quand elle le voulait.

Les fidèles de la paroisse Notre-Dame entendaient pendant ce temps un tout autre discours. Le curé, grand et sec, en imposait et ne mâchait pas ses mots. Lucien approuvait pieusement son discours sensé et chrétien qui prônait la soumission à l'inévitable. «Mes frères, mon devoir est de vous guider afin de vous empêcher de faire des actes qui seraient la cause de votre malheur et peut-être la ruine de votre ville. Il vaut mieux tolérer certains abus, endurer patiemment ce qu'on ne peut corriger. Sorel ne possède qu'une seule industrie, alors, si elle vient à fermer pour toujours, que restera-t-il pour faire vivre les milliers de personnes qui en dépendent ? Avec la bonne volonté que montre le gouvernement provincial, l'honorable premier ministre Duplessis en tête, qui fait de son mieux pour rétablir la justice entre le travail et le capital, il n'y avait aucune nécessité de recourir à cette arme si dangereuse qu'est la grève. »

Jules était furieux de la prise de position de monseigneur Decelles, évêque de Saint-Hyacinthe, en faveur du curé de Saint-Pierre. Les fils Savard et ceux de beaucoup de notables de Sorel furent donc retirés du séminaire de Saint-Hyacinthe et inscrits au collège Saint-Laurent à Montréal, dirigé par les frères de Sainte-Croix. Charles et Roland accueillirent cette nouvelle avec stupéfaction. Ils allaient perdre leurs amis et les professeurs qu'ils aimaient bien détester. Mais Edmond rassura ses fils : leurs amis les suivraient à Montréal et ils trouveraient des professeurs aussi compétents.

Aurélie comprenait de moins en moins ce qui arrivait. Elle avait vu des grévistes implorer des cultivateurs de leur donner de la nourriture et ramasser les légumes qui étaient restés dans les champs. Elle entendait partout dans la ville un brouhaha malsain, mais elle ne pouvait jamais vraiment savoir ce qui se passait. Si elle entrait au magasin de son oncle Louis Poirier, les gens se taisaient sur son passage. Dans la rue, ils se poussaient en baissant la tête, mais elle sentait bien leur regard dans son dos. Les clans se formaient. Rares étaient ceux qui pouvaient se permettre de ne pas prendre position.

Le 13 août, un incendie, rapidement maîtrisé, fut allumé dans l'étable de la fonderie Sorel. Le lendemain, Lucien téléphona au procureur général du Québec pour demander des renforts. Quatre-vingt-treize policiers provinciaux débarquèrent à Sorel le soir même et furent logés à bord d'un bateau des Savard, le Ragoût. Les policiers maintenaient l'ordre un peu partout dans la ville et occupaient les chantiers de la Maritime. Sorel était désormais en état de siège. Toute rencontre devenait suspecte ; le moindre regard pouvait être lourd de conséquences. Aurélie, malgré sa peur ou peut-être à cause d'elle, s'échappait de plus en plus souvent de son manoir pour se promener en ville, vêtue d'une petite robe de coton, les cheveux nattés comme une fillette dans l'espoir de passer inaperçue et de saisir des bribes de conversation. Elle aimait bien aller au marché où elle parvenait facilement à se faire oublier. À la fin de la journée, des femmes de grévistes demandaient à des cultivateurs de leur donner les légumes invendus pour nourrir leur famille. Une vieille dame partit avec un chou sous son châle comme une voleuse, heureuse de son butin. Aurélie avait la tête qui tournait. Pendant ce temps, elle savait que sa mère était étendue sur son ottomane à lire son cher Proust en se faisant servir du thé au citron par la bonne. Elle ne comprenait pas comment ces deux mondes pouvaient coexister sans se toucher. En fait, quand ils se touchaient, cela faisait des étincelles. Il fallait un tampon et il semblait avoir disparu de la ville.

Quelques jours plus tard, Jules s'adressa aux ouvriers dans une déclaration publiée dans les journaux locaux. « Je tiens à remercier les ouvriers de Sorel pour l'empressement avec lequel un grand nombre d'entre eux ont répondu à notre appel de reprendre le travail […] je suis heureux d'entrevoir la fin du conflit injustifié. La loi des salaires raisonnables, nous l'acceptons dans son entier. Durant la saison de navigation, nos compagnies paient en salaires aux ouvriers de notre ville plus de 35 000 $ par semaine. De nombreuses localités importantes font en ce moment de grands efforts et des sacrifices considérables pour attirer chez elles des capitaux industriels. Il paraît étrange qu'à Sorel certains s'efforcent par tous les moyens possibles d'éloigner les industries déjà établies et qui sont pour tous une source de prospérité et de sécurité. Nous croyons avoir contribué sensiblement au développement de Sorel, mais pour que ce développement continue, vous comprendrez qu'il est indispensable de s'assurer la coopération des ouvriers et des patrons.»

Ça discutait ferme dans la population. Certains croyaient à la bonne foi des frères Savard ; d'autres, bien déterminés à faire fléchir les patrons, ne voyaient leur salut que dans la reconnaissance d'un syndicat. Le 2 septembre survint un événement qui allait tout faire basculer. Rosaire Péloquin, après avoir pris un petit coup de trop, comme il le disait lui-même, rentrait chez lui avec des amis en passant devant les chantiers de la Maritime. Il se mit à chanter, plutôt à beugler, devant les grilles de la compagnie. L'agent Dorion de la police provinciale, certain que le soûlard voulait pénétrer dans les lieux, passa la barrière pour l'attraper et le faire entrer sur le terrain. Il y eut une bousculade et Péloquin reçut des coups à la tête. Ses amis le récupèrent en sang et Rosaire Péloquin perdit un œil.

Edmond et Lucien apprirent la nouvelle en même temps le lendemain matin à leur bureau de la Maritime.

– Il va falloir téléphoner à Jules.

– Tu sais bien, Edmond, que c'est Jules qui appelle, pas nous.

– À moins que ce soit grave. Je pense que ça l'est.

– Un intrus pénètre sur les chantiers et un agent de police le ramasse. Il n'y a pas un juge qui va donner raison à Péloquin. Il avait beau être soûl, c'est un costaud. Tu ne sais jamais ce qui peut arriver avec ces gars-là quand ils ont bu. Ça n'ira pas plus loin.

– Ça va aller plus loin. Giroux va s'en mêler. C'est une occasion en or de nous démolir. Mais il oublie que c'est la police de Duplessis. Laissons-le faire affaire avec lui. Je suis pas mal sûr que Jules va être d'accord avec ça.

Félix Giroux arriva effectivement à Sorel la journée même et entreprit de faire arrêter l'agent Dorion. Un juge donna raison au policier : Rosaire Péloquin n'avait rien à faire sur le terrain des chantiers ; il avait couru lui-même à sa perte. L'affaire était donc close, mais pas pour Félix Giroux, d'autant plus qu'il venait de recevoir un cadeau inespéré de l'aumônier de l'école de réforme : le dossier de Dorion.

Pendant ce temps, le premier ministre Maurice Duplessis avait réglé la grève du textile à Sherbrooke. Dominion Textile reprenait tous ses employés et acceptait la loi du salaire raisonnable, qui fixait le taux horaire minimum à trente-sept cents et entrerait en vigueur le 1er septembre. Mais le syndicat n'avait pas sa place dans l'industrie.

Le jour de la fête du Travail, Duplessis était à l'oratoire Saint-Joseph, et Félix Giroux s'assit près de lui pour le banquet. Le premier ministre lui sourit, tout fier de lui.

– Je viens d'être l'objet d'une belle déclaration de la part des jeunes de la Jeunesse ouvrière catholique pour me remercier d'avoir réglé la grève du textile.

– Monsieur le premier ministre, vous avez livré les ouvriers du textile comme on livre les animaux à l'abattoir. Et ce qui me fait de la peine, c'est que vous avez eu l'approbation de deux de nos représentants officiels.

– Félix Giroux, si tu es en liberté, tu peux remercier le procureur général.

– Le procureur général, il y a des affaires qu'il ne sait pas. Savez-vous qu'un gréviste à Sorel s'est fait arracher un œil par un nommé Lucien Dorion ?

– Lucien Dorion, je le connais. Il a toutes les qualités requises pour assurer le maintien de l'ordre et de la paix.

– C'est un gars qui a volé des fourrures chez Nazaire Fortin et qui a été envoyé à l'école de réforme. Là, il a battu le frère directeur et a été envoyé au pénitencier. À sa sortie de prison, il a été engagé par la police provinciale. Sa job à lui est de prendre les gars de front pendant les grèves.

– Je te défie de prouver ça.

Félix Giroux lui tendit alors une copie du jugement émis contre Dorion par le juge Choquette. Maurice Duplessis y jeta un coup d'œil.

– Tu sais ce que tu devrais faire, Giroux ? Tu devrais régler la grève à Sorel. Viens me voir à Québec. Lucien reçut la convocation du premier ministre à son bureau de la Maritime.

– Doux Jésus, encore des problèmes ! C'est Jules qui va être content !

Il composa le numéro de Jules à ses nouveaux bureaux de Montréal. Une jolie voix chantante lui souhaita le bonjour et dit que monsieur Savard était occupé. Mais quand elle sut qui appelait, elle lui passa immédiatement son patron.

– Il va falloir que ta secrétaire apprenne à reconnaître nos voix. Comment ça va?

– Tu ne m'as pas appelé pour connaître mon état de santé. Qu'est-ce qui se passe?

– Maurice Duplessis veut nous voir à ses bureaux dans deux jours. Il paraît qu'il veut régler la grève de Sorel.

– Eh bien, on va être là! S'il règle ça comme il l'a fait à la Dominion Textile, on ne se plaindra pas. Elle n'a pas de syndicat dans les pattes. Maurice Duplessis, premier ministre du Québec depuis un an, respectait les Savard en tant qu'hommes d'affaires avertis et bons catholiques canadiens-français. Il prit même la peine de sortir de son bureau pour aller accueillir Jules et Lucien avec une chaleureuse poignée de main. Même s'il se méfiait un peu de ces deux libéraux trop amis du pouvoir fédéral, Duplessis préférait traiter avec eux plutôt qu'avec les patrons anglais et américains qui avaient la mainmise sur presque tout au Québec. Il les fit asseoir dans son bureau en savourant son pouvoir et en fixant Jules dans les yeux. Ce dernier soutint son regard et Duplessis lui sourit. Il appela ensuite son secrétaire qui fit entrer Félix Giroux. La discussion ne fut pas très longue. Jules fut extrêmement clair: «Pas question de reconnaître le syndicat.» Quand Félix Giroux voulut connaître la position du premier ministre, la réponse ne tarda pas.

– Ma politique est connue, c'est la loi du salaire raisonnable.

Félix Giroux retourna à Sorel le moral à plat. Ce voyage à Québec n'avait été qu'une farce mise en scène par le premier ministre. Il convoqua des responsables du syndicat pour trouver un moyen de régler la grève d'une façon honorable. Ces rencontres se déroulaient dans des bureaux d'avocats, les seuls endroits encore neutres de la ville. Chez l'avocat Michaud, Giroux et quelques responsables du syndicat s'assirent à huis clos avec le négociateur des Savard, Ernest Bertrand, qui venait de rencontrer le ministre Cardinal chez l'avocat Salvas. Les heures passaient et les négociations semblaient tourner en rond. À un moment donné, Sam Bourdeau, un des responsables syndicaux, déclara qu'il devait sortir et jura qu'on pouvait lui faire confiance. Félix Giroux le connaissait bien. C'était un travailleur de la première heure et il persuada les autres de le laisser partir pour se rendre à son travail au petit hôpital local.

Lucien était assis à son bureau et égrenait son chapelet. Il n'avait pas de nouvelles d'Ernest Bertrand, et plus le temps passait, plus il semblait évident qu'ils auraient à faire des concessions. Normalement, les discussions étaient rapides c'était oui ou non. Bertrand négociait donc quelque chose. Le téléphone sonna et Lucien décrocha, certain que c'était Bertrand. Mais son secrétaire lui annonça Sam Bourdeau.

– Ils veulent trouver un règlement, mais vous avez pas besoin d'en trouver un. Les gens sont affamés, ils vont rentrer à quatre pattes. Lucien était aux anges. Il appela immédiatement le bureau de l'avocat Michaud pour parler à Ernest Bertrand.

– Tu laisses tout tomber. Tu n'as plus de mandat pour négocier. Que les ouvriers rentrent à l'ouvrage.

Dans le bureau de l'avocat, le téléphone sonna de nouveau quelques minutes plus tard et quelqu'un demanda qu'on lui passe Félix Giroux. C'était un patient de l'hôpital qui avait entendu Bourdeau parler à Lucien Savard au téléphone. La nouvelle se répandit comme une traînée de poudre. Quand ils découvrirent qu'un responsable du syndicat les avait trahis, les travailleurs se réunirent pour voter. Le mode de scrutin était simplifié. Chacun recevait un haricot blanc et un haricot noir. Le noir était pour retourner au travail ; le blanc, pour poursuivre la grève. Le pot se remplit d'une majorité de haricots noirs. Les travailleurs retrouvèrent leur emploi, et le syndicat ne fut pas accrédité.

Les frères Savard furent heureux de la fin de ces grèves qui avaient éprouvé tout le monde et terni leur image. Le climat de travail était différent : Lucien et Edmond étaient toujours prêts à discuter, même s'ils n'oubliaient pas qu'ils étaient les patrons. Lors des élections de janvier 1938, le maire et les échevins qui l'appuyaient furent défaits. La population tenait les élus municipaux, le greffier et le chef de police pour responsables de leurs malheurs, et les élections furent particulièrement mouvementées. Les grèves avaient rendu la population ouvrière plus agressive et les batailles étaient courantes.

Mais Edmond et sa famille n'étaient pas là pour voir ça. Ils avaient passé le mois de janvier dans la magnifique propriété que Jules venait d'acheter en Floride. Ariane avait été éblouie par l'immense maison coloniale toute blanche avec ses colonnes qui soutenaient une large véranda le long de la façade, dominant les arbres fruitiers et la mer tout près. De nombreux serviteurs exauçaient leurs moindres désirs, les prévoyaient même. Ariane avait passé avec Aurélie ses journées à la plage, oubliant le froid mordant de l'hiver.

Les invités se succédaient et Aurélie avait même croisé le curé de la paroisse Notre-Dame venu prendre quelques jours de vacances au chaud. Cette maison était en fait l'hôtel de l'oncle Jules, l'endroit où il invitait ses fidèles amis.

Le soleil s'était couché depuis un bon moment derrière un filet de nuages mauves. Lorraine avait sous les yeux les pages des journaux de l'époque, jaunies sous leur gaine plastifiée, étalées sur la table de la salle de séjour. Toutes ces dates, ces trahisons, ces complicités, ces mesquineries lui avaient laissé un goût amer. Il était facile de tout justifier après coup, mais une chose était certaine : l'ébullition sociale avait porté fruit, même si le fruit était indigeste et peu goûteux. Tout le monde avait fait ce qu'il avait à faire. Les patrons avaient agi en patrons, les ouvriers, en ouvriers, chacun restant sur leur position et niant tous le besoin qu'ils avaient les uns des autres.

La terre tournait encore et toujours dans le même sens. Seul le décor se modifiait. Riches contre pauvres, ethnie contre ethnie, religion contre religion, toutes les guerres avaient un dénominateur commun, la bêtise et l'ignorance élevées à l'état d'absolu par des intégristes de toutes sortes qui ne rêvaient que d'une chose : exercer sur les autres le pouvoir de vie ou de mort, imposer au reste de l'humanité leurs concepts personnels au nom d'un dieu quelconque, Allah, Jéhovah ou Dollar. Lorraine revit les photos qu'elle avait prises des ruines de Beyrouth, de Sarajevo, de Naplouse. L'homme était décidément un danger pour l'humanité.

La photographe se sentait fatiguée et refusa l'invitation à dîner d'Aurélie. Elle n'avait pas faim et ne songeait qu'à dormir. Il y avait si longtemps qu'elle n'avait pas passé une bonne nuit de sommeil. Aux côtés de sa mère malade, elle restait toujours sur le qui-vive, se réveillant souvent en pleine nuit pour vérifier si Jeanne respirait encore. Depuis son décès, des visions cauchemardesques du visage émacié de sa mère et de tous les morts qu'elle avait vus la poursuivaient. Le sommeil la fuyait et tout la ramenait aux horreurs dont elle avait été témoin. D'habitude elle réussissait à les oublier rapidement, à tourner la page. Plus maintenant. Il était peut-être temps de laisser ce métier à d'autres, plus jeunes, plus insensibles à la souffrance, plus préoccupés d'esthétisme que de vérité, cette grande menteuse qui se cachait sous mille voiles.

Aurélie s'inquiétait du silence et des yeux gris acier de Lorraine. Elle regrettait d'avoir sorti du placard toutes ces vieilles histoires de lutte de pouvoir. Elle les avait racontées avec sans doute trop de détails ; il valait mieux garder du passé les beaux souvenirs.

– Vous sentez-vous bien ? Vous pouvez rester ici si vous le désirez. Lorraine savait que lorsqu'on faisait un portrait, il s'établissait toujours une relation avec le modèle, si brève soit-elle, et que l'image obtenue montrait les émotions qui passaient entre l'un et l'autre. Elle avait hâte de comparer les nombreuses photos prises le matin et celles, plus rares, prises dans la salle de séjour. Des mains sur un journal, un profil se découpant sur une fenêtre floue, un regard effrayé d'enfant fuyant un incendie, prenant un bébé en pleurs. Elle était contente de s'apercevoir que la photographie la tenait toujours en vie, lui insufflant l'énergie nécessaire pour continuer. Qui sait, après un bain chaud et une tisane, elle pourrait peut-être avoir une bonne nuit de sommeil?

— Non, merci, je préfère rentrer, mais je reviendrai demain.

— Je peux vous assurer que la suite de l'histoire est excitante. C'est l'ouverture sur le monde.

Martin avait déposé Lorraine au manoir avant de se rendre à son travail et Jean-Paul alla la reconduire chez elle. Le trajet était si court que Lorraine ne put en apprendre beaucoup sur lui. Il était au service de Madame depuis plus de trente ans, alors que Monsieur était ministre, et il ne pouvait concevoir une autre vie que celle-là. Lorraine se dit qu'il était peut-être un peu amoureux de sa patronne, tout comme Simone qui semblait d'une fidélité à toute épreuve. Martin lui avait à peine raconté sa rencontre avec cette femme, se contentant de dire qu'il l'avait connue plus de vingt ans auparavant dans les moments difficiles d'un divorce. Lorraine n'avait pas insisté. Elle savait que Martin était aussi discret que leur mère et qu'il était inutile de le harceler; il se refermait alors davantage.

Lorraine retrouva sa chambre noire et l'appétit avec plaisir. Les photos d'Aurélie étaient émouvantes. On sentait la vie aussi bien quand elle racontait le voyage enchanteur que quand elle évoquait les bouleversements sociaux. Aurélie avait aimé chaque parcelle de sa vie, les bons comme les mauvais moments, en avait assumé toutes les facettes. Lorraine en conçut une belle admiration et comprit pourquoi Jean-Paul et Simone lui étaient si fidèles. Aurélie était vraie et entière, qualités si rares dans un monde construit sur les apparences. Elle montra les photos à Martin qui fut de son avis.

– Cette femme a du caractère et l'âge ne semble pas lui avoir enlevé sa passion pour la vie. Fais attention, Lolo, tu vas tomber aussi sous le charme.

– J'ai besoin de vacances mentales. Ça me fera du bien de vivre par procuration un voyage organisé.

– Tu n'as jamais pu supporter l'organisation de quoi que ce soit. Tu es une anarchiste qui s'ignore. Mais vas-y, surtout que tu es grassement payée en plus.

Le manoir était silencieux. Aurélie ne pouvait dormir, attendant l'aube avec fébrilité. Elle revoyait souvent Gisèle et Benjamin, imaginant leurs derniers moments comme si elle les avait vécus elle-même. Ces dernières années, Gisèle s'était éloignée d'elle, occupée par son travail, sa famille, son couple chancelant, son quotidien. Elle venait rarement au manoir. Benjamin avait été plus présent que sa mère auprès d'Aurélie. Leur disparition avait laissé un vide que la présence de Lorraine avait miraculeusement comblé, mais les nuits étaient toujours aussi angoissantes. Et puis, Aurélie avait peur que Lorraine n'interrompe ses visites. Elle savait bien que ce n'était pas l'argent qui la faisait revenir, mais la curiosité. Elle se leva et se rendit à la chambre de la tour pour regarder la lune se refléter sur l'eau du fleuve. Tout était bleu et noir; les arbres se tenaient bien droits; leurs feuilles, immobiles; de fins nuages s'étaient arrêtés près de la ligne d'horizon. La vieille dame s'assit sur le bord du lit et se calma un peu. Lorraine reviendrait.

Simone s'inquiéta, le lendemain matin, quand elle n'obtint pas de réponse en frappant à la chambre de sa patronne.

Se décidant à ouvrir la porte, elle trouva le lit défait et la chambre vide. Elle jeta un coup d'œil dans la salle de bain, puis dans les chambres voisines. C'est avec un grand soulagement qu'elle la trouva dans la chambre de la tour. Étendue sur le côté, Aurélie dormait profondément. Simone hésitait à la réveiller, mais elle n'avait pas le choix : Lorraine serait bientôt là. Elle frappa légèrement à la porte et Aurélie ouvrit les yeux, surprise de s'être endormie.

— Elle est là ?

— Pas encore, mais si vous voulez avoir le temps de vous habiller et de vous coiffer, il faut vous lever.

Lorraine arriva peu après. Elle avait apporté quelques photos qu'elle montra à Aurélie. Celle-ci les regarda attentivement. C'était une série de détails où on pouvait à peine reconnaître le modèle, mais il s'en dégageait une émotion, une force tranquille. Émue, Aurélie remercia Lorraine en l'embrassant sur les joues.

Jules était content d'avoir installé sa famille à Westmount. Violette avait enfin son manoir de quarante-huit pièces, deux chauffeurs et une Rolls Royce. Jules, toujours fier de sa personne, ne sortait plus sans ses complets sur mesure pour se rendre à ses bureaux de la rue Peel ou siéger à de nombreux conseils d'administration. Mais il continuait à faire ce qui était devenu pour lui un rituel : téléphoner tous les soirs à ses frères. Edmond attendait son appel, assis dans son fumoir, en lisant le journal. Aurélie restait parfois dans la salle à manger adjacente pour écouter leur conversation et essayer de comprendre le monde de son père, celui de sa mère semblant enfermé dans un vase clos. Elle était là quand Jules parla à Edmond d'un article de journal.

– Émile Snyders, principal propriétaire des usines Creusot en France, vient de vendre ses intérêts en Tchécoslovaquie. Il sent la soupe chaude avec la montée de Hitler en Allemagne. On veut relancer les chantiers du gouvernement, ça piétine et tu sais de quoi on a besoin ?

– D'argent. Qu'est-ce que ça a à voir avec Snyders ?

– Il a maintenant des capitaux à placer. Et il va les placer chez nous.

– Et pourquoi viendrait-il ici ?

– Parce que tu vas leur vendre Sorel, mon cher Edmond. Et le Canada tout entier. Tu vas lui dire que la meilleure place au monde pour investir est ici, dans nos usines.

– Et il va me croire ?

– Oui, parce que c'est vrai. Tu sais aussi bien que moi que même si les journaux disent que la guerre n'aura pas lieu, les Allemands font tout pour s'y préparer. Quand ça va éclater, on va être prêts, nous autres.

– Avec nos bateaux.

– Et nos obus. Snyders fabrique des canons et la guerre se nourrit de canons.

Alors, fabriquons des canons à… Sorel Industries. Le nom me plaît, je peux vendre ça.

Edmond raccrocha et alluma un cigare, souriant à la perspective de persuader un vieux bonze de la finance de lui faire confiance. Enfin un défi de taille ! Cela faisait longtemps qu'il n'en avait pas eu, depuis les négociations avec le gouvernement fédéral pour ses chantiers. Mais avec des politiciens, c'était un rituel connu. Là, c'était un saut dans le vide. Aurélie le regarda sourire et entra dans son bureau.

– Raconte-moi la bonne nouvelle. C'est qui, ce Snyders ?

– Tu écoutes aux portes, maintenant ?

– Tu la laisses ouverte et tu sais que je suis là, papa. Raconte-moi.

– Je dois faire plus de recherches sur lui, c'est important de connaître son interlocuteur, mais je peux te dire que les Snyders sont une grosse, mais très grosse famille d'industriels, parmi les plus puissantes d'Europe.

– Comme nous ?

– On n'est pas rendus là, mais ça va venir. Ça fait plus d'un siècle qu'ils sont propriétaires des forges du Creusot en France. Ils fabriquent des canons.

– Et on va fabriquer aussi des canons ?

– La guerre s'en vient en Europe. On va avoir besoin d'armes pour combattre les nazis.

Aurélie était perplexe. Les grèves avaient été pénibles et maintenant son père parlait de guerre contre l'Allemagne. La souffrance était donc sans fin dans ce monde, il n'y avait jamais de repos. Son père fabriquerait des canons pour tuer des gens et elle n'y pouvait rien. Elle en avait assez d'être spectatrice comme sa mère et elle ne voulait pas finir allongée dans un fauteuil à boire du thé.

– Tu vas aller en France ?

– Probablement. C'est pas avec une lettre que je vais le persuader de mettre son argent ici. C'est quand tu regardes un homme dans les yeux et que tu lui serres la main que tu peux vraiment juger des liens qui vous unissent. La confiance, c'est par là que ça passe.

– J'aimerais ça, aller en France. Maman m'a dit que Paris est une si belle ville.

– C'est un voyage d'affaires, pas de tourisme. Et puis, tu as quinze ans, tu es trop jeune pour voyager toute seule.

– Mais je serais avec toi. Et puis, je vais avoir seize ans. Bien des filles sont mariées à mon âge.

– Raison de plus pour rester ici. Je n'ai pas envie de te servir de chaperon. Jules et moi aurons des affaires importantes à négocier, je n'aurai pas le temps de te surveiller. Et il y a l'école.

– C'est ma dernière année, papa. Je suis certaine que la mère supérieure me permettra de m'absenter quelques semaines. Surtout pour un voyage en France. Et ce monsieur Snyders a bien une famille, une femme, des enfants… Je peux négocier la partie familiale, leur prouver qu'à Sorel, on peut être bien élevé, bien parler comme maman me l'a appris, avoir de bonnes manières.

Edmond se mit à rire, de ce rire du ventre qui le caractérisait. Il adorait sa fille; elle était la plus dégourdie de ses enfants, mais, là, elle dépassait les bornes.

– Qui t'a appris à négocier comme ça? Tu n'acceptes jamais un non comme réponse.

– C'est toi, mon papa chéri, tu le sais bien. Et tu sais que l'avenir sera aussi aux femmes. Pense à Thérèse Casgrain et à la promesse du Parti libéral. On va finir par avoir le droit de vote au Québec aussi.

– Et ça va vous donner quoi?

– Tu m'as déjà dit que tout passait par la politique. Regarde ce que Duplessis a fait pendant les grèves, ou ce qu'a fait Cardinal pour vous permettre d'acheter les chantiers qui vont devenir Sorel Industries, si j'ai bien compris. Je suis la plus vieille, papa. Charles et Roland ne sont que des attardés qui ne pensent qu'à faire des bêtises à l'école. C'est moi, ton avenir.

– Si tes frères t'entendaient…

– Ils me feraient des grimaces. Ça ne fait peur à personne, les grimaces. Je peux être ta meilleure alliée, papa. Tu as déjà parlé de séduction par les idées en affaires. Ça peut aussi se faire par la famille. Si les Snyders me trouvent charmante, ils auront peut-être l'idée de s'associer aux Savard. On ne sait jamais, ils ont peut-être un fils séduisant. Les mariages solides font aussi partie des affaires. Oncle Jules en est un bon exemple.

– Pas moi.

– Je sais, papa. Mais quand je regarde maman, je me dis que le mariage d'amour ne lui a pas si bien réussi que ça.

– J'aime toujours ta mère, je ne te permets pas…

– Je sais que tu l'aimes et elle t'aime aussi, mais elle s'ennuie. Elle n'a rien à faire, aucun défi à relever. Je suis comme toi, papa, tu le sais. J'aime les défis. Laisse-moi y aller, je vais être la meilleure ambassadrice pour les Savard.

Edmond était tenté de penser qu'Aurélie avait peut-être raison. Elle était jolie, elle avait une intelligence vive et elle avait hérité du goût sûr de sa mère pour se vêtir avec élégance sans avoir l'air d'une poupée. Mais il n'allait pas s'engager comme ça. Jules ne lui pardonnerait jamais d'amener sa fille en voyage d'affaires, surtout lors d'un voyage de cette importance. Mais s'il disait non, elle le poursuivrait sans relâche jusqu'à ce qu'il cède. Elle mettrait même sa mère dans le coup. Edmond ne s'en sortirait jamais avec ses deux femmes sur le dos.

– D'accord, si tu persuades Jules, j'accepte.

– Alors, je vais à Montréal demain.

– Comment ça ?

– Tu l'as dit toi-même, une bonne poignée de main en se regardant dans les yeux… C'est ce que je vais avoir de l'oncle Jules.

– Eh bien, bonne chance, ma chérie !

Edmond espérait secrètement que sa fille parvienne à convaincre Jules, même s'il savait que c'était impossible.

Le lendemain matin, Aurélie mit sa plus belle robe, remonta ses cheveux sous un petit chapeau garni d'une jolie plume verte appartenant à sa mère. Elle n'osa pas porter le manteau d'Ariane qu'elle préférait, à cause de son collet de renard argenté. Elle revêtit un manteau de tweed droit avec une seule rangée de boutons. À la voir, on ne lui aurait jamais donné seize ans, mais plutôt vingt. Ariane regarda sa fille avec fierté. Peut-être Aurélie réussirait-elle là où elle avait échoué. Elle était jeune, mieux éduquée, sans les peurs qu'elle-même avait connues dans son enfance et elle avait la chance d'être la fille et non l'épouse qui se devait d'être soumise. Sa jeunesse lui permettait toutes les audaces.

Aurélie embrassa son père et s'engouffra dans l'auto. Edmond fit ses dernières recommandations au chauffeur. Un aller-retour direct, pas de détours ni de grands magasins. Un rendez-vous d'affaires rue Peel, un point, c'est tout. Aurélie n'avait pas besoin d'entendre ça; il n'y avait que les bureaux de son oncle qui l'intéressaient. Elle répéta en route son petit discours. Impatiente de défendre sa cause, elle espérait pouvoir le faire aussi facilement qu'avec son père. Elle savait pourtant que l'oncle Jules était un homme sérieux, très sérieux; elle ne l'avait jamais entendu rire ou faire des blagues comme son père. Mais elle savait aussi que Jules aimait Edmond, qu'il lui trouvait suffisamment de qualités pour en faire son bras droit et laisser à Lucien la gestion quotidienne de la Maritime. Elle devait montrer les mêmes qualités que son père pour séduire l'oncle Jules. Elle voulait aussi prouver à sa mère qu'elle pouvait réussir en faisant autre chose qu'un beau mariage.

Armée de toutes ses belles convictions, Aurélie débarqua dans la rue Peel et monta au bureau de son oncle. La secrétaire voulut la repousser : monsieur Savard était occupé. Mais Aurélie entra dans le bureau et sourit à Jules qui signait une série de papiers.

– Aurélie ? Qu'est-ce qui se passe ? C'est bien, madame Beaudoin, c'est ma nièce. Rien de grave, j'espère ?

– Non, mon oncle, que des bonnes nouvelles. Je vais être l'ambassadrice de la famille Savard auprès d'Émile Snyders.

Jules ouvrit la bouche, mais aucun son n'en sortit. Edmond avait parlé à sa fille de cette affaire et l'envoyait ici. Pourquoi ? Il avait beau chercher, il ne voyait rien d'autre, pour expliquer cela, qu'une bonne blague. Après un silence, un rire déboula. Aurélie venait de faire rire son oncle et jugea que c'était un bon point pour elle. Elle lui répéta ce qu'elle avait dit à son père la veille, avec encore plus d'emphase. Avec elle comme alliée, c'était l'occasion rêvée de prouver aux Snyders que les Savard avaient une vision nouvelle du futur. Et qui sait, les mariages solides ne faisaient-ils pas aussi partie des affaires ?

– Laissez-moi y aller, oncle Jules.

Jules avait rapidement cessé de rire pour écouter le discours un peu décousu et hautement passionné de sa nièce. Elle avait marqué quelques points et Jules devait reconnaître que la proposition avait un certain charme. Ce n'était donc pas une blague. Edmond lui avait envoyé Aurélie parce qu'il n'avait pu lui dire non et il comptait sur lui pour briser le cœur de sa fille. Un petit cœur de quinze ans sans doute fragile, mais qui se réparerait rapidement. Quelle idée de marier un Snyders à une Savard ! Ce serait une mésalliance pour ces aristocrates. Et si jamais cette possibilité existait, Jules l'envisagerait pour l'une de ses propres filles. Elles faisaient maintenant partie de la vie sociale de Montréal et étaient courtisées par de beaux partis que Violette surveillait de près. Pauvre Aurélie! Elle vivait, comme sa mère, recluse dans son petit manoir en se prenant pour une princesse. Mais l'idée d'une ambassadrice était intéressante. Pourquoi n'y avait-il pas pensé? Laquelle de ses filles ferait l'affaire? Aucune ne s'intéressait à ses affaires, occupées par toutes leurs mondanités, et son fils aîné, Adrien, était très absorbé par ses études de droit. Mais Jules se disait qu'il ne pourrait jamais annoncer à ses enfants qu'il amenait sa nièce en voyage d'affaires. Il devait gagner du temps.

— Tu ne sais rien des Snyders. Il te faudra un dossier bien rempli pour ne pas commettre d'impair dans cette haute société. Ce serait trop bête de perdre un contrat à cause d'un malentendu.

— Je vais tout apprendre d'eux. Vous ne serez pas déçu.

— Eh bien, quand tu en sauras plus, je verrai ce que je peux faire. Excuse-moi, mais je suis occupé.

— Dans deux jours, vous aurez un dossier complet sur eux. Quand partons-nous?

— Dans deux jours? Prends tout ton temps. Je ne sais pas quand nous partirons. Aurélie s'approcha et lui tendit la main. Il la regarda, surpris.

— Je reviens avec le dossier et je suis votre ambassadrice. Marché conclu?

Aurélie gardait la main tendue. Jules se leva lentement. Sa nièce le regardait dans les yeux et attendait visiblement qu'il lui donne sa parole d'honneur. Il comprenait pourquoi Edmond lui avait refilé cette petite bombe. Il n'avait plus qu'à souhaiter qu'elle ne trouve rien d'intéressant sur les Snyders. Il lui tendit la main et elle la serra avec une douce fermeté. Aurélie avait les yeux de sa mère et Jules sentit son cœur chavirer un bref instant. S'il ressentait la même chose, Émile Snyders écouterait probablement les propositions d'affaires des Savard. Non, ce serait pure folie de prendre un tel risque. Il aurait l'air d'un vulgaire souteneur. Mais il avait donné sa parole. Aurélie lui souhaita une bonne journée et sortit du bureau. Jules était debout, estomaqué de ce qu'il venait de faire. Il se ressaisit et appuya sur le bouton de l'interphone.

– Madame Beaudoin, réservez deux cabines sur le premier bateau qui part de New York pour la France. Première classe.

– Bien, monsieur.

Aurélie était encore dans l'entrée du bureau. Elle se retourna et demanda à madame Beaudoin de réserver trois cabines.

– Je fais ce que monsieur Jules me dit de faire, mademoiselle.

Aurélie ouvrit de nouveau la porte du bureau de son oncle. Celui-ci la regarda, rougit de s'être fait prendre comme un gamin et appuya encore une fois sur le bouton de l'interphone.

– Madame Beaudoin, réservez trois cabines.

Aurélie referma la porte et sourit à la secrétaire avant de rejoindre le chauffeur qui l'attendait en bas. Son oncle avait essayé de se moquer d'elle ou alors il était certain qu'elle ne réussirait pas à monter un dossier étoffé sur les Snyders. Il aurait des surprises. Elle demanda au chauffeur de la conduire à la Bibliothèque centrale.

— Mais votre père a dit de faire un aller-retour, mademoiselle…

— Léopold, mon père a dit « pas de magasin ». Il n'a pas dit « pas de bibliothèque ». J'ai quelque chose d'urgent à faire pour mon oncle Jules.

N'ayant pas tellement le choix, le chauffeur amena Aurélie rue Sherbrooke. Elle passa des heures à chercher des informations sur Émile Snyders. Elle ne trouva que des généralités sur cette famille d'industriels français. Émile, né en 1805 et mort en 1875, avait remis en exploitation, avec son frère Alphonse, les forges du Creusot. La Société Snyders & Frères possédait les ateliers mécaniques les plus modernes de l'époque. C'est de là qu'était sortie la première locomotive à vapeur en 1838. Émile avait été député libéral, ministre du Commerce et de l'Agriculture et membre du Corps législatif sous le Second Empire en plus de réaliser de nombreuses œuvres sociales. Aurélie se disait qu'il devait bien y avoir un autre Émile, puisque celui-là était mort. Elle n'allait pas téléphoner à son oncle pour lui parler d'un mort. Et si Jules se trompait, si ce n'était pas Émile ? Elle trouva finalement un autre Émile, le fils du premier, né en 1868. Comme c'était la seule date accrochée à son nom, il devait être vivant et avoir soixante-dix ans. À part qu'il était le fils de l'autre, on ne disait rien à son sujet. Il avait un fils aussi, Claude, né en 1898. Un homme de quarante ans, sans doute marié et avec des enfants. Il fallait oublier cette sorte d'alliance. Il ne restait que les affaires. Ce n'était pas très solide pour justifier son voyage. Il était passé midi et Aurélie s'aperçut qu'elle était affamée. Elle alla retrouver Léopold qui sommeillait, sa casquette sur les yeux, assis derrière le volant. Il se réveilla en sursaut.

– Allons manger quelque part. Nous irons ensuite au consulat de France.

Ils entrèrent dans un restaurant italien, près des magasins Dupuis & Frères. Aurélie se dirigea vers une table libre. Le chauffeur resta planté à côté de la porte, sa casquette à la main. Il ne savait pas s'il devait s'asseoir à la table de Mademoiselle. Avec son patron, c'était plus simple ; ils mangeaient ensemble sans faire d'histoire. Aurélie se tourna vers lui.

– Eh bien, Léopold, vous venez ?

– Oui, mademoiselle.

Ils mangèrent rapidement. Aurélie était absorbée par les notes qu'elle avait prises sur le Creusot, une région de Bourgogne qui semblait perdue au milieu de nulle part. Ça ne devait pas être plus gros que Sorel. Les Snyders avaient construit un empire hors des grands centres, comme sa famille. Elle cherchait d'autres points communs pour offrir des outils de négociation à son oncle et à son père. Léopold la regardait, étonné de son sérieux. Il y avait seulement quelques années, elle jouait encore à la poupée ou à cache-cache avec ses frères dans le parc autour du manoir. Elle avait vieilli sous ses yeux sans qu'il le voie. Il se demandait si son patron l'avait vu aussi. Le repas terminé, il la conduisit au consulat de France et attendit.

Aurélie se présenta comme la fille d'Edmond Savard. Elle devait se rendre en France et avait besoin d'informations. La dame qui l'accueillit commença par lui donner des renseignements touristiques, mais Aurélie demanda à voir le consul : elle avait besoin d'informations d'affaires et c'était confidentiel.

– Je ne sais pas, mademoiselle… Monsieur le consul est un homme très occupé.

– Je comprends, madame, mais il s'agit d'un voyage d'affaires. Si les relations commerciales ne sont pas du domaine du consul, alors faites-moi rencontrer votre chargé d'affaires… J'attends.

La dame la regarda, stupéfaite de se faire traiter comme une bonne par une fille si jeune. Elle essayait d'évaluer son âge et n'y arrivait pas. C'était peut-être une blague ou une façon de tester les services offerts par le consulat. Elle décida de ne pas prendre de risques et d'appeler l'attaché commercial. Ce dernier sortit de son bureau en ajustant son nœud de cravate. Qui désirait le voir ? Cette jeune, très jeune demoiselle. Aurélie lui sourit et lui tendit la main en se nommant. Mais l'homme n'entendit rien. Cette fille avait des yeux fascinants et une main douce qu'il avait envie de garder dans la sienne.

Il la fit passer dans son bureau. Son parfum était délicieux. Il lui fallut un instant pour revenir sur terre et finir par comprendre ce qui sortait de cette jolie bouche. C'est le nom des Snyders qui le ramena à la réalité et il offrit à sa jolie interlocutrice toutes les informations qu'il possédait. Elle écoutait et prenait parfois des notes sur un petit calepin rose, en sortant le bout de sa langue pour écrire les mots compliqués. Peu à peu, l'homme se dit que c'était une enfant et le charme décupla. Pourquoi avait-il ouvert sa porte à cette tentation ? Il essaya de se concentrer sur Émile et Alphonse Snyders, sur leurs brillants mariages et sur leur réussite financière et sociale. Ces dates et ces noms refroidissaient juste assez son ardeur pour qu'il puisse continuer. Le pire était qu'elle n'avait même pas conscience de l'effet qu'elle faisait aux hommes. Elle parlait d'aller rencontrer Émile. Avec de tels yeux, elle provoquerait chez lui une telle érection qu'il en mourrait, le pauvre vieillard. Mais que lui arrivait-il ? Il devait se ressaisir. Aurélie se leva, toute souriante.

— Je vous remercie beaucoup, monsieur. Votre aide m'a été très précieuse. Grâce à vous, j'aurai le plaisir de connaître votre magnifique pays.

L'attaché commercial resta sans voix. La jeune fille lui tendant la main, il se pencha et lui baisa les doigts. Il fit de gros efforts pour ne pas attirer vers lui le corps gracile qu'il devinait sous ce vilain manteau. Elle le fixait dans les yeux. Il avala sa salive et essaya de parler.

— Le plaisir fut pour moi, mademoiselle.

Aurélie sortit avec légèreté. Elle avait envie de danser, de sauter les marches de l'escalier, de glisser sur la rampe. Elle irait en France ! Elle demanda à Léopold de l'amener de nouveau au bureau de Jules en espérant qu'il soit toujours là. Elle le trouva dans la même position, examinant des dossiers. Il leva des yeux colériques vers elle.

— Ton père a téléphoné deux fois. Il est mort d'inquiétude. Où étais-tu ?

— Léopold ne m'a pas quittée. J'étais en sécurité à la bibliothèque et au consulat.

— Au consulat?

— Au consulat de France où j'ai rencontré l'attaché commercial. Vous vouliez des informations, j'en ai.

Aurélie brandit son calepin et des feuilles qu'elle avait prises à la bibliothèque. Son oncle tendit la main pour les prendre, mais elle les remit dans son sac.

— Vous les aurez quand nous serons sur le bateau.

— C'est du chantage?

— Non, de la prévoyance. Vous n'avez jamais eu l'intention de m'amener avec vous. Disons que ces notes sont ma police d'assurance.

— Si tu ne me les donnes pas, tu devras les donner à ton père. Tu lui dois obéissance.

— Mon père est un homme d'honneur. Il m'a dit qu'il m'amènerait si j'avais votre autorisation. Je l'ai eue ce matin et j'ai rempli ma part du contrat. Si vous permettez, je vais lui téléphoner pour le rassurer et lui dire que je rentre. Mon travail est terminé pour aujourd'hui. Nous nous reverrons dans le train, mon cher oncle.

— Petite insolente!

— Je ne veux pas vous déplaire, vous le savez. Je vous demande simplement de respecter notre marché conclu ce matin. Vous êtes un homme de parole, je le sais. Faisons la paix, pour le bien de ce voyage et de ces négociations.

Jules regarda sa nièce avec attention. Elle était diaboliquement acharnée; il n'avait jamais vu une femme pareille. Le mélange entre Edmond et Ariane avait donné un résultat explosif. Il n'avait jamais traité d'affaires de cette manière, mais ce qu'il s'apprêtait à faire n'était pas dans les manuels non plus. Ce sang neuf et bouillant pouvait peut-être le servir, après tout. Aurélie avait eu l'audace de rencontrer l'attaché commercial du consulat; elle pouvait lui ouvrir d'autres portes. Il lui tendit la main et la fixa droit dans les yeux.

– Je tiens parole. Mets le dossier au propre. Nous le consulterons pendant la traversée.

Aurélie était si heureuse qu'elle lui sauta au cou comme une petite fille et l'embrassa sur la joue.

– Je vous adore, oncle Jules.

– Ça va, ça va, appelle ton père maintenant. Et ne fais plus ça, tu n'as plus dix ans.

Lorraine riait de bon cœur pendant qu'Aurélie lui versait un peu de vin blanc. Le repas s'était déroulé dans la bonne humeur.

– Et ça a marché ? Il vous a acceptée comme « associée » ?

– Bien sûr, et ce voyage allait changer ma vie et celle de bien des gens. Même la tienne.

– Comment ça ? demanda Lorraine, aussi intriguée par ce que venait de dire la vieille dame qu'étonnée de ce tutoiement subit. Aurélie la regardait en souriant, les yeux moqueurs. Ceux de Lorraine étaient maintenant bleu-vert et la vieille dame en était ravie, mais il était trop tôt pour parler de tout ça.

– Tu n'as pas pris beaucoup de photos ce matin. Comme il pleut un peu, je te présenterai cet après-midi la gloire de Dijon. Elle va te plaire.

Lorraine sentait qu'elle approchait d'événements importants qui la concernaient sans qu'elle comprenne bien pourquoi. Une astuce de conteuse sans doute. Elle n'essayait même pas de se rappeler ce qu'elle avait appris du passé de sa ville. Elle préférait l'histoire d'Aurélie, plus personnelle, plus intime que les guerres et les signatures de traités dont on lui avait parlé à l'école. D'ailleurs, elle ne se souvenait pas d'avoir appris l'histoire locale. Les manuels scolaires s'arrêtaient à la

Conquête, toujours avec un grand « C ». On déclinait une série de dates, puis c'était le vide comme si le monde avait cessé d'exister. Comme Lorraine aurait aimé que ses parents soient encore là pour répondre à ses questions !

Elle avait retrouvé peu de souvenirs de son père, une photo de lui tenant par la bride un énorme cheval blanc quand il travaillait comme bûcheron sur un chantier. Il n'avait fait ce travail qu'un hiver avant de passer le reste de sa vie dans les usines Savard. C'était peut-être de cela que parlait Aurélie quand elle disait que ce voyage allait changer la vie de bien des gens. Les autres photos montraient un jeune homme, puis un homme plus mûr toujours entouré de sa femme ou de ses enfants, comme s'il n'avait jamais été seul. Rien de vraiment personnel ne subsistait de lui.

C'était tout le contraire pour sa mère. Des boîtes et des boîtes de menus objets, des médailles, des bouts de rubans décolorés par les années, des photos sépia sans aucune inscription, des parents, des amis, impossible de le savoir. Il y avait aussi des vêtements, des accessoires défraîchis, des sacs à main craquelés par le temps. Jeanne gardait tout enfoui sous la poussière, et Lorraine se demandait si elle enterrait ses choses comme un écureuil ou si c'était sa façon à elle de les jeter, de les oublier sans jamais les perdre. Martin avait retrouvé la veille une bague avec des saphirs formant une marguerite toute bleue dont un petit diamant constituait le cœur. La bague était cachée à l'intérieur du rebord d'un vieux chapeau. Tout comme la broche en or, elle semblait avoir été oubliée là depuis des années.

Lorraine se demandait pourquoi sa mère n'avait pas déterré ses trésors en voyant sa mort approcher ou, du moins, pourquoi elle n'en avait jamais parlé, comme si elle avait honte de sa vie passée. Qui lui avait offert ces bijoux de valeur ? Lorraine regarda Aurélie. Était-il possible que Jeanne ait été la maîtresse d'un Savard ? Elle avait envie de poser la question, mais elle ne pouvait croire à cette idée. Cela se serait su dans une petite ville si prompte aux bavardages.

– Tu es soucieuse ? Que se passe-t-il ?

– Je me demandais si vous aviez connu ma mère.

– Je ne me souviens pas d'elle. Mais si nous avions le même âge, je l'ai sans doute croisée à l'école ou dans la ville.

– Vos frères ont dû avoir beaucoup de petites amies ici… Des maîtresses même…

– Mes frères ont eu toutes les femmes qu'ils ont voulues. Ils ont mené leur vie de célibataires surtout à Montréal, loin des yeux indiscrets. Pourquoi me poses-tu cette question ?

– Pour rien.

– Quand une femme dit : « Pour rien », il y a un gros problème. Je te fais confiance en te racontant ma vie, fais-en autant.

– Ma mère a reçu des cadeaux dispendieux il y a plusieurs années de ça. Je me demandais… enfin, je me disais qu'elle avait peut-être été…

– La maîtresse d'un de mes frères ? C'est possible mais j'en doute. Tes parents se sont mariés quand ?

– En 1945.

– Mes frères ont passé les années de guerre principalement à Montréal. Ils y étudiaient et passaient l'été ici, à aider aux chantiers. Je ne vois pas comment ils auraient pu faire des cadeaux dispendieux à une jeune maîtresse. Mon père a toujours été strict avec l'argent de poche. Ce qu'on achetait était facturé et payé à la fin du mois. Quel genre de cadeaux ?

– Une broche en or, une bague avec saphirs et diamant.

– Alors, je peux te dire que ce ne sont pas eux. Ils auraient dû voler des bijoux à Ariane et elle l'aurait su tout de suite. Elle veillait sur ses biens avec un œil de lynx. Elle savait où était la moindre petite chose et surveillait les domestiques. Je la soupçonne même d'avoir compté les pièces de l'argenterie régulièrement.

– Et… enfin, Edmond ?

– Edmond était un séducteur, un charmeur de serpent. Il a eu beaucoup de maîtresses mais seulement après la mort d'Ariane. Je ne peux jurer de rien du vivant de ma mère, mais j'en douterais beaucoup. À part quand il était en voyage d'affaires, je ne vois pas où il aurait trouvé la discrétion et le temps requis. Et puis coucher avec une fille de mon âge, c'est difficile à croire. Il aimait les femmes expérimentées. Je le soupçonne d'avoir été un peu paresseux au lit. Il les séduisait et les laissait ensuite se démener dans la chambre à coucher. Je me souviens d'en avoir surpris une, toute nue sous son tablier de soubrette, en train de courir dans la maison en jouant à la souris. La pauvre, elle a failli mourir de honte en me voyant. Pas besoin de te dire que le matou n'avait pas apprécié mon arrivée…

– Ici, dans la grande chambre ?

– Non, jamais ici. À cette époque, j'étais mariée, mes enfants étaient jeunes. J'étais allée à Montréal et j'avais décidé de lui faire une surprise. C'est moi qui ai été surprise et je ne suis plus jamais allée le voir sans m'annoncer avant. Mais, assez parlé de ça. Viens, allons dans la serre. Je l'ai fait construire dans le parc, un peu éloignée de la maison, car Ariane trouvait que ce bâtiment de verre déparait le manoir. Elle n'avait pas du tout le pouce vert et elle ne comprenait pas l'envie que j'avais de humer la terre, de la sentir entre mes doigts. Les roses demandent beaucoup de soins et j'ai toujours trouvé un réconfort auprès d'elles dans les moments difficiles.

Edmond était fier de sa fille : elle avait réussi à vaincre même les réticences de Jules. Ariane ne se possédait plus, tout excitée par la préparation du premier voyage que son aînée ferait en Europe. Il fallait lui trouver des vêtements à porter, pas des robes de gamine, mais il ne fallait pas non plus la déguiser en femme fatale. Elle aurait un rôle diplomatique à jouer, pas question d'en faire une poupée avec un prix collé dessus. Ariane regarda la magnifique robe de soirée bleu nuit qu'elle avait achetée à Paris en 1935 et qu'elle n'avait jamais plus portée. Trop chic pour une jeune fille de quinze ans. Elle prit une longue robe de mousseline vert tendre à petites fleurs dorées qui avait un corsage moulant, froncé sur la poitrine, et la fit retoucher par sa couturière pour l'ajuster au corps menu d'Aurélie. Pour le voyage, un tailleur avec une jupe légèrement évasée et une veste à double rangée de boutons et à col châle la vieillirait assez pour qu'Edmond n'ait pas à justifier, à tout moment, l'âge de son accompagnatrice. Un chapeau de feutre mou à larges bords finirait de donner à Aurélie un air de demoiselle. Quelques bijoux délicats, des accessoires de qualité, et le tour était joué.

Quand elle vit Edmond et Aurélie prêts à partir, Ariane eut l'impression que cet homme dans la jeune quarantaine partait avec sa nouvelle maîtresse, une séduisante jeune fille dans la vingtaine. Elle eut un coup au cœur. Elle n'avait jamais pensé qu'Edmond puisse la tromper et elle s'apercevait soudain qu'il était assez séduisant pour avoir plus d'une femme à son cou quand il allait jouer au poker avec ses amis au club nautique. Les femmes n'y étaient pas admises, mais tout le monde savait que certaines s'y faufilaient par la porte arrière. Il la trompait peut-être depuis des années et elle ne voyait rien, perdue dans ses beaux meubles. Son rêve de château s'était transformé en prison. Pourquoi s'était-elle éloignée de son mari ? La venue de Muriel datait déjà de plus de deux ans. Ariane venait d'avoir quarante ans et s'était enterrée comme une grand-mère. Elle devrait refaire la conquête d'Edmond dès son retour. Elle embrassa tendrement sa fille et fougueusement Edmond qui en fut agréablement surpris.

Les deux frères Savard et leur jolie compagne de voyage arrivèrent à New York juste à temps pour embarquer sur un navire britannique qui les mènerait à Southampton. Ils prendraient alors un ferry pour gagner le Havre. Le chemin était long jusqu'en Bourgogne et ils auraient tout le temps de mettre au point la façon dont ils allaient approcher Émile Snyders. La première chose que fit Jules fut de demander à sa nièce de jurer sur la Bible qu'elle ne raconterait rien des rencontres à venir; il voulait une discrétion absolue de sa part. Aurélie accepta et donna sa parole d'honneur, en se demandant si le prêtre au confessionnal faisait partie des gens à qui elle promettait de ne rien dire. Mais qu'aurait-elle à confesser? Les secrets d'affaires ne regardaient en rien l'Église.

Quand ils n'étaient pas dans leurs cabines respectives, les deux hommes passaient leur temps au fumoir ou au bar.

Aurélie s'ennuyait un peu. Le départ de New York s'était fait sous la pluie et elle n'avait vu que la statue de la Liberté dans la brume et des ombres de buildings. Elle avait trouvé le bateau impressionnant par sa taille, mais Edmond lui avait fait mille comparaisons avec le Normandie, si bien qu'elle avait fini par trouver tout ce qui l'entourait assez banal. Il n'y avait qu'une chose de phénoménal : l'océan. Aurélie ne se lassait pas de regarder l'eau en perpétuel mouvement, personne à l'horizon, une ligne sans fin tout autour d'elle. Même en sécurité sur ce grand paquebot, elle sentait le pouvoir hypnotique de la mer et ses dangers. Elle avait pu voir un navire de taille respectable, comme ceux qui naviguaient sur le fleuve devant chez elle. Il était ballotté comme un bouchon sur les flots, à ce moment-là assez calmes, du moins vus du paquebot, et il montait sur une crête de vague puis descendait se cacher derrière. Aurélie l'avait suivi des yeux jusqu'à ce qu'il disparaisse définitivement derrière une vague. Quand la mer se déchaîna un peu plus tard, elle repensa à ce navire qui essayait d'atteindre les côtes de l'Amérique et se demanda s'il y arriverait. Mais elle ne douta jamais qu'elle atteindrait l'Angleterre.

Les promenades sur le pont et les bains dans la piscine devenaient répétitifs. Les soupers étaient plus animés. Les femmes sortaient leurs robes longues et leurs bijoux, les hommes, leurs smokings, et tout le monde essayait de se faire inviter à la table du capitaine. La majorité des passagers étaient Britanniques ou Américains. Aurélie comprenait un peu l'anglais, mais son vocabulaire était trop limité pour qu'elle puisse profiter pleinement des conversations, snobs et prétentieuses pour la plupart. Il lui semblait que les gens ne parlaient que des relations sociales qu'ils avaient, ou rêvaient d'avoir. Edmond s'en sortait mieux qu'elle. Il adorait se mouler à ses interlocuteurs et il ne donnait pas sa place pour les convaincre qu'il était lui-même un homme très important. Jules était un peu plus discret, mais il aimait aussi glisser quelques noms célèbres dans la conversation. Aurélie trouvait ces dîners assommants, mais elle les prenait comme des tests. Elle gardait la tête haute, un sourire aux lèvres, léger pour ne pas avoir l'air d'une demeurée, et elle hochait la tête périodiquement pour montrer un intérêt à son interlocuteur. Les femmes plus âgées essayaient de la prendre sous leur aile et n'arrêtaient pas de lui donner des conseils de toutes sortes ; les plus jeunes, peu nombreuses, la snobaient ou faisaient tout pour l'éloigner de leur mari.

Beaucoup d'hommes essayaient de lui faire la conversation, mais Aurélie suivait les conseils de sa mère en faisant la sourde oreille. Ariane avait été très claire : les hommes n'en voudraient qu'à son corps et elle devait l'offrir en mariage à l'homme de sa vie, à celui qu'elle aimerait vraiment d'amour. Elle connaissait les risques que courait sa fille, se rappelant encore avec précision une nuit torride à Contrecœur alors qu'elle avait vingt-trois ans. Aurélie n'était pas réellement consciente de ces risques, mais elle était pleinement consciente de sa réputation. Elle était une Savard, on le lui avait assez répété pour qu'elle ne l'oublie pas. Et elle avait pu constater ce qui arrivait à une fille qui perdait sa réputation. Une de ses compagnes de classe, qu'elle connaissait peu, avait disparu du jour au lendemain de l'école. On la disait malade, puis on avait appris qu'elle poursuivait ses études à Montréal. Mais les commérages allaient bon train et plusieurs disaient qu'elle était pensionnaire de la Miséricorde avec son gros ventre. Aurélie l'avait revue en ville l'été suivant. Elle marchait la tête baissée, les gens chuchotaient dans son dos et un homme lui avait même proposé à haute voix de faire un «petit tour de char» avec lui. Aurélie aurait aimé lui demander si tout ce qu'on disait était vrai, mais la fille avait fui avant qu'elle n'ouvre la bouche.

Faute de divertissements, Aurélie relut ses notes sur les Snyders pour les apprendre par cœur. Elle confondait souvent les deux Émile et voulait bien connaître l'histoire de chacun pour pouvoir les distinguer. Les réalisations sociales des Snyders la surprenaient. Émile père avait doté sa ville en 1850 d'un service médical comprenant un chirurgien et trois médecins, et d'une école de neuf classes dont s'occupaient dix instituteurs. Sa compagnie consacrait à l'enseignement vingt-trois pour cent de son budget social en 1869. Des logements étaient mis à la disposition des ouvriers pour une somme modique, mais ceux-ci pouvaient en être expulsés en cas de grève.

Aurélie se mit à rêver à ce que pourrait être Sorel avec un tel budget social. Les gens seraient plus scolarisés, donc moins exploités par ce que son oncle Lucien appelait des agitateurs qu'il voyait partout. Les agitateurs avaient remplacé les démons pour lui. L'attaché commercial du consulat de France lui avait aussi dit que les dirigeants de la compagnie étaient soucieux de maintenir la paix sociale avec une chapelle, des écoles, des logements, des magasins, mais aussi des orphéons et des orchestres. Aurélie se demandait ce qu'en penserait l'oncle Jules. Si cela augmentait la productivité, il serait d'accord. Et son père parlait souvent de la formation des ouvriers qui laissait à désirer. Que de beaux projets à réaliser !

Alors qu'ils étaient à quelques heures de leur arrivée en Angleterre, Jules et Edmond demandèrent à Aurélie de leur raconter la vie des Snyders. Celle-ci ne se fit pas prier pour leur faire un récit épique de l'histoire de cette famille issue de petits notaires et de propriétaires terriens de Lorraine. Elle tenait ses feuilles mais les consultait peu, ayant presque tout appris par cœur.

— Les Snyders sont issus de la haute bourgeoisie qui a fait son apparition lors de la première révolution industrielle. Ils fonctionnent comme une dynastie et ont des pratiques pater-nalistes ; ils se conduisent comme des patrons modèles. Ils ont su établir des liens entre affaires et politique, comme nous, et fonctionnent comme une caste.

— Ils sont donc refermés sur eux-mêmes.

— Pas vraiment… enfin, je ne crois pas. Mais ils conso-lident leurs positions et leurs appuis par des mariages brillants. Alphonse a épousé Valérie Avian ou Avignan, je ne suis pas certaine de l'orthographe, qui est la belle-fille d'un maître de forges, et Émile père a épousé Constance Desmares dont la famille appartient à la haute finance protestante.

— Ils ne sont pas catholiques ?

— C'est le même dieu, mon oncle. Il faut dire qu'Alphonse était l'homme de confiance d'un gros négociant, banquier et manufacturier parisien, et qu'Émile père était responsable de deux entreprises soutenues par le capital de ce négociant dont je ne suis pas sûre du nom. Ah oui, c'est avec les capitaux de la banque… Salière ou Soulières que les deux frères ont fondé une société en commandite et sont devenus gérants au Creusot. Structure financière familiale assez traditionnelle, selon l'attaché commercial. À la suite d'une faillite, il y en a eu plusieurs il paraît, les frères Snyders achètent au milieu du XIXe siècle les forges du Creusot. Ils donnent de l'importance à l'innovation et à la qualité de fabrication. Je cite : « En bons capitaines d'industrie, ils ont toujours eu le souci de s'informer. Leur ascension accompagne l'industrialisation de la France et leur réussite économique est fulgurante. »

— Traduction : ils sont arrivés au bon endroit, au bon moment.

— Alphonse meurt accidentellement en 1845 et Émile père prend seul la direction de l'entreprise. Trente ans d'ascension spectaculaire et de réussites économiques dans les chemins de fer, la navigation et les charpentes métalliques. Il y a aussi l'ascension politique. Émile vit surtout à Paris et associe ses fils, Hector, qui meurt en 1898, et Émile junior, à ses affaires tout en menant une carrière politique parallèle. Ils ont construit un pavillon en forme de tourelle de canon lors de l'Exposition universelle de 1900 à Paris. Collectionneur de canons, Émile oriente son entreprise vers l'armement un peu avant la Grande Guerre. Vous ne trouvez pas qu'il vous ressemble ?

— Continue, ma chérie, tu nous intéresses. Parle-nous d'Émile junior.

— D'accord. Il développe le côté international de la compagnie avec des succursales au Maroc, en Russie et en Amérique du Sud. Son fils aîné meurt dans un combat aérien en 1918. Il a deux autres fils, Jacques et Claude. Ils ont à peu près votre âge. Son frère aîné, Hector, a marié ses cinq enfants dans la noblesse, pas pour ses affaires, mais parce qu'il aime ce mode de vie. Ce sont des gens très collet monté. Ses filles deviennent marquises avec des noms longs comme ça.

– Émile junior, c'est lui qui nous intéresse. Les marquises, on n'en a pas de besoin.

– Mais, justement, j'y arrive. Émile se fait appeler Émile II comme dans une famille royale et il fréquente les salons de toutes ces belles marquises. C'est là qu'il rencontre sa future épouse, une aristocrate dont le père ruiné s'est suicidé. On dirait un roman, c'est incroyable. Madame Alexandra de Raphaélis de Saint-Sauveur appartient à une famille de l'ancienne noblesse, rien de moins. Jacques, le fils d'Émile II, a épousé la fille d'un duc et Claude, l'autre fils, a épousé la petite-fille d'un aristocrate. Que de la crème dans cette famille ! Émile Ier avait sa loge à l'opéra mieux située que celle des Rothschild. Même le prince de Galles est venu en vacances au château de la Verrerie en 1913.

– Il va falloir cirer nos souliers. Continue.

– Ce château de la Verrerie est la résidence commune de tous les Snyders et nous aurons certainement l'occasion de le visiter, puisqu'il est au Creusot. Pour revenir à Émile II, il confie à ses proches et à ses hommes de confiance des mandats, mais il ne partage pas le pouvoir. Les Snyders cumulent les statuts de maire, de patrons et de propriétaires. En résumé, c'est l'innovation technique, la gestion rationnelle de la production et la conquête des nouveaux marchés qui ont fait qu'ils sont toujours les chefs de file de la sidérurgie française depuis près d'un siècle. Ils ont conçu en 1876 un marteau-pilon de vingt et un mètres de hauteur pour travailler des pièces de plus en plus volumineuses. Il faut dire aussi que la

Grande Guerre en a fait les plus importants marchands d'armes du monde. Ils ont battu les Krupp d'Allemagne. Leurs ingénieurs ont mis au point des aciers recuits et trempés et des aciers de nickel qui ont obtenu des prix dans des concours internationaux. La réputation des blindages Snyders n'est plus à faire.

— Bon, ça va, je te remercie, Aurélie.

— Attendez, ce n'est pas fini! Ils élargissent leur société en achetant des actions dans un certain nombre d'entreprises nationales ou internationales. Ils ont acquis une société française d'optique et de mécanique de haute précision en 1913 et ont des parts dans des usines en Russie et dans des sociétés minières et métallurgiques au Chili. En plus, ils deviennent les spécialistes des gares et des ponts à la fin du XIXᵉ siècle et ils développent le secteur des industries électriques qui prend son essor après la signature d'un accord avec la compagnie Westinghouse en 1929. Il y a aussi les usines de Tchécoslovaquie.

— Ils ont vendu leurs parts là-bas. Je suis surpris que tu aies obtenu autant d'informations d'un attaché commercial.

— C'est un homme passionné par son travail, oncle Jules. Il n'arrêtait pas de sortir des dossiers. J'aurais pu passer des heures avec lui. Il a même avisé sa secrétaire qu'il ne voulait pas être dérangé. La curiosité d'Edmond était piquée. Il regarda son frère, puis fixa sa fille.

— Il a toujours été poli avec toi? Je veux dire: il n'a pas été incorrect?

— Voyons, papa, jamais de la vie. La seule chose qui m'a étonnée, c'est qu'il m'a embrassé la main quand je suis partie, un baisemain comme dans le temps des marquises et des princesses. Les Anglais plient leur corps en deux comme des soldats de bois avec une penture au milieu ; ils ont toujours l'air au garde-à-vous. Lui, il s'est penché avec douceur vers ma main. Tous ses mouvements étaient souples comme ceux d'un chat. Est-ce que les Français sont tous aussi… euh… comment dire ? romantiques ?

Edmond ne savait plus quoi dire. Il avait envie de la mettre en garde contre les chats, mais il avait peur, ce faisant, d'exciter davantage sa curiosité et de la pousser dans les bras du premier chanteur de pomme venu. Il l'avait vue résister et même se détourner de quelques courtisans britanniques et il espérait qu'elle ferait de même une fois rendue en France. Il regarda son frère qui admirait le bout bien ciré de ses souliers. Ce n'était pas sa fille, après tout, et Jules semblait bien content que Violette s'occupe de tout ça. Edmond se racla la gorge.

– Les Français sont peut-être plus romantiques, mais ils sont aussi dangereux que les Anglais pour les jeunes filles comme toi. Ta mère t'en a parlé, je crois.

Aurélie ne voulait pas entendre encore le même discours sur les bonnes jeunes filles et les autres. Elle acquiesça et rangea ses papiers. Les deux hommes furent soulagés de mettre ainsi fin à la conversation. Il était temps de fermer les bagages et d'aller voir depuis le pont les côtes anglaises.

Le brouillard cachait presque entièrement les falaises blanches, offrant un mur laiteux au regard des rares passagers qui avaient eu le courage de sortir par ce temps gris et froid. Le bateau contourna l'île de Wight et se glissa dans la large échancrure formée par le confluent de la Test et de l'Itchen pour atteindre le port très fréquenté de Southampton.

La ville était grise et bruyante, du moins les quartiers des docks. Aussitôt qu'ils furent passés aux douanes et au service d'immigration, les trois Savard s'engouffrèrent dans un taxi et se firent conduire au ferry de Portsmouth, à plus de quarante-cinq milles de là. Ils reprenaient de nouveau la mer, la Manche cette fois. Il ventait, crachinait sans cesse et les crêtes des vagues s'ornaient de moutons blancs aussi loin que le regard pouvait porter. Pas question de sortir pour jouir du paysage. Aurélie regardait son père et son oncle fumer leur cigare et échanger quelques mots sporadiquement, entre deux gorgées de scotch. Comment avait-elle pu trouver leur monde si excitant ? Elle se promena dans le grand salon. Les femmes s'occupaient des enfants, bavardaient ou tricotaient. Ce n'était pas plus amusant. La jeune fille dormit mal dans le lit trop étroit de la petite cabine. Le bateau tanguait et craquait comme une noix sur le point d'éclater.

Cherbourg les accueillit à l'aube. Si la langue et les uniformes des douaniers changeaient, les formalités se ressemblaient. Mais les Français étaient un peu plus polis avec les dames, moins mécaniques. Ils prirent le temps de regarder Aurélie et de lui sourire en lui remettant son passeport tout neuf, aux jolies pages roses, que son oncle avait obtenu en une journée de ses amis d'Ottawa. Jules avait tenu à ce qu'elle parte avec son propre passeport, plutôt que d'utiliser celui de son père. De cette façon, si les choses tournaient mal, il pourrait la renvoyer au pays sans problème. Aurélie ne tarda pas à constater que les voyages d'affaires n'avaient rien de touristique. Pas question de visiter quoi que ce soit. Ils prirent le train, traversèrent Caen. Aurélie vit la gare de Lisieux et pensa à sœur Thérèse, la mère supérieure, et à sa sainte patronne. Elle avait toujours eu l'impression que ce qu'elle apprenait à l'école était comme un livre d'histoires, des inventions ou un passé depuis longtemps révolu. Puis ce fut Paris et la gare Saint-Lazare. Pas de tourisme encore une fois. Ils sautèrent dans un taxi pour traverser la ville et atteindre la gare de Lyon. Aurélie chercha la tour Eiffel et l'Arc de triomphe, mais elle eut juste le temps de constater le va-et-vient phénoménal des gares, des foules bigarrées et pressées. Ils montèrent à bord d'un autre train qui traversa Melun, Fontainebleau, Auxerre. Aurélie s'endormit, la tête appuyée sur la vitre du wagon de première classe.

Les Savard arrivèrent à Dijon dans la soirée. Ils étaient épuisés. Jules choisit l'hôtel recommandé par Émile Snyders. La Cloche était un palace dijonnais à la décoration raffinée sans le luxe tapageur auquel il s'attendait. Mais ils n'avaient tous qu'une envie : se reposer pour être présentables le lendemain. Ils étaient au cœur de la France et, pourtant, ils ne savaient plus où ils en étaient. Trop fatigués pour avoir le plaisir de goûter la merveilleuse cuisine de l'endroit, ils se contentèrent d'un potage avant de se mettre au lit. Aurélie découvrit une chambre tout en doux camaïeu de bleu. Elle s'y endormit rapidement et rêva qu'elle était encore à bord d'un navire. Elle aurait juré, au réveil, que son lit avait tangué toute la nuit.

Jules avait écrit à Émile Snyders pour annoncer sa visite. Il lui téléphona de l'hôtel pour l'avertir qu'il était dans la cité des ducs et se préparait à partir pour le Creusot. Émile II, à qui il eut l'honneur de parler en personne, lui demanda d'attendre son chauffeur qui passerait les prendre à l'hôtel après le déjeuner. Il était assez difficile de se rendre au

Creusot : il fallait passer par Beaune, bifurquer avant Chalon, atteindre Montchanin, puis Montcenis et arriver finalement au Creusot après plus d'une centaine de kilomètres de route, parfois en pleine campagne. Ravi de cette bonne nouvelle, Jules rejoignit Edmond et voulut s'offrir un petit-déjeuner anglais. Mais les œufs et le bacon n'étaient pas au menu et il dut se contenter d'un café au lait avec des croissants.

Aurélie dormit longtemps. Edmond se décida à la réveiller une heure avant le déjeuner. Elle eut tout juste le temps de faire sa toilette, de revêtir son tailleur de voyage et d'aller retrouver son père et son oncle dans la salle à manger de l'hôtel. Elle apprécia l'éclairage tamisé, les épais rideaux, la moquette profonde, les meubles et les boiseries en acajou. Les grandes baies offraient une magnifique vue sur le jardin Darcy où les arbres exposaient leur feuillage vert tendre au faible soleil de ce début d'avril. Ils prirent un repas copieux : du coq au vin précédé d'escargots de Bourgogne en entrée. Aurélie décida de manger la même chose que son oncle et son père, même si le menu l'intriguait par tous ces plats qu'elle ne connaissait pas : paupiettes de loup à la bourguignonne, magret de canard, pintade grillée, poêlée de ris et de rognons de veau à la moutarde, foie gras au torchon. Elle essaya d'imaginer ce que faisait le torchon dans ce plat. Elle trouva surtout étrange de manger ces petites bêtes cachées au fond de leur coquille et apprécia plus le goût du beurre persillé que la texture caoutchouteuse des limaces. Les ardoises bourguignonnes à la pâte d'amande et pâte de fruits eurent plus de succès au dessert.

Aurélie avait envie de voir le palais des ducs de Bourgogne. Du hall de l'hôtel, elle regarda les passants, leur trouvant une élégance particulière et voulut sortir marcher un peu dans les alentours. Mais Jules la retint ; le chauffeur d'Émile Snyders allait arriver d'un instant à l'autre. Il n'avait pas terminé sa phrase qu'un homme en livrée gris fer à double rangée de boutons argentés, sur chacun desquels brillait un « S » sur deux canons entrecroisés, s'inclina, casquette à la main. Edmond se prit à rêver que ce « S » et ces canons symboliseraient bientôt le nom des Savard. Tous trois furent escortés jusqu'à une limousine. Ils s'installèrent à l'arrière pendant qu'on déposait leurs bagages dans la malle. Le chauffeur démarra et roula en silence dans les rues de Dijon. Aurélie se cassait littéralement le cou pour voir le plus possible de cette ville dont l'histoire remontait à l'époque gallo-romaine. D'abord repliée derrière son enceinte, un castrum comprenant trente-trois tours, elle avait grandi autour de ce noyau historique, englobant les bourgs qui s'étaient peu à peu bâtis et les terrains où les communautés monastiques avaient aménagé de vastes enclos pour les bêtes. Aurélie voulut demander au chauffeur si cette église était Notre-Dame ou Saint-Bénigne, mais la vitre de séparation était fermée et Edmond la retint.

– Calme-toi, Aurélie. Sur le chemin du retour, nous aurons l'occasion de visiter tous ces monuments que tu as mis sur ta liste. Jules t'avait demandé des informations sur le Creusot, pas de devenir un guide touristique.

– Mais, papa, nous baignons dans l'histoire en ce moment ! Les ducs de Valois, Philippe le Hardi, Jean sans Peur, Philippe le Bon, Charles le Téméraire…

– Si leurs palais ont tenu debout pendant des siècles, ils peuvent nous attendre quelques jours. Je t'avais avertie, ce ne sont pas des vacances. Et en arrivant, fais-toi discrète. Monsieur Snyders est un homme important et il ne veut certainement pas négocier avec une jeune fille de… presque seize ans.

— J'ai compris. Je serai stupide et jolie.

— Non, je te veux gentille et polie, mais discrète. Attends qu'on t'adresse la parole et réponds par des phrases courtes. Ces gens-là ne veulent pas connaître ta vie. Ils veulent savoir pourquoi leur argent serait mieux placé avec nous. Laisse Jules s'occuper de tout. Déjà qu'il ne sera pas facile d'expliquer ce que tu fais là…

Aurélie se tourna vers la fenêtre et bouda. Elle n'avait pas cessé de se rendre utile et, pour tout remerciement, on lui demandait de se taire et de jouer les potiches de service. Le soleil était timide et, le long de la route, les coteaux étaient couverts d'immenses champs de petits arbustes en rangée qui ressemblaient à des branches mortes parsemées de taches vertes. Aurélie comprit que c'étaient des vignes quand ils traversèrent le village de Nuits-Saint-Georges. Elle aimait ces maisons enduites de crépi, souvent collées les unes contre les autres, et coiffées d'un haut toit en tuiles rouges plates de Beaune. Le paysage changea de nouveau. Ils arrivaient dans une région minière plus plate. Les hameaux se succédaient dans cette partie de la Côte-d'Or. Ils virent les contreforts du massif du Morvan qui étaient recouverts d'une végétation touffue et vernissée, formant une mosaïque dominaient la ville du Creusot. Une série de maisons semblables s'étendaient au loin. L'usine s'étalait tout le long de la vallée. De nombreux ateliers bordaient une voie de chemin de fer.

La limousine emprunta une large avenue, le boulevard Snyders, et traversa la place du même nom. Aurélie remarqua, sur un tertre, la statue d'un homme portant un long manteau et tenant une longue feuille, une sorte de parchemin, dans la main droite. Il regardait au loin d'un air serein. Sur la base était gravé le nom d'Émile Snyders. La jeune fille ravala sa salive. Oncle Jules avait raison, ces gens étaient si importants qu'on leur élevait des statues de leur vivant. À moins que ce ne fût Émile Ier, mais les vêtements semblaient modernes. Aurélie vit une autre statue un peu plus loin, celle d'un homme debout, en redingote, sa cape sous le bras et une canne à la main. À ses pieds, une femme semblait expliquer à un enfant qui était cet homme. Aurélie ne put lire le nom, mais elle était certaine qu'il s'agissait d'Émile père à cause de la coupe de cheveux et du col montant de la chemise qui devait dater de la fin du XIXe siècle. Ils passèrent devant un vaste édifice d'où ils virent sortir deux infirmières vêtues d'un uniforme blanc et d'une cape marine, puis le véhicule longea un long bâtiment d'un étage au toit mansardé. C'était l'entrée principale du château de la Verrerie avec sa haute porte en arc de cercle.

La grande bâtisse de trois étages se dressait au cœur de la ville, sur une colline. L'ancienne cristallerie de la reine Marie-Antoinette était flanquée, à l'avant, d'un jardin à la française datant du début du siècle et, sur les côtés, de deux anciens fours à cristal au long toit pointu garni de lucarnes à leur base et d'un petit chapeau de cheminée tout en haut. C'était un lieu étrange, presque magique. Quand le chauffeur ouvrit la porte, Aurélie hésita un instant. Ses jambes tremblaient, mais elle mit cela sur le compte du voyage. Des domestiques s'affairaient déjà à sortir les bagages pendant que Jules et Edmond se dirigeaient vers l'entrée. La jeune fille se hâta de les rattraper, puis ralentit le pas, consciente de son manque d'élégance. Un maître d'hôtel les accueillit et les fit patienter dans un vaste salon aux murs recouverts de portraits et aux meubles à dorures, avec des coussins de velours et des tapis moelleux venus d'Orient. Personne n'osa s'asseoir.

Un homme mince de taille moyenne, vêtu d'un complet sombre impeccablement coupé, entra dans la pièce. Il avait le teint pâle, un crâne légèrement dégarni avec de fins cheveux blancs et des sourcils traversés de poils roux. Aurélie reconnut l'homme au parchemin de la statue. Monsieur Émile se tenait devant eux, souriant et affable, leur demandant s'ils avaient fait un bon voyage. Il sourit à Aurélie et lui dit que sa femme, Alexandra, serait ravie de la rencontrer. Il fit alors signe au maître d'hôtel de s'approcher et lui demanda de conduire mademoiselle Aurélie auprès de madame Alexandra. Puis il se tourna vers la jeune fille.

– Nous avons de vilaines discussions d'affaires à tenir entre nous. Nous vous rejoindrons bientôt, ma chère.

Et il se pencha pour déposer ses lèvres, ornées d'une jolie moustache immaculée, sur la main d'Aurélie. Cette dernière fut subjuguée par cet homme qu'elle voyait comme le grand-père qu'elle n'avait jamais connu. Elle lui sourit, fit une petite révérence qu'elle jugea stupide après coup et suivit le maître d'hôtel. Elle longea un corridor dallé de marbre et sortit sur la terrasse arrière. Une rangée de canons faisait face à un vaste jardin taillé comme un caniche. Des bâtiments d'un étage avec de hautes fenêtres à carreaux couronnées d'un arc de cercle séparaient le jardin d'un immense parc aux arbres variés. Le paysage s'étendait à perte de vue et on ne voyait ni la ville ni l'usine. Dans le jardin se tenait une femme portant un chapeau à larges bords et un manteau jeté sur ses épaules. Elle discutait avec un homme vêtu d'une salopette marine et d'une chemise blanche dont les manches étaient roulées. Ils regardaient tous les deux des arbustes à feuillage vert attachés à des treillis. En s'approchant, Aurélie se rendit compte que c'étaient des rosiers. La dame se retourna et sourit à son invitée. Elle avait un joli visage, des yeux noisette et des cheveux couleur de miel. Elle tendit à Aurélie une main fine ornée d'un bracelet de perles et lui souhaita la bienvenue.

— Vous connaissez la gloire de Dijon?

Aurélie n'osa pas répondre qu'il s'agissait d'une rose, se disant que ce pouvait tout aussi bien être une sorte de saucisson. Ce qui était ridicule, puisqu'elles étaient visiblement dans une roseraie. Devant le silence de la jeune fille, madame Alexandra lui montra de petits boutons crème, délicatement teintés de rose.

— En s'épanouissant, les fleurs aux pétales froissés deviennent jaune très pâle, avec des nuances d'abricot. Elles grimpent et courent sur plusieurs mètres et fleurissent tôt, mais, cette année, elles sont légèrement en retard. Cette rose est née à Dijon en 1853 dans les pépinières de Pierre Jacotot, héritier d'une ancienne famille de jardiniers installée dans cette ville depuis le XVIIᵉ siècle. Je suis surprise que vous ne la connaissiez pas. C'est une rose ancienne très célèbre. Elle a remporté plusieurs prix. Elle est très appréciée en Europe et aussi en Amérique où tous les pasteurs anglicans la font pousser dans leur jardin.

— Nous n'avons pas beaucoup de pasteurs anglicans.

– Vous êtes mignonne. C'est vrai qu'au Canada français, ce sont les prêtres catholiques qui gouvernent. Les jésuites n'ont pas été expulsés, chez vous. Venez, vous prendrez bien un peu de thé après une si longue route? Elles traversèrent le jardin français et arrivèrent sur la terrasse. Madame Alexandra montra les canons.

– C'était la passion de mon beau-père. Les deux anciens fours que vous voyez ont été transformés, l'un en théâtre, l'autre en chapelle. Je vous les montrerai plus tard. Venez.

Elle entra dans la maison où, d'un petit mouvement d'épaules, elle laissa tomber son manteau qu'une bonne ramassa prestement avant qu'il n'atteigne le sol. Aurélie fut éblouie par cette série de gestes qui devait constituer une habitude bien ancrée à voir la vitesse à laquelle la bonne attrapa aussi le chapeau de sa patronne. Madame Alexandra replaça ses cheveux dorés avec ses doigts. Aurélie la suivit dans un salon presque aussi grand que celui où elle avait été reçue à son arrivée, chargé de portraits, des ancêtres sans doute, mais elle ne posa pas la question de peur de recevoir toute la généalogie des Saint-Sauveur et des Snyders. Elle s'arrêta cependant devant un tableau moderne et ancien à la fois, représentant une très belle femme avec un enfant à ses côtés.

– Il était mieux avant qu'on ne le retouche.

Devant le regard interrogateur d'Aurélie, madame Alexandra continua:

– J'étais alors une jeune femme. Ce tableau a plus de quarante ans. Non, non, ne me dites pas que je ne parais pas mon âge, je les ai toutes vécues, ces années. Le peintre, Giovanni Boldini, était très recherché à cette époque comme portraitiste mondain. C'était un ami de Degas et il donnait à ses portraits une élégance désinvolte et sensuelle. Il avait une touche virevoltante pour rendre une vivacité d'expression qui lui était propre et il travaillait à une vitesse incroyable. Il m'a peint en grande mondaine. J'avais une peau de nacre et j'avoue qu'il l'avait rendue à la perfection. Mais le tableau a été jugé trop provocant. Ma belle-mère, que Dieu protège son âme, était une huguenote convaincue. C'est comme ça que je me suis retrouvée avec un manteau convenable sur les épaules et mon fils Claude à mes côtés. Mais tout ça, c'est de l'histoire ancienne. Parlez-moi de vous et de votre pays que je ne connais pas.

Aurélie était venue apprendre et découvrir, sans penser qu'elle aurait aussi à parler d'elle ou des siens. Elle avait cru qu'oncle Jules et son père se chargeraient de ça. Elle ne savait trop par où commencer. Elle parla de sa mère sans mentionner qu'elle avait grandi pauvrement dans une ferme. Elle essaya d'épater son interlocutrice en parlant du voyage sur le Normandie, qu'Ariane lui avait mille fois raconté, mais madame Alexandra montra des signes d'agacement.

– Vous n'êtes pas venue ici pour me vanter la France, ma petite. Vous vivez à Sorel, n'est-ce pas ? Comment est-ce ?

Aurélie se décida à parler de ce qu'elle connaissait le mieux, son manoir qu'elle n'osait plus appeler « château » depuis qu'elle avait vu de vrais châteaux par les fenêtres du train ou de la limousine, de sa vue magnifique sur le fleuve, des îles de Sainte-Anne-de-Sorel qu'elle parcourait tous les étés avec sa mère et Léopold qui devenait alors chauffeur de bateau à moteur. Elle parla de la tranquillité des petits chenaux, des nénuphars où les grenouilles s'en donnaient à cœur joie, des libellules bleues ou vertes qui se posaient sur votre doigt, des forts courants du fleuve, des glaces qui s'y amoncelaient en hiver et se cassaient dans un grand fracas au printemps, des couchers de soleil qui s'étiraient, tout roses et orangés en été et plongeaient rapidement dans les glaces bleues en hiver, des hérons discrets et des canards bavards qui passaient par là en automne pour gagner le Sud et fuir le froid, des poissons que son père et son oncle adoraient prendre sur les lacs qui entouraient le camp de pêche de l'oncle Jules en haute Mauricie, où ils jouaient les pionniers avec leurs bottes de caoutchouc et leurs chemises à carreaux. Aurélie jugeait sa vie bien insignifiante face au décor somptueux qui s'étalait devant elle et tous ces ancêtres qui les regardaient, mais madame Alexandra semblait trouver tout ça très exotique. Elle souriait derrière sa tasse de thé et fixait la jeune fille avec amusement. Sa fraîcheur lui plaisait. Elle n'avait pas de discours préfabriqués et semblait d'un naturel désarmant. Aurélie n'osa pas parler des bateaux qui sortaient des chantiers Savard, se disant que c'était sans doute l'un des sujets de la conversation qu'avait actuellement son père avec monsieur Émile. Elle se tut finalement; elle n'allait quand même pas parler de l'école, de ses frères ou de sa petite sœur. Madame Alexandra attendit un moment, puis elle lui demanda si sa mère et ses tantes avaient des œuvres qui leur tenaient à cœur.

— Elles aident les pauvres. La crise économique a frappé durement notre région, mais oncle... la famille Savard donne du travail au plus grand nombre de gens possible.

— C'est bien, c'est notre devoir à tous. Mon père disait qu'il fallait redonner dix pour cent de notre revenu annuel pour aider les plus démunis. Il est mort ruiné, le pauvre, mais c'est parce qu'il aimait trop le jeu et les belles femmes. Je vois que cela vous surprend. Je suis la descendante d'une vieille famille d'aristocrates. J'avais un nom et mon époux m'a donné une fortune.

– Ce n'est pas ce qui me surprend. Vous dites que votre père donnait son argent aux femmes…

– C'était un mondain et il entretenait de jolies maîtresses. Mon beau-père aussi. À Paris, c'est presque une obligation d'avoir une femme que l'on entretient. Mais ce n'est pas ce que vous croyez. Ce sont souvent des femmes intelligentes, à l'esprit vif. Beaucoup sont des comédiennes ou des chanteuses qui n'ont pas eu la chance de naître avec un nom ou une fortune. C'est leur façon à eux d'encourager les arts.

– Et ça ne vous dérange pas d'être trompée ?

– Trompée ? Quel vilain mot ! L'épouse légitime demeure la première dame de toutes. Nous ne divorçons pas, nous prolongeons les noms et les dynasties. Et puis, ces amusements parisiens ont peu de conséquences. Je ne parle pas d'amour ici, jeune fille, mais de relations charnelles et sociales. À mon âge, je peux bien vous raconter tout ça. Il est important de s'instruire et l'on ne vous apprendra jamais cela à l'école. Une femme doit garder son rang et un homme peut bien s'amuser, s'il sait demeurer discret et ne pas nuire à sa famille et sa réputation.

– Et une femme qui… je veux dire…

– C'est plus délicat. La bonne société ferme moins les yeux là-dessus. Il faut être d'une discrétion absolue. Mais je ne devrais pas vous parler de tout cela. Votre père va dire que je vous pervertis.

– Il n'est pas obligé de tout savoir.

– Je vois que vous êtes intelligente. Vous me plaisez beaucoup, Aurélie. Je n'ai eu que des fils. C'est bon pour perpétuer un nom, mais ça ne m'a pas donné la joie d'être proche d'une fille et de son éducation. Les garçons grandissent toujours trop vite et le monde les absorbe comme une éponge. Les miens passent plus de temps à Paris qu'ici. Venez, je vais vous faire visiter la grande œuvre de madame veuve Émile. Je crois que ces messieurs en ont pour un bon moment.

Ces messieurs discutaient ferme. En fait, Jules sortait des chiffres et des prévisions. Il voulait armer les Alliés contre les nazis, faire l'œuvre qu'Émile avait réalisée avant la Grande Guerre. Il serait plus facile de fabriquer des armes loin de l'Europe et des bombardements qui ne manqueraient pas d'avoir lieu. Quand Jules eut terminé son exposé, monsieur Émile, qui s'était jusque-là contenté de le regarder en silence, lui dit qu'il avait déjà rencontré un industriel argentin la semaine précédente et qu'il avait l'intention de placer son argent en Amérique du Sud. Il avait déjà des intérêts au Brésil, le pays voisin. Jules serra les dents, mais Edmond s'avança sur sa chaise.

– C'est un bien beau pays, l'Argentine, mais pensez-vous que ces gens-là vous aideront à combattre Hitler ? Le Canada fait partie du Commonwealth et offrira une aide directe si l'Angleterre est attaquée, ce qui se produira certainement, car les Allemands visent les Anglais aussi bien que les autres. Si la France est occupée, vous aurez les mains et les pieds liés. L'Angleterre sera peut-être aussi envahie. C'est d'ailleurs pour ça qu'elle cherche en ce moment à octroyer des contrats d'armement hors de la Grande-Bretagne. Il ne restera que l'Amérique pour résister, car nous sommes loin géographiquement, mais très près du cœur, vous le savez. Nous ne laisserons pas tomber la mère patrie.

— Et quelle est votre mère patrie, monsieur Savard, la France ou l'Angleterre ?

— Pour moi, c'est la France, monsieur. Mais les Canadiens anglais considèrent que c'est l'Angleterre. Alors, je suis certain que le Canada aidera les deux pays. Mais, pour ça, il nous faut construire des canons, des navires de guerre et des obus.

— Des usines que vous n'avez pas actuellement au Canada…

— Exact, mais nous les aurons grâce à vous. Je suis persuadé que vous voudrez aider votre pays à combattre les nazis.

— Vous me demandez de prendre des décisions d'affaires par patriotisme ?

— Pourquoi ne pas combiner de bonnes décisions d'affaires au patriotisme ? Nous devons tous faire notre part.

Des temps difficiles s'annoncent et nous devons être prêts. L'Argentine vous apportera peut-être des profits, mais le Canada vous apportera, en plus des profits, la joie d'aider votre pays à combattre un ennemi envahisseur.

— Et si la guerre n'a pas lieu ?

— Si vous croyez vraiment ça, alors expliquez-moi pourquoi vous vous êtes retiré de Tchécoslovaquie.

— Edmond !

Jules était estomaqué du sans-gêne de son frère. Monsieur Émile rit ouvertement de la question. Ces Canadiens n'avaient peur de rien ; ils se lançaient dans un projet, persuadés de pouvoir abolir tous les obstacles.

– Assez discuté, messieurs. Laissez-moi réfléchir à tout ça. J'ai quelques papiers à consulter dans mon bureau. Le dîner est à vingt heures. Cyprien vous montrera vos chambres.

Monsieur Émile se leva et disparut discrètement après leur avoir serré la main. Jules était encore furieux, mais s'efforçait de sourire. Confiant, Edmond tenta de rassurer son frère. Ayant été invités à demeurer au château pour quelques jours, ils auraient le temps de séduire le vieil homme et de lui faire oublier les ardeurs de l'Argentin. Edmond était excité par la difficulté rencontrée et il n'avait qu'une crainte : que sa fille ne fasse des bêtises. Il voulut aller la chercher, mais Cyprien lui apprit qu'elle était partie en voiture avec madame Alexandra visiter l'Hôtel-Dieu.

Le grand bâtiment de pierre en forme de U de deux étages avec un long toit mansardé qu'Aurélie avait vu en arrivant était un hôpital. Un monument avait été érigé en l'honneur de son fondateur, Émile Ier, assis, fixant l'hôpital en désignant du doigt un plan de cet édifice. À côté de lui, un forgeron évoquait l'activité industrielle de la ville ; un vieillard en uniforme de la maison de retraite et un élève des écoles Snyders rappelaient les œuvres sociales. À la base du monument, on pouvait voir le symbole de la famille : le « S » sur les deux canons entrecroisés. La voiture passa les grilles et s'arrêta devant l'entrée. Madame Alexandra monta avec élégance les marches la séparant de la porte et Aurélie essaya d'adopter la même démarche. Un homme en complet sombre courut les accueillir. Visiblement, il avait été avisé à la dernière minute. Il s'inclina profondément devant madame Alexandra qui lui sourit en baissant légèrement la tête. La vieille dame lui tendit une main gantée qu'il serra mollement, puis elle lui annonça qu'elle voulait faire visiter l'établissement à une jeune Canadienne de passage. L'homme s'inclina moins profondément devant Aurélie et la salua d'un « mademoiselle » sans lui tendre la main.

— Je vous accompagne.

— Non, je vous en prie, monsieur le directeur, c'est une visite informelle. Je guiderai moi-même mademoiselle Aurélie. Je ne veux surtout pas vous distraire de votre travail si accaparant. Je vous souhaite une excellente journée.

Le directeur s'inclina à nouveau, mais il ne réussit pas à cacher sa déception. Madame Alexandra semblait s'en amuser.

— Venez, ma chère.

Elle glissa sa main sous le coude d'Aurélie qui la suivit docilement. Un peu plus loin, elle lui chuchota qu'elle trouvait cet homme rasant. Aurélie ne savait pas trop ce que ce mot signifiait dans ce contexte, mais elle comprit qu'il était ennuyeux ou simplement collant. Peu importe, elle aimait la présence de cette grande dame à ses côtés, elle avait l'impression d'avoir vieilli et d'être enfin une jeune femme. Le nom de madame veuve Émile Snyders revenait souvent. Elle avait fondé cet hôpital en 1883, financé par la famille Snyders. L'Hôtel-Dieu était alors à la fine pointe du progrès. Les travaux de construction avaient duré cinq ans. Le grand bâtiment central abritait les salles des malades, la chapelle et les salles d'opération. La visite fut sommaire car madame Alexandra ne voulait déranger ni les malades ni les infirmières qui la saluaient sur son passage. Elle leur souriait comme une reine en visite et passait son chemin. L'établissement était destiné aux employés des usines ainsi qu'aux habitants de la ville et des cantons. Aurélie trouvait remarquable que madame veuve Émile se soit autant préoccupé du bien-être des ouvriers et elle en fit part à madame Alexandra.

— Mais c'est normal, ma chère. Des ouvriers malades, ça ne travaille pas. Sans parler des accidents toujours possibles dans une usine. Et quand un ouvrier sait que sa famille peut être bien soignée si un malheur la frappe, il a tout intérêt à rester avec un employeur qui prend soin des siens. Derrière le bâtiment principal, madame Alexandra montra à Aurélie les trois pavillons qui se trouvaient dans le jardin.

— Celui-ci est le pavillon des contagieux dans lequel nous n'irons pas, je veux vous garder en bonne santé, ma chère. Celui-là est pour les bains et la buanderie, et ce dernier abrite le salon mortuaire. Venez, nous serons en retard pour le dîner et Émile ne supporte pas cela.

Elles retournèrent vers l'entrée principale. Aurélie s'arrêta en haut des marches pour admirer les vastes espaces verts et les jardins.

— C'est très beau.

— Un paysagiste parisien a aménagé ces espaces verts. Les malades ont aussi besoin de beauté pour reprendre des forces. Ce pavillon abrite la pharmacie et celui-ci, de l'autre côté, est réservé aux malades non hospitalisés.

Le chauffeur ouvrit la portière et les deux femmes montèrent dans l'auto. Rendue au château, madame Alexandra salua Aurélie en lui rappelant d'être à l'heure pour le dîner. Une servante conduisit la jeune fille dans les longs couloirs du deuxième étage et la fit entrer dans une chambre où trônait un grand lit à baldaquin. La tête de lit en bois sombre était entourée d'un rideau dont les larges rayures étaient formées d'arabesques or et rouge. Le ciel de lit, les lourdes tentures, le couvre-lit et une bergère étaient faits du même tissu satiné. Deux petites lampes avec une base de porcelaine rouge bourgogne et des dorures éclairaient la pièce sombre aux fenêtres étroites. Sur un mur était tendue une tapisserie montrant une salle de bal médiévale où un prince posait doucement ses lèvres sur la main d'une princesse et semblait l'inviter à danser sous les regards amusés de la cour. Aurélie admira la longue robe azur de la dame qui était coiffée d'un voile blanc entourant son visage et le rattachant à un long chapeau à double pointe. Elle se demandait quelle robe porter pour le dîner. Si seulement sa mère était là pour la conseiller! On cogna deux petits coups à la porte et Edmond demanda s'il pouvait entrer. Il était impatient de savoir comment s'était passé l'après-midi avec madame Alexandra. Il trouva sa fille devant un long miroir à cadre doré. Elle tenait dans une main la robe longue de mousseline vert tendre qu'elle avait portée à deux reprises sur le paquebot et, dans l'autre, une robe pêche plus petite fille avec des manches bouffantes et des plis plats.

— Je ne pense pas que ce soit assez formel pour que tu puisses porter une robe longue. Les manches bouffantes sont jolies.

— Bien sûr, le modèle irait très bien à Muriel. J'ai l'air d'une gamine de douze ans là-dedans.

— Une gamine? Tu parles de plus en plus à la française. Comment ça s'est passé avec madame Alexandra? Tu as été polie?

– Papa, je t'en prie, ne me traite pas comme ça. Je ne vois pas pourquoi tu me demandes toujours si j'ai été polie. Qu'est-ce que tu crois? Que je suis la reine des mauvaises manières? Que je vais péter à table ou roter sous la moustache d'Émile? Edmond regarda sa fille, muet de surprise.

– Je m'excuse, papa. Ça m'énerve de ne pas savoir quoi porter. J'ai passé un très bel après-midi avec madame Alexandra. Elle m'a appris plein de choses et j'ai trouvé ce que je vais faire dès mon retour. Maman a besoin de se distraire, de s'engager dans quelque chose. Nous allons faire construire à Sorel un hôpital comme ici. Il sera peut-être plus modeste, je sais que nous n'avons pas la fortune des Snyders, mais nous allons être des pionniers dans la façon de traiter les ouvriers et leur famille.

– Tu es sérieuse? Ce fut au tour d'Aurélie de le regarder avec surprise.

– Je veux dire que c'est un très beau projet qui demandera beaucoup d'argent et d'implication. Mais si tu penses que tu peux y arriver avec ta mère…

– Et mes tantes.

– Eh bien, si tu penses que tu peux faire collaborer tout ce beau monde, je serai heureux de t'aider dans la mesure de mes moyens.

Edmond avait fait cette promesse rapidement. Il savait qu'Aurélie s'en souviendrait, mais il savait aussi qu'elle avait peu de chances de faire collaborer les dames Savard. Il ne voyait pas Ariane s'intéresser à ce point aux malades, à moins que ce ne soit pour choisir la couleur des draps de lit. L'ardeur d'Aurélie se refroidirait dès son retour et elle aurait bientôt d'autres préoccupations. Comme les garçons et les bals auxquels les filles de Jules assistaient régulièrement. Elle passerait plus de temps à Montréal à raconter son voyage en France et son séjour au château de la Verrerie. Edmond regarda sa fille jeter sur le lit la robe pêche comme si c'était un vilain chiffon. Son choix était fait. Il se retourna pour sortir de la chambre et se préparer aussi au dîner.

– Et toi, papa, comment a été ton entretien ?

– Bien, ma chérie, très bien. Ne sois pas en retard.

– Je sais, monsieur Émile déteste qu'on soit en retard.

– Ah bon ! Je suis content de l'apprendre.

Le dîner était tout ce qu'il y a de plus formel. La table, avec sa porcelaine fine, ses couverts d'argent et ses verres de cristal, brillait sous les feux des chandeliers. Madame Alexandra portait une robe longue de mousseline pêche et Aurélie se réjouit d'avoir choisi la mousseline vert tendre : leurs toilettes se complétaient à merveille. Les hommes étaient impeccables dans leurs costumes sombres. Les plats et les vins de Bourgogne se succédaient. Aurélie découvrit le pouilly-fuissé, le gevrey-chambertin, le meursault. Elle n'avait jamais bu autant d'alcool et la tête lui tourna rapidement. Elle remarqua que madame Alexandra trempait à peine ses lèvres dans ces délicieux breuvages et elle décida d'en faire autant pour ne pas rouler sous la table. La conversation était agréable et personne ne parlait affaires, sujet interdit à table par monsieur Émile lui-même. L'alcool aidant, Edmond devenait plus expansif et riait facilement, ce qui mettait en joie monsieur Émile, mais effrayait Jules dont la nervosité était palpable. Aurélie était silencieuse et discrète comme son père le souhaitait. Le repas terminé, les hommes étaient sur le point de passer au salon fumer un cigare et prendre un digestif quand madame Alexandra annonça à son mari qu'elle aimerait faire visiter le château d'Apremont à leurs invités.

– Vous aurez ainsi l'occasion de montrer les restaurations que vous avez faites dans le village.

– C'est une excellente idée, ma chère. Nous partirons tôt demain matin et nous déjeunerons au château. Je vais prévenir monsieur Gérard de notre arrivée. Vous verrez, jeune demoiselle, c'est un endroit charmant et le point de vue sur la rivière Allier est superbe.

Monsieur Émile salua Aurélie et entraîna les frères Savard au salon pendant que madame Alexandra proposait un doigt de porto à son invitée.

– Je m'excuse, madame, mais je pense que je ne pourrai pas prendre davantage d'alcool.

– Alors, un bon café nous fera du bien à toutes les deux.

– Ma mère n'en prend jamais. Elle dit que ça l'empêche de dormir.

– C'est fait pour ça. Je ne me résigne pas à prendre une tisane comme une vieille dame. Et avec l'âge, j'ai de moins en moins besoin de sommeil. Je sens que le temps presse pour faire les mille et une choses qui me tiennent à cœur.

Aurélie se montra curieuse de ces mille et une choses. Sa mère, encore jeune, ne trouvait rien à faire de ses journées, alors que cette grand-mère manquait de temps. Alexandra parla de son jardin, de ses roses glorieuses, de l'école ménagère créée au début du siècle pour faire des jeunes Creusotines des épouses modèles.

– On oublie trop facilement le rôle des femmes, même dans l'industrie. Pendant la Grande Guerre, les hommes étaient au front et nous avons compté jusqu'à douze mille femmes dans nos usines de fabrication d'obus. Nous avons aussi toujours pris soin de nos travailleuses. Nous refusons de donner du travail à une femme enceinte de plus de sept mois et ne la réembauchons que lorsque le médecin l'autorise à quitter son enfant pendant la journée. Nous avons aussi créé une maternité et encourageons les femmes à allaiter ; c'est le meilleur moyen de lutter contre les décès prématurés. Nous sommes très fiers de notre très bas taux de mortalité infantile.

Pendant ce temps, les hommes parlaient de grèves. Jules fit un sombre compte rendu de ce que les usines Savard avaient connu, ce qui rappela à monsieur Émile les grèves de 1899 où les gendarmes et les soldats étaient parvenus à contenir les grévistes. Les actions du Creusot à la Bourse avaient baissé et l'argument économique l'avait emporté. Émile II avait dû céder et augmenter les salaires, le jour de l'anniversaire de la mort de son père. Ce dernier, un proche de Napoléon III, n'avait jamais connu, en vingt-trois ans de règne, un seul jour de grève. Mais la fête impériale était bel et bien terminée.

– J'ai toujours cherché à retenir les ouvriers dans une communauté imprégnée par le modèle familial, afin de les rendre plus efficaces. Je trouve important de donner une éducation morale et de faire naître un esprit maison. Nous avons même mis en place un système de retraite, bien avant que l'État ne prenne le relais en 1910. Et il ne faut pas négliger les écoles, les services d'assistance et de soins, les loisirs organisés, l'urbanisme. Nous avons octroyé à chacun de nos ouvriers une parcelle de terrain sur laquelle il a pu construire sa maison avec jardin. J'ai été très strict sur la hauteur et l'alignement des maisons, la largeur des trottoirs, les règles d'hygiène et de salubrité. Nous avons près de trente mille habitants qui dépendent de nous.

Jules regardait monsieur Émile jouer les régents de son petit royaume qui possédait même des commissaires enquêteurs du bureau de bienfaisance, lesquels encadraient la vie collective, faisant régulièrement des tournées pour évaluer l'apparence du ménage ouvrier. Monsieur Émile avait le souci de créer une société à l'abri de l'extérieur et aussi hors du contrôle de l'État. Jules aurait aimé en faire autant, mais il n'avait pas le goût de s'investir en devenant maire, député et de passer sa vie en querelles politiques alors que ses affaires lui prenaient déjà beaucoup de son temps. Étant de la troisième génération de la famille, Émile pouvait se permettre de régner sur la ville que son père et son grand-père avaient bâtie. Mais Jules se permettait de rêver que peut-être un de ses fils – pourquoi pas Adrien ? – reprendrait le flambeau. Les usines Savard survivraient au temps.

— C'est plus difficile à intégrer quand la ville existe déjà et qu'elle a poussé au gré des humeurs des habitants. Mais nous avons la chance d'avoir une main-d'œuvre qui n'a pas peur du travail.

— Mais il faut la former, cette main-d'œuvre, pour obtenir un travail de qualité. Je dois avouer que je suis très fier du laboratoire de recherches que j'ai mis sur pied il y a quelques années.

Edmond rêvait, pour sa part, d'une école de métier qui lui donnerait les meilleurs machinistes, mécaniciens, soudeurs et riveteurs. Il voyait le sceau «Made in Sorel Industries» apposé partout. Et il ne s'en cachait pas, il rêvait aussi de ce train de vie luxueux, de ces rencontres avec des gens illustres et puissants. Le cognac était délicieux, le cigare aussi, la discrétion et l'efficacité des domestiques, remarquables. Ils étaient au cœur d'une ville plus grande que Sorel et, pourtant, tout était calme. Pas de tavernes pour soûler les ouvriers, pas de cabarets ni de grills pour y brûler leur salaire. La ville semblait ne contenir que des maisons, des écoles et des églises.

Il se faisait tard. Les invités saluèrent leur hôte pour se retirer. Jules regagna sa chambre et Edmond s'apprêtait à en faire autant quand monsieur Émile lui offrit un dernier verre dans son bureau. Les deux hommes s'installèrent dans une vaste pièce style Empire et monsieur Émile mit un disque sur le gramophone. La musique s'éleva doucement et aucun d'eux ne parla pendant un bon moment. Edmond ferma les yeux, et la première image qui lui apparut fut le visage d'Ariane. Pourquoi pensait-il à elle soudainement ? Elle lui souriait, invitante. Il lui retourna son sourire et ouvrit les yeux. Monsieur Émile le regardait avec des yeux moqueurs.

– Vous pensiez à une belle femme ?

– Comment l'avez-vous deviné ?

– Cette musique me fait toujours le même effet. Elle a une douceur qui vous vide la tête et une force qui vous prend aux tripes. Et je savais que vous aimiez les belles femmes.

– C'est mon frère qui vous a dit que j'avais épousé la plus belle femme de la région ?

– Non, c'est vous qui me l'avez dit. Quand vous avez regardé tous ces portraits au salon, vous avez d'abord, et surtout, admiré les dames. Elles ont été ma passion aussi.

– Pourquoi « ont été » ? Je ne pense pas qu'on puisse cesser de les aimer si facilement.

– Je n'ai pas cessé de les aimer, mais de les courtiser. Ce n'est plus de mon âge.

– Vous n'êtes pas devenu aveugle, tout de même.

Monsieur Émile rit de bon cœur. Il devenait nostalgique par moments. Depuis que son aîné, Hector, était mort en 1918, son deuxième fils, Claude, s'occupait davantage des affaires familiales alors que le cadet, Jacques, menait sa vie à lui à Paris. Monsieur Émile s'éloignait lentement dans une semi-retraite, partageant son temps entre le Creusot, les restaurations du village d'Apremont et leur maison de campagne de Garges. Il n'allait plus aussi souvent à Paris même s'il y avait toujours son hôtel particulier, cours Albert Iᵉʳ. Il eut soudain envie de faire visiter ce lieu à Edmond, un homme curieux à la bouche sensuelle, qui semblait apprécier les moindres signes de confort. Mais il décida d'attendre un peu pour lancer l'invitation. Il voulait en savoir un peu plus sur ces deux frères à la tête pleine d'idées et aux ressources difficilement quantifiables.

Le lendemain, après un rapide petit-déjeuner, les Snyders et leurs invités s'engouffrèrent dans la limousine pour se rendre à Nevers en passant par Autun. Ils empruntèrent un long pont aux imposantes arches et traversèrent la Loire pour atteindre la ville de Nevers avec ses bâtiments de pierre entassés les uns sur les autres. Un clocher dominait le paysage et Aurélie admira une solide tour carrée, dont la toiture lui rappelait le château Frontenac en miniature, et qui gardait une porte d'entrée de la ville. Elle eut à peine le temps de voir quelques rues étroites que l'auto quittait Nevers. Aux frontières de la Bourgogne, dans le département du Cher, à une quinzaine de kilomètres de Nevers, l'ancienne forteresse anglo-bourguignonne du château d'Apremont-sur-l'Allier se dressait sur une colline dominant la rivière Allier. Cet ensemble fortifié avec remparts, courtines et mâchicoulis, durement éprouvé par la guerre de Cent Ans, ne possédait plus que cinq de ses quatorze tours. Il était devenu au XIXe siècle la demeure des Saint-Sauveur.

– Ma famille est propriétaire des lieux depuis 1722. Mon ancêtre Louis de Béthune a acheté cette demeure à cette époque. Ce sont toujours les femmes qui en ont hérité. Émile s'est entiché de cette bâtisse et l'a rachetée à ma famille. Depuis, il ne cesse de transformer le domaine et de l'améliorer. C'est son passe-temps favori. Venir voir l'avancement de tel ou tel travail le met en joie. Il a même gardé les calèches du XIXe siècle ayant appartenu à ma famille et les abrite dans les écuries du château, au pied de la colline. Nous avons aussi une petite maison à Garges. C'est notre retraite discrète où j'adore cultiver des roses.

La limousine déposa Aurélie au château avec madame Alexandra, et les hommes se firent conduire au village pour voir où en étaient les travaux. Monsieur Émile prenait souvent Edmond à part, comme s'il lui faisait des confidences. Jules ne s'en offusquait pas, n'aimant pas tous ces discours historiques et familiaux. Il rêvait d'action et avait l'impression de s'enliser dans des vacances improductives. Seule la mine réjouie d'Edmond lui faisait espérer que ce voyage serait couronné de succès. Monsieur Émile se promenait dans le village où tous les habitants venaient le saluer chaleureusement, du boulanger en tablier enfariné au maçon en bleu de travail en passant par l'épicière à la poitrine imposante et le boucher aux larges mains. Edmond avait l'impression qu'un roi faisait le tour de son domaine. Entre deux poignées de main, Monsieur Émile parlait de ce village qu'il affectionnait.

– La région a été, pendant plusieurs siècles, un centre de production de pierres de taille très recherchées. Elles étaient acheminées sur des bateaux à fond plat, le long de l'Allier puis de la Loire. Elles ont servi à la construction de plusieurs édifices religieux dont ceux d'Orléans et de Saint-Benoit-sur-Loire. Mais ce temps est révolu. C'est pour empêcher la destruction de tout cela que je travaille depuis huit ans à la remise en valeur du village qui commençait à se moderniser bêtement et laidement. Ce qui n'était pas en harmonie a été rasé et je fais édifier à la place des groupes entiers de maisons dans le style médiéval berrichon. N'est-ce pas plus joli, ces maisons aux murs de crépi, au toit de chaume et à grande cheminée? Le village dégage maintenant paix et repos. Et j'espère que des bottes étrangères ne viendront pas fouler ce sol.

Edmond comprit l'allusion à la guerre et se dit qu'il avait fait un pas de plus dans la bonne direction. Il avait appris que la famille Snyders était originaire de Lorraine, si près de l'Allemagne et des souvenirs de Verdun. Il ne tenait pas à réveiller de vieux fantômes, mais il savait que son discours de la veille sur la volonté du Canada de porter secours à l'Europe avait fait mouche. Le caballero argentin avait mordu un peu de poussière, mais rien n'était encore joué.

Madame Alexandra fit faire le tour du château familial à sa jeune invitée. Ici aussi, les pièces étaient garnies de meubles anciens, et les murs, ornés de portraits de famille. Aurélie se dit que chaque ancêtre avait dû poser plus d'une fois pour meubler ainsi toutes ces demeures, car madame Alexandra lui avait parlé de leur hôtel particulier à Paris qui contenait une belle collection d'œuvres d'art et de toiles. Aurélie trouva charmante la chambre tout en rose et crème de son hôtesse, avec un lit entièrement tapissé de satin où se dessinaient d'immenses roses sur fond crème. Les tentures étaient faites du même tissu, qui recouvrait également le dessus de la table de toilette et l'ottomane. Seul le ciel de lit était tendu de mousseline rose sans motifs. Les murs étaient lambrissés de bois sombre, et le haut plafond à poutres apparentes donnait une touche d'intimité à cette chambre de jeune fille. Madame Alexandra souriait dans le vague comme si cet endroit lui rappelait de merveilleux souvenirs. Mais la pièce qui plut le plus à Aurélie fut l'immense cuisine dont les murs étaient recouverts de carreaux de faïence bleus et blancs. Sur le plus long mur, où une grande table de chêne trônait, une fresque peinte à la main représentait le château d'Apremont dans des bleus magnifiques alors qu'un autre mur, près des fours, était orné de dessins floraux, toujours dans les teintes de bleu. Une nature morte décorait le contour d'une fenêtre. Devant l'admiration de la jeune fille, madame Alexandra expliqua que la faïence était une spécialité de la région de Nevers. Aurélie put constater que la salle de toilette était aussi enjolivée d'oiseaux bleus.

Tout le monde se rassembla dans la salle à manger du château pour pendre un déjeuner copieux. La pièce, aux murs lambrissés, offrait la chaleur d'une immense cheminée de pierre pour réchauffer les convives. Edmond ne tarissait pas d'éloges sur le travail de restauration de monsieur Émile qui semblait apprécier la verve du Canadien. Jules était plus silencieux et Aurélie, affamée, faisait honneur aux talents de la cuisinière. Une promenade le long de l'Allier permit à tous de digérer. Quelques pêcheurs à la ligne profitaient de la tranquillité de l'étroite rivière. Edmond se mit à parler de pêche et de chasse, et Jules en profita pour enfin prendre la parole et raconter les prises mémorables qu'il avait faites avec son frère à son camp en haute Mauricie. La description de ce paysage sauvage peuplé d'ours, de chevreuils, de perdrix et de belles truites rouges aiguisa la curiosité de monsieur Émile. À la fin de l'après-midi, il était suffisamment ébloui par ces deux hommes de la nature pour accepter leur invitation à venir pêcher sur leur lac l'été suivant. Madame Alexandra s'enthousiasma aussi pour cette expédition hors des sentiers battus. Elle se voyait déjà armée de hautes bottes et d'un casque colonial. Edmond voyait, pour sa part, l'Argentin tomber de cheval. Mais rien n'était signé.

Ils se retrouvèrent tous au château de la Verrerie dans la soirée, fatigués et heureux. Madame Alexandra n'eut aucun mal à persuader son mari de raccompagner leurs invités jusqu'à Paris. Elle avait une envie folle de voir la collection printemps-été des grands couturiers avec sa jeune protégée, et lui, d'épater les Canadiens en leur faisant connaître son hôtel particulier et la vie nocturne parisienne. Aurélie était enchantée à l'idée d'aller passer deux ou trois jours à Paris et elle eut peine à s'endormir, fébrile, impatiente de subir la transformation promise par madame Alexandra à Paris avec une visite chez son coiffeur et la tournée des boutiques chic. La vieille dame ne l'avait jamais traitée comme une enfant. Bien au contraire, elle lui avait fait parfois des confidences étonnantes sur la conduite à tenir avec les hommes, sur la façon de les charmer en gardant ses distances : ne jamais se laisser voir avec des cheveux défaits, sans maquillage, dans des vêtements informes ; il fallait être toujours à son meilleur pour ne pas décevoir le bien-aimé. Aurélie écoutait toutes ces recommandations avec intérêt. Et elle eut l'occasion de vérifier leur pertinence.

À peine levée pour le petit-déjeuner, Aurélie avait eu la tentation de s'habiller rapidement et de descendre à la cuisine rejoindre les autres. C'était le seul repas pris de façon informelle et où tout le monde se retrouvait, sauf madame Alexandra qui buvait sa tasse de thé au lit, dans la grande cuisine bourguignonne autour de la longue table de chêne, avec la cuisinière et la bonne qui faisait le service. Mais ce matin-là, Aurélie décida de se coiffer avec soin, d'appliquer un peu de rouge sur ses lèvres et de soigner sa toilette avec un petit collier de perles que lui avait offert sa mère avant son départ. Quand elle arriva à la cuisine, son père et son oncle étaient déjà attablés devant leurs brioches et leur grand bol de café au lait. Elle les embrassa à la française, comme elle avait vu les gens faire, un baiser sur chaque joue, et s'assit devant un bol de chocolat chaud que la cuisinière venait de déposer sur la table. Edmond regarda sa fille. Elle avait beaucoup changé en quelques semaines. Il avait devant lui une jeune fille qui s'adaptait bien, même trop bien, à son environnement. Il était temps de retourner à Sorel et de reprendre la routine.

Monsieur Émile entra, tout souriant, pour présenter aux frères Savard un jeune ingénieur, Laurent Dumontel, spécialiste de la fabrication des canons, qui ferait le tour des installations avec eux. Edmond et Jules se levèrent pour lui serrer la main avec chaleur. Le caballero semblait avoir disparu du paysage. Aurélie leva les yeux et ce qu'elle vit lui coupa le souffle. Laurent Dumontel était un jeune homme au milieu de la vingtaine, mince avec des cheveux bruns rebelles et des yeux bleus, non verts, ou plutôt gris, limpides comme un lac. Alors qu'elle essayait de déterminer la couleur de ses yeux, Aurélie s'aperçut qu'ils étaient pers, changeant selon la personne qu'il regardait. Ils étaient gris-bleu lorsqu'il parlait avec son père et son oncle, et ils devinrent vert tendre quand il la regarda. Des yeux de chat, doux et caressants. Elle ne savait plus quoi faire. Le morceau de brioche qu'elle tenait glissa de ses doigts pour tomber dans son bol de chocolat. Le jeune homme la salua d'un mouvement de la tête, d'un timide sourire, son chapeau serré contre sa poitrine. Aurélie voulut lui tendre la main, s'aperçut qu'elle était toute graisseuse, chercha à l'essuyer, faillit le faire sur sa robe, puis saisit la serviette de son père. Mais elle n'eut pas le temps de tendre la main que Laurent disparaissait avec monsieur Émile et les frères Savard pour une visite des usines du Creusot. Elle demeura bouleversée par cette apparition. Elle avait envie de demander à la bonne ou la cuisinière si elles le connaissaient, s'il était marié ou fiancé, puis elle se rappela un des conseils de madame Alexandra : mêler le moins possible les domestiques à sa vie privée ; ils en savaient déjà assez long en vous regardant vivre, une femme de chambre honnête et discrète suffisait. Aurélie resta à rêver devant son bol de chocolat un bon moment. Elle avait hâte de parler à madame Alexandra, mais elle dut attendre un certain temps : la vieille dame aimait faire la grasse matinée.

Edmond et Jules purent admirer les installations perfectionnées des Snyders et la discipline qui régnait partout dans la ville. Les enfants en uniformes marchaient au pas pour se rendre à l'école, et les maisons ouvrières, bien alignées, étaient toutes proprettes avec leur jardinet et leurs fleurs aux fenêtres. Pendant ce temps, Aurélie prenait son premier cours d'horticulture en compagnie de madame Alexandra et du jardinier. Elle n'était pas très attentive, pensant aux beaux yeux de Laurent et attendant le moment propice pour en parler avec celle qu'elle considérait maintenant comme sa protectrice. L'occasion se présenta dans l'après-midi, quand les deux femmes firent une pause pour prendre une tasse de thé. Madame Alexandra trouva charmantes les rougeurs qui envahirent le visage d'Aurélie quand elle prononça le nom de Laurent Dumontel. Une petite aventure hors caste pouvait être amusante, mais il ne fallait pas perdre de vue que cela devait rester une aventure. Aurélie semblait cependant se conduire comme une amoureuse, et madame Alexandra ne tarda pas à mettre les choses au clair.

— C'est toujours flatteur, un homme qui vous fait la cour, mais cela ne veut pas dire que vous allez l'épouser. Même si la femme n'est plus tenue au devoir d'obéissance à son mari depuis cette nouvelle loi qui vient d'être promulguée, elle ne doit pas, pour autant, s'offrir toutes les aventures. N'oubliez jamais qui vous êtes et ce que votre famille et votre nom exigent de vous. Vous devez donner l'exemple en tout temps. Et puis, ce jeune homme, que je ne pense pas connaître

d'ailleurs, ne vous a fait aucune avance. Il vous a à peine
saluée, selon vos dires. Je peux m'informer auprès de mon
mari pour en savoir davantage, mais je ne pense pas que ce
soit nécessaire. Ce n'est qu'un petit coup de foudre de midi-
nette. Vous vous en remettrez, ma chérie. D'ailleurs, ce jeune
homme doit être marié. Nous encourageons fortement nos
travailleurs à fonder une famille, pour plus de stabilité. Ne
faites pas cette tête, vous êtes un peu jeune pour avoir un
amant. Il est toujours préférable d'être mariée auparavant.
Cela nous donne plus d'expérience et, en cas d'accident,
l'honneur est sauf.

Aurélie n'osa pas lui demander de quel genre d'accident
elle parlait. Elle était déçue de ne pas avoir trouvé une
complice et elle pensa à sa mère, se disant que celle-ci l'aurait
mieux comprise. Et Laurent était probablement marié, en
plus. Les beaux garçons intéressants étaient toujours rapidement repérés. Soudain, son séjour en France devenait un peu
triste et elle avait envie de revoir sa famille, son manoir, son
fleuve. Aurélie s'en voulait de ses confidences de gamine,
comme si la couleur des yeux d'un homme pouvait vraiment
tout faire chavirer. Madame Alexandra avait eu raison de la
remettre à sa place.

Ils arrivèrent tous à Dijon en fin de matinée le lendemain.
Leur train pour Paris ne partant qu'en début d'après-midi,
Aurélie eut tout juste le temps de voir le palais des ducs de
Bourgogne, restauré en 1681. D'abord un amalgame de
bâtiments, siège de deux cours souveraines, résidence des
gouverneurs de Bourgogne, le palais ducal avait été
aménagé avec un hémicycle d'arcades qui devait servir
d'écrin à la statue de Louis XIV, fondue à la Révolution, et

il fut littéralement enrobé dans une structure classique d'où émergeait la tour Philippe le Bon, seule relique du passé. Aurélie put admirer quelques belles maisons anciennes comme la maison Maillard, construite en 1560 avec des arcades supportées par des atlantes et proche de l'architecture de la Renaissance. Elle contempla aussi la maison Millière, demeure médiévale avec sa façade à pans de bois et sa tourelle de guet transformée en balcon ouvragé. Dans la même rue se trouvait l'hôtel de Vogüé, un bel hôtel particulier construit dans le style classique à la mode au XVIIe siècle avec ses ornements discrets, ses lignes symétriques et ses salons qui ouvraient sur des jardins à la française. Cette maison étant située dans la rue de la Chouette, madame Alexandra invita Aurélie à caresser de la main gauche la petite chouette qui était sculptée sur le flanc de l'église Notre-Dame en formulant un vœu. Ce porte-bonheur, chéri des Dijonnais et dont les origines étaient obscures, était patiné par les milliers de mains qui l'avaient touché depuis des siècles. Aurélie passa doucement sa main sur la pierre fraîche devenue très lisse, ferma les yeux en pensant au visage de Laurent et formula le vœu de le revoir.

Le voyage en train jusqu'à Paris fut rapide et agréable. Aurélie prit plaisir à regarder la campagne française défiler sous ses yeux, fascinée par ces champs verdoyants et ces villages tranquilles. Ils arrivèrent à Paris à la tombée du jour. La tranquillité avait laissé place au brouhaha constant de la grande ville. Ils sortirent de la gare de Lyon dans la fraîcheur du soir. Une limousine les attendait pour les conduire à l'hôtel particulier des Snyders. Devant la ville illuminée de milliers de réverbères, Aurélie comprit pourquoi on l'appelait la Ville lumière. Le véhicule prit la rue de Rivoli et Aurélie n'avait pas assez d'yeux pour tout voir. Elle jeta un regard sur le palais du Louvres et le Jardin des Tuileries que la limousine longea avant d'arriver à la place de la Concorde et d'emprunter l'avenue des Champs-Élysées. Aurélie eut tout juste le temps d'apercevoir au loin l'Arc de triomphe que l'auto tournait déjà vers la place François Ier et atteignait les bords de la Seine et le cours Albert Ier. Le vieil édifice avait beaucoup de charme avec sa façade de pierres de taille à la hauteur du sous-sol et du rez-de-chaussée, de moellons recouverts d'enduit pour le premier étage alors que les combles étaient couverts de zinc. Les larges fenêtres étaient munies de grilles de fer forgé à mi-hauteur comme de faux balcons, et l'immeuble donnait sur la Seine, entre le pont des Invalides et celui de l'Alma. Les grilles de fer protégeant la porte cochère s'ouvrirent pour laisser passer la limousine.

Pendant le trajet, monsieur Émile avait raconté l'histoire de cet hôtel particulier acheté en 1900 et transformé en palais résidentiel au goût du jour. Il était marié depuis huit ans et il lui fallait un cadre digne de sa jeune épouse. Madame Alexandra avait souri lorsqu'il avait évoqué ce souvenir qui semblait maintenant si lointain. Le grand salon, devenu salle de bal, avait vu son plafond creusé en voûte et peint d'un ciel aux fins nuages blancs, entouré d'une corniche. La salle à manger donnant sur la cour intérieure avait été agrémentée de scènes de chasse, et le grand escalier, de fer forgé et de bronzes dorés. La petite terrasse avait été transformée en jardin à la française. Leurs invités, fatigués par le voyage, firent rapidement le tour du propriétaire, en admiration devant tout ce luxe, avant de se rendre dans leurs chambres respectives pour se rafraîchir et changer de vêtements. Aurélie eut droit à une chambre avec une bergère et un lit recouverts de satin à motifs floraux crème et or, des tentures de brocart doré et des murs crème. Dans la salle de bain attenante trônait une somptueuse baignoire en marbre.

Les Savard retrouvèrent leurs hôtes pour un repas léger. Le salon, tout en velours caramel et en tentures bleu violacé, les accueillit ensuite pour un digestif. La journée avait été longue et tout le monde alla se coucher tôt pour attaquer dès le lendemain leur virée dans la capitale française. Jules, Edmond et Aurélie n'avaient que deux jours à y passer avant de reprendre la route du Havre pour regagner New York en bateau. Madame Alexandra était décidée à transformer sa jeune amie, et monsieur Émile voulait amener ses associés potentiels voir un spectacle avant de manger chez Maxim dans la soirée.

Aurélie eut de la difficulté à trouver le sommeil. Elle revoyait les beaux yeux de Laurent et se rendait compte que ce souvenir récent commençait déjà à devenir flou. Trop d'images s'y étaient superposées depuis son départ du Creusot : la visite éclair de Dijon, le trajet en train, la Ville lumière agitée et bruyante et, finalement, ce grand lit entouré de dorures, de tissus fleuris, de porcelaines précieuses, de tapis soyeux. Cette vie de château commençait à l'étourdir. Et surtout à lui faire comprendre que son château à elle n'avait pas le passé fascinant de ce que sa grand-mère maternelle appelait les vieux pays. Son passé à elle était représenté par les champs et les pâturages de la campagne sorelloise, le fleuve et les navires paternels. Elle n'avait même jamais vu Charlevoix où son père était né. Son coin de pays semblait figé dans le présent ou tourné résolument vers l'avenir. Le passé restait une chose du passé, alors qu'ici il se reflétait partout, dans la moindre pierre, dans chaque monument, parc ou nom de rue. Tout avait une histoire.

Paris, comme la plupart des grandes cités, était issue d'un assemblage de villages, ou de petites villes, qui avaient leurs parfums, leur charme et leur mode de vie. Madame Alexandra fut très claire avec Aurélie.

— On ne visite pas Paris, on y séjourne, on l'apprivoise peu à peu, on la connaît mieux chaque jour, on change de monde d'un arrondissement à l'autre, d'une rive à l'autre. Il est préférable de flâner tranquillement que d'établir un programme de visite pour en «voir le maximum», comme disent la plupart des touristes.

Aurélie était disposée à se laisser guider, à se laisser modeler. Son voyage l'avait déjà transformée. Elle était prête à aller plus loin. La petite fille disparaissait peu à peu et une femme était sur le point d'émerger, elle le sentait. Quand madame Alexandra lui suggéra de laisser tomber les lieux trop touristiques comme la tour Eiffel, Aurélie eut un sursaut. Comment aller à Paris sans la voir? La vieille dame lui sourit.

— Ma chère, le seul endroit où il est impossible de voir la tour Eiffel est à ses pieds. Regardez plutôt des fenêtres du salon, elle est presque devant vous. Vous ne la verrez pas si bien ailleurs. Et pourquoi grimper une structure métallique alors que sa beauté, si on peut parler de beauté, réside dans sa vue d'ensemble. Le VIIᵉ arrondissement est un quartier institutionnel avec l'Assemblée nationale, l'École militaire, les Invalides et le musée d'Orsay. Je ne vois pas l'intérêt pour une jeune fille d'aller voir les cendres de Napoléon Ier dans l'église du Dôme. Mais si nous avons le temps, nous ferons peut-être une exception pour la cathédrale Notre-Dame.

Aurélie avait un peu de difficulté à s'y retrouver avec ces numéros d'arrondissements. Elle avait appris qu'elle se trouvait dans le VIIIe, un quartier cossu où on trouvait le plus vieux monument de Paris, l'Obélisque, qui avait trois mille trois cents ans. Elle l'avait vu sur la place de la Concorde en passant en auto la veille. Il y avait aussi les Champs-Élysées qu'elle avait à peine entrevus, mais qui étaient impressionnants par leur gigantisme. Aurélie n'avait jamais vu d'avenue aussi large. Madame Alexandra l'invita à se rendre dans le faubourg Saint-Honoré pour y visiter les belles boutiques.

– Vous aurez ainsi l'occasion de voir le palais de l'Élysée, siège de la présidence de la République. Il y a aussi le Grand Palais qui renferme de belles expositions et, derrière, le Petit Palais dont la construction date de l'Exposition universelle de 1900. Mais j'ai bien peur que vous ne soyez obligée de revenir pour visiter tous nos musées, il y en a trop pour un seul séjour. Vous aimerez Paris et je suis certaine que Paris vous aimera aussi.

Aurélie suivit madame Alexandra dans la limousine, et le chauffeur les fit descendre à quelques rues à peine de l'hôtel des Snyders. Ce trajet aurait pu se faire facilement à pied, mais madame Alexandra était une dame âgée, et Aurélie remarqua que les employés se précipitaient pour ouvrir la porte de leur boutique dès qu'ils voyaient arriver la luxueuse automobile. Madame Alexandra en sortait avec grâce, acceptant d'un signe de tête les mots de bienvenue des gérants et propriétaires des boutiques. Elle entrait la tête haute, présentait sa jeune Canadienne et demandait à voir ce qui lui irait le mieux. Aurélie joua les mannequins d'un jour pendant des heures en parcourant la rue Saint-Honoré jusqu'à la rue de l'Opéra et la place Royale. Elle acheta une robe d'été blanche à manches courtes légèrement bouffantes, avec un collet et une ceinture rayée marine et blanche, la jupe formée d'un large pli plat sur le devant. Elle choisit aussi une petite robe toute fraîche pour ses seize ans, une robe bleu nuit qui laissait voir ses épaules et ses bras sous la mousseline transparente posée sur un corsage en satin de la même couleur. Madame Alexandra la persuada de prendre également une robe de soirée : un premier bal était toujours important et de rigueur pour les seize ans de la fille aînée.

Aurélie essaya une robe longue de soie d'un rose très pâle, avec un décolleté en V dans le dos s'arrêtant sur une série de torsades du même tissu et formant, à la base des reins, un plissé qui faisait danser la robe quand elle marchait. Pas question de porter un soutien-gorge avec cette tenue qui semblait bien sage vue de face avec son décolleté arrondi, fait pour accueillir un collier. Aurélie se dit qu'un homme qui danserait avec elle aurait constamment sa main sur sa peau. Elle en frissonna un peu et madame Alexandra sembla deviner ses pensées.

– C'est une robe faite pour séduire, ma chérie. Je ne sais pas si votre père vous permettra de la porter tout de suite, mais elle sera encore très belle dans un an ou deux.

Aurélie pensa à Laurent et l'acheta. Elle trouva aussi un ensemble pantalon à larges revers avec un veston court à simple rangée de boutons. Elle savait qu'il lui faudrait de l'audace pour porter une telle tenue à Sorel, mais il lui restait tout de même l'anonymat de Montréal et l'envie de ses cousines. Les deux femmes s'arrêtèrent également à la boutique de madame Jeanne Lanvin, la couturière préférée de madame Alexandra qui choisit une robe du soir à damiers noir et blanc. Aurélie était étonnée de la transformation. Madame Alexandra semblait avoir rajeuni dans cette robe longue, moulante et d'une élégante fluidité quand elle marchait. Aurélie songea à sa mère et voulut lui rapporter une robe.

– J'aimerais aller chez madame Chanel. Ma mère l'adore et je pourrais lui acheter une robe du soir.

– Chez madame Chanel, vous trouverez des vêtements plus simples. Elle utilise beaucoup le jersey et elle a un petit côté garçon qui plaît beaucoup. Mais si vous voulez une robe de soirée pour votre mère, je pense que je sais où vous amener.

Aurélie la suivit. Le chauffeur les attendait à chaque boutique, déposait les paquets dans la voiture et les amenait à quelques portes de là. Aurélie constata que madame Alexandra avait raison : les robes du soir d'Elsa Schiaparelli étaient tout simplement magnifiques. Elle tomba en extase devant une robe longue avec des manches courtes très bouffantes, la taille soulignée et la jupe évasée à larges pans bayadères fuchsia et noir, le dos offrant un décolleté plongeant. Aurélie trouvait cette robe merveilleuse et le prix, inabordable. Il lui faudrait persuader son père de l'offrir à sa mère. Elle réserva la robe en promettant de revenir le lendemain. On proposa cependant à madame Alexandra de la prendre immédiatement. Si elle voulait la garder, la jeune Canadienne leur enverrait un chèque, sinon le chauffeur n'aurait qu'à la rapporter le lendemain. Aurélie fut surprise d'une telle confiance. Madame Alexandra savait que la robe lui serait facturée si elle ne revenait pas à la boutique, mais ce vêtement était magnifique et elle se demandait si elle ne le garderait pas pour elle, après tout.

La journée avançait et madame Alexandra conduisit Aurélie chez son coiffeur. Elles reçurent de nouveau un accueil chaleureux et Aurélie fut prise en main par Firmin pendant que la vieille dame se détendait en se faisant faire une manucure. Le coiffeur regarda les longs cheveux de la jeune fille. Ils étaient magnifiques mais trop lourds pour rester bien coiffés. Il décida de les couper et Aurélie sursauta.

– Je ne veux pas de cheveux courts comme ma mère !

– Ne vous en faites pas, mademoiselle. Je ne tondrai pas de si beaux cheveux, mais je veux les raccourcir pour leur donner plus de mouvement et de volume.

Elle regarda madame Alexandra qui lui fit signe de lui faire confiance et elle ferma les yeux. Quand elle les ouvrit, elle avait de beaux cheveux qui dansaient sur ses épaules, légèrement ondulés avec quelques mèches frisées sur le front. Aurélie ne se reconnaissait pas. Ses cheveux n'avaient jamais été aussi brillants et souples. Elle sourit, heureuse du résultat. Elle n'était plus une petite fille, c'était définitif.

Le Iᵉʳ arrondissement, au cœur de la cité, renfermait aussi la plus riche place de Paris, la place Vendôme, sa colonne impériale de quarante-quatre mètres de hauteur et sa joaillerie. Aurélie ne fit que s'extasier devant les vitrines des bijoutiers, son père ne lui ayant pas accordé un budget illimité. Elle ne visita ni le Louvres ni le Palais-Royal, mais elle put contempler le plus vieux pont de Paris, le Pont-Neuf, alors qu'elle faisait une visite éclair à la cathédrale Notre-Dame, envahie de touristes venus voir Paris au printemps. Elle se contenta de regarder la façade, trop épuisée pour se joindre aux nombreux visiteurs. Les deux femmes prirent le thé au Fouquet, situé à l'intersection des Champs-Élysées et de la rue Georges V, rue fastueuse, nommée ainsi en l'honneur du roi britannique décédé deux ans plus tôt, puis elles regagnèrent le cours Albert Ier. Aurélie, heureuse d'être enfin une jeune femme, et madame Alexandra, rompue de fatigue, allèrent se reposer dans leurs chambres respectives. Aurélie en profita pour admirer ses achats qu'elle déploya sur son lit. Elle essaya la robe du soir de sa mère et prit conscience du pouvoir de ce vêtement : il lui donna immédiatement une allure distinguée de grande dame. Elle passa ensuite sa robe de soirée rose thé. La souplesse du tissu sur sa peau nue la fit frissonner. Elle revit les yeux de Laurent ; c'est tout ce qu'elle avait retenu de lui. Elle avait envie d'imaginer ses mains sur sa taille, sa bouche près de ses lèvres, l'odeur de sa peau. La jeune fille se ressaisit, remit sa robe de la journée et alla au salon voir la tour Eiffel. Le soleil descendait doucement et le ciel se couvrait de rose et de mauve. Le spectacle la captiva pendant un long moment. Aurélie emmagasinait la beauté comme une assoiffée. Il ne lui restait qu'un jour à Paris ; le retour approchait.

Les hommes avaient eu, eux aussi, une journée bien remplie. Ils avaient passé un bon moment à l'hippodrome de Longchamp, admirant autant les chevaux que les jolies femmes. N'étant ni l'un ni l'autre vraiment joueurs, Jules et Edmond avaient parié seulement quelques francs sur un cheval qui leur avait rapporté un peu d'argent; ç'avait été tout. Monsieur Émile avait été ravi de les voir s'intéresser à tout sauf aux paris. Il n'était pas joueur lui-même et il ne voulait pas s'associer avec des hommes qui étaient prêts à tout perdre pour satisfaire leur rêve de tout gagner. Ce premier test passé, ils étaient allés manger à la Tour d'Argent. Construit au bord de la Seine en 1582 sous le règne d'Henri III, au cœur du vieux Paris, voisin de Notre-Dame, ce haut lieu de la gastronomie française embrassait toute la ville. Cette vue magnifique retint l'attention des invités de monsieur Émile qui se plaisait à observer ces deux hommes, de l'âge de ses fils, mais qui posaient un regard neuf sur les choses. Le repas, délicieux, s'était éternisé autour de grands vins et de digestifs. Ils avaient discuté affaires et politique en oubliant peu à peu le panorama du Paris des rois, des quais, des clochers et de l'île de la Cité. Monsieur Émile voulait savoir exactement d'où viendraient les contrats d'armement et Jules lui parla de nouveau de la politique britannique face au Commonwealth. Les Anglais songeaient à donner des contrats d'armement en dehors de la Grande-Bretagne. En cas d'attaques allemandes, les usines éviteraient les bombardements, et la production continuerait à alimenter leurs forces armées.

– Mais pourquoi le Canada?

– L'Australie et la Nouvelle-Zélande sont loin, il faudrait trop de temps pour acheminer les armes en Europe. L'Inde ou l'Afrique du Sud ne sont pas tellement plus proches. Il reste le Canada et les États-Unis, mais ces derniers ne font pas partie du Commonwealth.

– Donc, il ne reste effectivement que le Canada. Et pourquoi vous ? Jules sourit en entendant cette question. Il l'attendait depuis longtemps.

– Parce que nous avons beaucoup d'amis au gouvernement, le ministre de la Marine, des Transports et des Travaux publics, sans parler de l'organisateur en chef du parti au pouvoir. Ils savent qui nous sommes et nous font confiance pour mener à bien nos entreprises.

– Mais les Anglais savent-ils qui vous êtes ? Edmond répondit avec un plaisir évident :

– Ils vont le savoir, je peux vous le garantir.

– Vous aimez ce genre de défis, je crois.

– Je les adore. Il y a des gens qui s'arrêtent de pêcher quand ça ne mord pas, moi, j'arrête quand il n'y a plus d'eau. Monsieur Émile sourit. Il trouvait ces deux frères de plus en plus sympathiques. Ils lui rappelaient son grand-père et son grand-oncle avec cette ferveur à conquérir le monde et la certitude qu'ils allaient y réussir. Cette sorte d'hommes se faisait rare, du moins autour de lui. Il ne voyait que beaux parleurs avides de voir leur nom accroché au sien. Sa fortune et son prestige attiraient plus de mouches que le miel.

– Eh bien, comme je vous l'ai déjà dit, j'aurai le plaisir d'aller pêcher ces fameuses truites à votre chalet. Et j'en profiterai aussi pour visiter vos installations. Si cela me convient, je crois que nous deviendrons de bons associés. Avec votre travail et mon expertise, nous battrons encore une fois ces foutus Boches.

Jules et Edmond attendaient ces paroles depuis des semaines, et voilà qu'elles leur tombaient dessus tout naturellement, devant un cognac, à la table d'un restaurant.

Ils étaient émus, heureux et bouche bée. Pas pour longtemps, car Edmond avait la parole facile. Il voulait aller fêter cette sage décision. Monsieur Émile proposa la revue du Casino de Paris après un repas chez Maxim's. Ils retournèrent cours Albert Iᵉʳ changer de vêtements, mais une surprise les attendait. Madame Alexandra avait revêtu sa robe noire et blanche de Lanvin, et Aurélie, sa première robe de soirée en soie rose. Il fallut quelques secondes à Edmond pour reconnaître sa fille. Avec ses cheveux s'arrêtant aux épaules, cette robe sage, qui se révéla audacieuse seulement quand elle tourna sur elle-même pour la faire admirer à son père, Aurélie était une jeune femme que beaucoup d'hommes auraient volontiers courtisée. La petite fille qu'il avait embrassée sur la joue le matin même, devant son chocolat chaud, avait disparu. Il eut un coup au cœur. Il se faisait donc si vieux pour être le père de cette belle jeune femme ! Même Jules fut surpris alors qu'il avait déjà des filles plus âgées, mais aucune n'aurait eu l'audace de se passer de soutien-gorge et de se vêtir de soie, moulant un corps gracieux et souple où de jolis petits seins ronds pointaient fièrement. Monsieur Émile savait ce que ces robes voulaient dire : ces dames seraient de la soirée.

— Ma chère Alexandra, nous pensions aller au Casino de Paris, mais, avec d'aussi belles compagnes, nous irons au Schéhérazade.

— Et pourquoi donc ? La revue du Casino me semble intéressante. Et cette jolie jeune femme peut y assister, ce n'est plus une enfant.

Monsieur Émile se tourna vers Edmond pour obtenir son approbation. Ce dernier n'avait aucune idée de ce qui les attendait. La « Revue du Casino » lui était aussi inconnue que le cabaret des mille et une nuits. Comme le Casino était le premier choix de monsieur Émile, il décida de ne pas déplaire à madame Alexandra et de s'en tenir à cette option. Aurélie était aux anges. Madame Alexandra lui avait prêté un manteau de velours bleu nuit et un magnifique collier de perles et de saphirs. Après avoir revêtu son smoking, Edmond tendit son bras à sa fille pour sortir. Il pensa à Ariane et à leur visite de Paris trois ans plus tôt. Ils étaient allés aux Folies Bergère voir Joséphine Baker vêtue d'une jupette de bananes dans la Folie du Jour et il était content de ne pas y amener sa fille. Il était loin de se douter qu'il reverrait la Joséphine dans la revue « Paris qui remue » du Casino de Paris…

Le chauffeur les amena au célèbre restaurant de la rue Royale, situé dans l'ancien hôtel de Richelieu. Depuis sa fondation en 1893 par Maxime Gaillard, ce lieu de rencontre du Tout-Paris avait été le témoin de son temps, de la Belle Époque avec ses courtisanes, ses altesses royales, ses acteurs, puis les Années folles, avec la « Revue nègre », les improvisations de Jean Cocteau, les amours de Sacha Guitry. Aurélie avait l'impression de faire un voyage dans le temps. Elle s'émerveillait de tant de beauté en regardant autour d'elle, tout en essayant de rester discrète, ce qui était difficile face à ce décor Art nouveau tout en acajou, miroirs biseautés, feuillages et ornements de cuivre, peintures murales marouflées. Le plafond du grand salon, formé d'un immense vitrail, éclairait d'un ciel fleuri les tables aux nappes immaculées. Aurélie put se rendre compte que les Snyders n'étaient pas les seules célébrités parisiennes. Madame Alexandra lui chuchota plusieurs grands noms et titres de noblesse de toutes ces dames élégantes et ces messieurs bien mis avec leur queue-de-pie et leur chapeau haut-de-forme. La jeune fille avait l'impression de voir un défilé de couturiers combiné à un défilé de joailliers, tellement les parures étaient remarquables. Plusieurs personnes vinrent saluer les Snyders, et Aurélie put constater que sa robe toute simple faisait quand même un certain effet. Elle avait aussi découvert que la soie, caressant sa peau à chaque mouvement, lui offrait une sensation très agréable. Elle se sentait nue et habillée en même temps. Elle aimait Paris, et Paris semblait l'aimer. En fait, sa jeunesse et sa beauté étaient en cause, apportant une note rafraîchissante à ces aristocrates qui connaissaient à peu près tout le monde. Le repas fut à la hauteur du décor. La sole Albert, hommage au maître d'hôtel, méritait sa réputation, ainsi que le gratin de langoustines, le tournedos de veau en habit de fumé et le perdreau en chartreuse. Aurélie avait envie de piocher dans chaque assiette pour goûter à tout. Les entrées, le vin, les desserts, le café, l'ambiance théâtrale, le service discret et efficace, tout était aussi parfait qu'un rêve. C'est presque à regret que tout le monde se leva de table pour se rendre au Casino de Paris.

La Ville lumière brillait de tous ses feux. Le palais Garnier, chef-d'œuvre de Napoléon III, était magnifique sous les lumières, et le Casino de Paris les accueillit avec ses meilleures tables. Edmond était encore étonné de l'accueil réservé à monsieur Émile alors qu'Aurélie commençait à trouver naturelles les salutations et courbettes devant les Snyders ; elle en avait vu toute la journée. Quand il vit l'affiche du spectacle, Edmond eut un mouvement de recul, se demandant s'il ne serait pas trop osé pour sa fille, mais le champagne l'aida à se rappeler rapidement qu'Aurélie était maintenant une jeune femme élégante qui semblait ne s'étonner de rien. Joséphine Baker entra en scène, caressée par la lumière des projecteurs. Elle n'avait, à trente-deux ans, rien perdu de sa fantaisie ni de son rythme trépidant. Elle avait toujours ses longues jambes fuselées, ses fesses rebondies, et ses seins, à peine couverts de pierreries, restaient fermes. Elle avait remplacé la jupette de plumes de la «Revue nègre» et les bananes de *La Folie du Jour*, son spectacle aux Folies Bergère, par des paillettes qui jouaient sur sa peau d'ébène, lui méritant bien son surnom de Perle noire.

Pendant qu'elle chantait les grands succès qui lui avaient apporté une renommée internationale comme *La Petite Tonkinoise* et *J'ai deux amours*, Aurélie admirait la facilité qu'avait cette femme à bouger son corps, à le rendre désirable tout en restant intouchable. Joséphine Baker aimait parler au public entre les numéros et quand elle demanda s'il y avait des millionnaires dans la salle, Edmond ne put s'empêcher de se lever en prenant le poignet de monsieur Émile, pour qu'il en fasse autant, et de crier: «Y en a deux, icitte», provoquant les rires des spectateurs. Madame Alexandra cacha son sourire de sa main. Jules rougit et eut peur de perdre ce futur associé. Aurélie rit de bon cœur, habituée à la familiarité de son père. Quant à monsieur Émile, il salua l'assistance avec un large sourire, amusé de la spontanéité d'Edmond sur qui le champagne avait un heureux effet. La grande Joséphine leur envoya un baiser de la scène, et le spectacle continua. Les hommes étaient tous fascinés par cette Vénus, et Edmond avait les yeux brillants. Aurélie s'aperçut pour la première fois qu'il n'était pas seulement son père, mais aussi un homme avec des désirs. Elle avait l'impression que, si elle n'avait pas été là, il aurait essayé de se rendre dans sa loge pour voir de près ces grandes jambes et ces petits seins qui bougeaient sans arrêt sur scène. De voir un père asexué se transformer en mâle lui donna un frisson. C'était aussi ça, grandir et devenir une femme.

La dernière journée à Paris fut des plus mouvementées pour Edmond et Jules qui durent courir les boutiques pour rapporter des cadeaux à leur femme et à leurs enfants. Aurélie avait fait admirer à son père la magnifique robe du soir de Schiaparelli, et Edmond, tout content des promesses de monsieur Émile, avait accepté d'en payer le prix. Il avait pensé acheter le collier Comète de Chanel qu'Ariane avait tant désiré, mais il se dit que cette somptueuse robe de soirée ferait oublier l'étoile de diamants. Il ne lui restait qu'à trouver des souvenirs pour les garçons et un jouet pour Muriel. Jules avait plus de problèmes, avec une femme habituée à la rigueur chic de Westmount, plus britannique que parisienne, et de nombreux enfants. Ne voulant pas faire les courses à leur place, Aurélie s'esquiva tôt pour se promener dans Paris, histoire d'apprivoiser la ville, comme disait madame Alexandra.

Elle n'avait pas envie de revoir le faubourg Saint-Honoré, ni les Champs-Élysées, si majestueux soient-ils, encore moins l'Arc de triomphe. Elle cherchait quelque chose de plus intime. Elle longea la Seine, traversa la place de la Concorde, suivit les quais le long du jardin des Tuileries sans s'arrêter, passa le Louvres et traversa le Pont-Neuf pour se retrouver dans le VIe arrondissement. La rue Dauphine l'amena jusqu'au boulevard Saint-Germain. Aurélie vit plusieurs cafés portant de jolis noms, comme Le Flore et les

Deux Magots, et elle poursuivit son chemin, de la rue de Rennes au boulevard Vaugirard, pour aboutir au jardin du Luxembourg où elle se reposa en s'étonnant d'un tel calme au milieu de ce brouhaha parisien. Plutôt que de continuer vers le boulevard Montparnasse, la jeune fille traversa le boulevard Saint-Michel et zigzagua jusqu'à la rue Mouffetard. Elle était trop affamée pour se rendre jusqu'au Jardin des Plantes et remonta vers la Sorbonne pour manger. Elle trouva un café rempli d'étudiants bavards et sérieux qui discutaient ferme de politique et de l'annexion de la Tchécoslovaquie par Hitler. Cette ambiance fiévreuse lui plut et elle resta attablée devant son croque-monsieur et son citron pressé un long moment.

Aurélie avait pensé visiter Montmartre avec sa fameuse butte et la basilique du Sacré-Cœur, mais elle n'avait plus envie de traverser Paris pour se retrouver dans le XVIIIe avec un groupe de touristes. Cet endroit, où avaient vécu Cézanne, Pissarro, Toulouse-Lautrec, Renoir, Monet, Zola, devrait attendre un voyage ultérieur, tout comme la place du Calvaire qui offrait sur Paris une vue qu'on disait imprenable. Aurélie décida de flâner plutôt chez les bouquinistes du Quartier latin. Elle retourna lentement vers l'hôtel des Snyders en passant par le pont de Tournelle, admirant le parvis de Notre-Dame sans pénétrer dans la cathédrale, puis emprunta la rue de Rivoli pour traverser ensuite les Tuileries et atteindre la Seine et le cours Albert Ier. Cette promenade lui ayant pris presque toute la journée, Aurélie fut accueillie par son père inquiet. Il repensait à sa sœur Adélaïde, mais refusa d'en parler à sa fille. Chaque fois qu'il voyait la Seine, ce mauvais souvenir revenait le hanter et il l'enterrait plus profondément.

Edmond avait fait les magasins avec Jules, et les deux hommes avaient détesté leur périple. Jules était revenu avec des foulards de soie pour toutes ses filles, des cravates pour ses fils et un parfum pour Violette. Aurélie était désolée de ce manque d'imagination et très heureuse d'avoir échappé à cette corvée. Après un dîner léger avec les Snyders, question d'accorder un répit à leur estomac après tous ces plats lourds et copieux, ils firent leurs adieux à leurs hôtes, car ils partiraient très tôt le lendemain pour prendre le train à la gare Saint-Lazare pour le Havre.

Les Savard quittèrent Paris sous la pluie, comme si la ville les pleurait. La campagne normande déroula son tapis de verdure devant leurs yeux fatigués. Aurélie embarqua sur le paquebot à regret : le voyage avait été trop court et la traversée de plusieurs jours serait certainement trop longue. Edmond était content des résultats obtenus et Jules planifiait déjà les étapes suivantes. Les deux hommes ne firent que parler affaires pendant la traversée et Aurélie dévora plusieurs livres achetés à Paris, tout en laissant se décanter tout ce qu'elle avait vécu, revoyant de nouveau tous ces lieux magnifiques, sans oublier les yeux changeants de Laurent Dumontel, le fugitif jeune homme dont elle ne savait rien. La statue de la Liberté les accueillit sous le soleil, et les Savard prirent rapidement le train pour Montréal.

Quand l'auto s'engagea dans le rond-point du manoir, Ariane sortit accueillir son mari et sa fille. Elle s'arrêta sur le porche, médusée. La jeune fille souriante qui sortait de l'auto ressemblait si peu à sa petite fille Aurélie ! Elle avait les cheveux plus courts, une démarche assurée, un port de tête de reine et portait une simple robe avec tellement d'élégance qu'elle semblait luxueuse. Aurélie ouvrit les bras et embrassa sa mère sur les joues. Celle-ci se laissa faire en se demandant où était passée sa petite fille en moins d'un mois. Quand Edmond l'embrassa à son tour, Ariane sursauta. Elle ne rêvait donc pas ! Elle leur sourit enfin, heureuse de les revoir. Aurélie retrouva la petite Muriel qui avait encore grandi. L'enfant grimpa sur elle et serra son cou entre ses petits bras en riant. Les garçons étaient au pensionnat. Quand elle vit la robe de soirée qu'Edmond lui rapportait, Ariane bondit de joie et voulut l'essayer tout de suite. Aurélie partit avec Muriel se promener dans le parc pour laisser ses parents faire de réelles retrouvailles. Le souvenir des cuisses de Joséphine Baker encore frais dans sa mémoire, elle se dit que sa mère avait une forte concurrence. Quand elle revint à l'intérieur, Ariane était tout sourire, son père aussi, comme si la fatigue et la tension du voyage s'étaient envolées. Aurélie ressentit une pointe de jalousie. Elle aurait aimé aussi qu'un beau jeune homme la prenne dans ses bras et l'embrasse passionnément, un jeune homme aux yeux changeants de préférence.

La photographe avait passé l'après-midi dans la grande serre, près du manoir. Le parfum de la rose de Dijon avait imprégné jusqu'à sa peau. L'odeur doucereuse et discrète s'était faite envahissante avec les heures. Lorraine avait pris beaucoup de photos. Le ciel gris, qui déposait à l'occasion des gouttelettes sur les panneaux de verre, donnait un éclairage doux un peu bleuté, contrastant avec les centaines de fleurs aux teintes pastel et chaudes de crème et de rose. Les deux femmes s'étaient assises dans des fauteuils d'osier blancs presque au centre de la serre, face à des rangées de roses courant sur des treillis, les enfermant dans une bulle humide et tiède. Aurélie s'était transformée, rajeunissant à l'évocation de tous ces souvenirs heureux. Quand elle avait parlé du beau Laurent, elle avait fixé Lorraine un long moment. Celle-ci avait senti le courant passer et avait aussi compris pourquoi Aurélie avait tellement insisté pour lui raconter son histoire. Laurent avait des yeux pers, comme elle.

– C'est la couleur de ses yeux qui vous a séduite?

– C'était plus que ça, mais disons que c'est la première chose que j'ai vue chez lui. Tu dois savoir ce que c'est, plus d'un homme a dû te dire que tu as de beaux yeux.

– Oui, mais je crois que la couleur des yeux était secondaire pour eux. Disons que le sujet offre une entrée en matière différente. Ils n'ont pas à me demander : « C'est quoi, ton signe ? »

— Et ça t'évite de leur dire que tu es gémeaux.

— Comment le savez-vous ?

— Simple intuition. J'ai faim. Si nous rentrions manger ? J'ai une belle histoire d'amour à te raconter et ça demande un estomac satisfait.

Lorraine suivit Aurélie au manoir. Elle avait parfois l'impression d'être prise dans un piège, douillet, invisible, mais un piège tout de même. Cette vieille dame semblait en savoir beaucoup sur elle et devait avoir tout un réseau d'informateurs. Quelques vieux bonzes du gouvernement lui étaient peut-être encore fidèles. Aurélie était certainement du genre à engager un détective pour fouiller le passé de son entourage, question de s'assurer de sa loyauté. Elle avait dû apprendre tous ces trucs quand elle était femme de politicien. Elle avait pourtant mené une vie assez discrète pendant les années où son mari avait été ministre. Lorraine ne se souvenait pas d'avoir lu grand-chose sur elle dans les journaux. Tellement que son mari avait souvent l'air d'un célibataire. La vieille dame lui racontait candidement sa jeunesse et Lorraine se disait qu'elle mettrait certainement des bémols pour parler de sa vie publique.

De toute façon, de quoi avait-elle à se plaindre ? Le temps passait rapidement. Des nombreuses photos prises, certaines seraient sans doute magnifiques. Et Aurélie lui rappelait la vie que sa mère aurait pu avoir si elle n'avait pas passé son adolescence dans un couvent. Lorraine repensa à l'amant présumé de Jeanne. Comment avait-elle pu parler de cela à Aurélie ? Sa mère était sortie du couvent et s'était mariée peu après, totalement ignorante de la sexualité et avec un lourd bagage de peurs dont elle avait mis des années à se débarrasser, si encore elle avait réussi un jour à s'en défaire totalement. Jeanne avait envié plus d'une fois la liberté qu'avaient connue ses enfants à la fin des années soixante. Ces bijoux n'étaient sans doute qu'un héritage d'une vieille tante détestée et bannie de la famille. Lorraine chercha la coupable et ne se rappela aucune parente bannie. À moins que Jeanne ne les ait volés. Impossible, elle était l'honnêteté même. Un jour, elle avait trouvé un porte-monnaie avec des cartes de crédit et plus de deux cents dollars à l'intérieur. Elle avait immédiatement appelé sa propriétaire pour le lui restituer et avait refusé les cinquante dollars que la femme avait voulu lui donner. Comment aurait-elle pu voler des bijoux et à qui? Lorraine sentait une migraine se pointer. Elle aurait fait un bien mauvais détective. Elle ne faisait qu'émettre des hypothèses qu'elle renversait ensuite comme une crêpe.

Simone avait dressé une petite table dans la salle de séjour de la tourelle avec trois couverts. On mangerait donc entre femmes, ce soir. Simone parlait très peu et semblait ne pas écouter la conversation, mais Lorraine était certaine qu'elle ne manquait aucun des propos de sa patronne. Jean-Paul était parti faire des courses à Montréal et ne reviendrait que dans la soirée.

Edmond avait été si occupé qu'il n'avait pas ressenti l'absence aussi fortement qu'Ariane. Celle-ci avait eu l'impression que même le courant du fleuve avait ralenti. Elle avait passé ces longs moments cloîtrée, sans même prendre de nouvelles de ses belles-sœurs, de sa mère et de ses sœurs. Elle s'était figée dans son décor en attendant le retour de celui qui briserait le sort. Ariane ne se doutait pas que sa fille serait celle qui bouleverserait tout. Aurélie ne cessait de parler de madame Alexandra, de tout ce qu'elle avait vu et surtout appris. Elle reprenait sa mère sur tout, les manières à table, la façon de poser les couverts, de manger sans changer sa fourchette de main, de se servir d'une serviette de table délicatement, de ne pas laisser de trace de rouge sur un verre, de s'asseoir sans racler le plancher avec sa chaise, de croiser les jambes avec élégance. La petite Muriel en faisait aussi les frais. Aurélie corrigeait son langage balbutiant. En somme, elle devenait insupportable. Edmond dut s'en mêler pour retrouver la paix familiale. Les garçons allaient bientôt revenir du collège et ce serait l'enfer si sa fille continuait de jouer les régentes.

Aurélie oublia un peu l'étiquette et se tourna vers l'œuvre qu'elle voulait mettre sur pied : la création d'un hôpital dans la région. Sorel ne possédait qu'un petit hôpital privé de quelques chambres offrant le minimum en soins de santé. Ariane ne montra pas beaucoup d'enthousiasme, mais accepta de réunir ses belles-sœurs pour en discuter. Il était temps d'animer le manoir et d'y organiser une fête champêtre. Les femmes, surprises de cette invitation et curieuses d'en savoir plus sur ce voyage dont leur mari avait si peu parlé, se retrouvèrent un après-midi au manoir. L'été s'installait; l'année scolaire allait se terminer dans quelques jours et elles profitaient de leurs dernières journées de tranquillité avant les grandes vacances. Violette se pointa avec ses deux filles aînées en Rolls Royce, Rosemarie et Mathilde arrivèrent ensemble et Antonine se fit attendre, voulant bien montrer qu'elle n'aimait pas particulièrement ces réunions oisives qui la tenaient loin des siens. Elles retrouvèrent Ariane qui ne changeait pas, élégante et excentrique dans son pantalon de toile blanc et son chapeau à larges bords, et elles restèrent toutes bouche bée en voyant Aurélie. Sa robe blanche toute française, sa nouvelle coupe de cheveux, son assurance, sa façon de parler différente, tout disait qu'elle était devenue une femme décidée à changer les choses. Ses deux cousines, Eugénie et Émilie, lui en voulaient encore d'être allée en France alors que leur père avait refusé de les y amener, et de la voir ainsi transformée aiguisa encore plus leur désir de vengeance. Mais Aurélie les ignora pour se concentrer sur ses tantes. Elle refusait le rôle de figurante et n'avait pas peur d'aller à l'encontre de la hiérarchie.

Aurélie prit la parole avec aplomb pour résumer leur voyage d'affaires. Elle n'évoqua pas les nuits parisiennes ni les yeux verts de Laurent, mais parla longuement du Creusot, la ville montée de toutes pièces par la famille Snyders.

Elle mentionna à plusieurs reprises la famille Savard comme une entité en soi et, finalement, offrit aux femmes Savard l'occasion de participer au développement de la région, de laisser leur empreinte, non seulement par leur descendance, mais aussi par leurs réalisations. Les hommes s'occupaient du travail; elles s'occuperaient du bien-être de la population en fondant un hôpital. Un silence suivit son exposé.

Violette ne s'attendait pas à une si grande confiance et à une telle volonté de la part d'Aurélie. Elle était furieuse de ne pas avoir été avisée par son mari de ce projet. Jules lui avait parlé vaguement de leur succès en France, disant qu'il avait, avec Edmond, réussi à charmer le vieil Émile. Il n'avait jamais décrit le rôle d'Aurélie, comme si elle avait simplement fait partie du décor. Violette regarda ses deux filles qui lissaient des plis imaginaires sur leur robe et s'ennuyaient ferme sans essayer de le cacher. Elle se disait qu'elle devrait être la première à s'engager, mais elle ne trouvait pas les mots pour le faire. Elle ne se sentait plus autant concernée par la région, même si toute sa famille continuait d'y vivre.

Mathilde avait été aussitôt conquise par cette idée et pensait au moyen d'arriver à implanter un hôpital dans une ville de quelques milliers d'habitants seulement. Il fallait trouver non seulement des fonds, mais aussi du personnel soignant. La plus surprise était Antonine qui trouvait que la fille de cette dévergondée d'Ariane avait les nerfs solides, l'audace de son père et, malgré tout, une visée chrétienne. Rosemarie, si discrète, se leva spontanément et déclara qu'elle ferait tout ce qui était en son pouvoir pour réaliser cette belle œuvre. Combien cela coûterait-il? Aurélie fut embarrassée par cette question, n'ayant aucune idée des coûts ni des démarches à suivre. Devant son hésitation, Antonine vola à son secours.

– Je connais bien les religieuses hospitalières de Saint-Joseph à Campbelton. Je pourrais leur écrire pour leur demander des renseignements.

Violette ne pouvait plus rester spectatrice. Elle avait épousé l'aîné des Savard et se devait de donner l'exemple.

– Je vais aller voir le ministre Cardinal. Il pourra aussi nous aider. Il faut bien un terrain pour bâtir cet édifice.

– Et des plans, des architectes.

– Des équipements médicaux modernes, des médecins, des infirmières.

Toutes parlaient en même temps en faisant la liste des nombreux besoins. Sortant de leur léthargie, Eugénie et Émilie se portèrent volontaires pour s'informer auprès des hôpitaux montréalais des plus récentes technologies. Mathilde parla d'une collecte de fonds pour ramasser l'argent nécessaire. Aurélie souriait devant ce brouhaha soudain. La petite graine de l'hôtel-Dieu venait d'être plantée. Elle prendrait des années à pousser, mais des mains généreuses la nourriraient patiemment. Ariane regardait le succès de sa fille avec plaisir. Celle-ci avait réussi à rassembler les femmes du clan et à leur donner un objectif commun. Elles se trouvèrent un autre but : se préparer à la visite des Snyders en juillet. Elles bombardèrent Aurélie de questions : comment se vêtir, se comporter envers eux ? La jeune fille parla du château de la Verrerie, de celui d'Apremont-sur-l'Allier, de l'hôtel particulier au bord de la Seine et elle réussit à intimider tout le monde, même ses deux cousines qui frayaient avec les Anglais de Westmount.

Dans les semaines qui suivirent, elle reçut de nombreux appels de détresse : les unes lui décrivant une robe pour lui demander si elle conviendrait, les autres se renseignant sur la cuisine française. Aurélie était soudain devenue une référence auprès de ses aînées et ce rôle lui plaisait énormément. Mais sa plus grande joie, elle la reçut par courrier. Madame Alexandra lui annonçait son arrivée en mentionnant qu'elle et son mari seraient accompagnés d'un jeune ingénieur, histoire d'évaluer le potentiel des usines Savard. Et cet ingénieur n'était autre que Laurent Dumontel. Aurélie en trembla pendant des heures. Il serait là, elle le reverrait. Elle remercia secrètement madame Alexandra, sachant fort bien que cette idée venait d'elle.

Le grand jour arriva enfin. Jules et Edmond se rendirent à la gare avec la Rolls Royce et une Cadillac pour accueillir les Snyders à Montréal. Aurélie avait insisté pour les y accompagner et son père avait accepté en raison de la lettre personnelle de madame Alexandra. Aurélie avait revêtu la robe blanche qu'elle avait achetée à Paris, un chapeau de paille à larges bords et des gants de dentelle. Elle avait la gorge nouée comme une jeune mariée qui attend son élu devant l'autel. Tous les trois postés sur le quai, ils virent débarquer le couple Snyders, suivi du majordome de Monsieur et de la femme de chambre de Madame, de vingt-deux valises et d'un beau jeune homme aux yeux verts. Pendant que le couple Snyders s'installait dans la Rolls avec Jules et Edmond, Aurélie se dirigea vers la Cadillac pour rejoindre le personnel, mais madame Alexandra lui fit signe de monter avec eux. La vieille dame voulait lui parler et surtout calmer son impatience. Edmond n'avait rien vu pour l'instant, et elle ne voulait pas qu'il se rende compte tout de suite que sa fille n'avait d'yeux que pour Laurent. Aurélie, déçue, comprit la « raison d'État » et se plia de bonne grâce à la demande de sa protectrice. Les Snyders regardèrent la ville autour d'eux, mais ne virent pas grand-chose, le trajet étant très court jusqu'à l'immense manoir anglais de Jules, perché sur le flanc du mont Royal.

Madame Alexandra admira ce côté si britannique des pierres grises et des fenêtres à carreaux. Il ne manquait que le brouillard pour se croire en Angleterre. Le personnel stylé les attendait en haie d'honneur pendant que Violette descendait les marches du perron pour les accueillir, suivie de ses enfants par ordre d'âge. À part Adrien, l'aîné, qui portait un complet gris, les garçons avaient revêtu leur blazer marine et leur cravate rouge et noire de l'école privée ; les filles, des robes de percale cintrées et imprimées de petits motifs aux couleurs pimpantes. Il régnait un protocole un peu empesé et Aurélie sourit de voir à quel point les Snyders intimidaient. Mais sa principale préoccupation était Laurent qui descendit de la Cadillac avec la femme de chambre en riant. Aurélie ressentit une douleur qui vint lui transpercer l'estomac. La femme de chambre, jusque-là anonyme, d'un âge moyen et sans rien de particulier, prenait soudain une importance que la jeune fille aurait voulu ignorer. Aurélie sentit qu'on prenait doucement son bras. Madame Alexandra lui souriait en l'obligeant à entrer dans la maison.

Du thé ou du café attendait les visiteurs au salon avec des pâtisseries « françaises » que Violette avait commandées pour l'occasion. Monsieur Émile préféra un cognac et un bon cigare tandis que madame Alexandra accepta une tasse de thé sans toucher à ces choses sirupeuses ou noyées de crème chantilly. Violette, nerveuse, regardait ses plateaux d'argent couverts de gâteaux colorés en les détestant alors que ses enfants salivaient déjà, se préparant à les engloutir dès que les adultes auraient quitté la pièce. Aurélie n'avait qu'une envie : en finir avec les banalités d'usage sur le voyage et le climat. Madame Alexandra lui souriait souvent, s'amusant du jeu secret qui se jouait dans ce grand salon à l'imposant mobilier d'acajou à pattes de lion, si britannique, et aux lourdes tentures de velours rouge qui donnaient un aspect encore plus théâtral à ces conversations mondaines et insipides. Prétextant la fatigue du voyage, la vieille dame déclara qu'elle voulait se dégourdir les jambes et alla se promener au bras d'Aurélie dans le petit jardin anglais aménagé autour de la luxueuse résidence. La jeune fille attendait ce moment depuis longtemps.

– J'ai de bonnes nouvelles pour vous, ma chère. Il n'est pas marié. Attention, ne sautez pas de joie et soyez discrète. Vous avez un sourire si épanoui que vos charmantes cousines, qui vous surveillent tout le temps, pourraient soupçonner quelque chose. Je disais donc qu'il n'est pas marié. Il vit avec sa sœur et sa mère, veuve. Un jeune homme de bonne famille et un employé loyal.

– Je vous suis si reconnaissante de l'avoir invité ici.

– L'idée est de mon mari, et je l'ai approuvée, bien sûr. Mais ne croyez pas que je suis une entremetteuse. Seulement, il m'a semblé qu'il vous avait aussi remarquée. Peut-être en raison de la brioche tombée dans le chocolat qui l'a fait sourire.

– Il vous a dit ça ?

– Vous ai-je déjà dit que j'avais une femme de chambre en or? Hélène sait poser les bonnes questions au bon moment.

– Elle est donc au courant?

– Ma chère, dans ce monde, nous avons tous besoin d'alliés. Et les amours de jeunes filles nous passionnent, nous les femmes. C'est une façon de nous rappeler notre jeunesse et les efforts que nous avons déployés pour plaire.

Madame Alexandra se tut et fixa une branche d'érable devant elle. Aurélie se demandait ce qu'elle voyait vraiment : sa première rencontre avec monsieur Émile, les bals de sa jeunesse aristocratique ou un amant de passage, oublié par devoir? Elle n'osa pas poser la question et attendit que la vieille dame revienne au moment présent. Le temps pressait un peu; elle devait retourner à Sorel dans la soirée et il lui faudrait attendre une journée pour les rejoindre au camp de la haute Mauricie.

– Venez, rentrons, nous avons l'air de deux conspiratrices.

– Et lui, qu'est-ce qu'il pense de moi?

– Vous le saurez bientôt.

Eugénie et Émilie n'avaient pas perdu de temps. Assises sur le grand canapé du salon, elles encadraient le jeune ingénieur qui avait une tasse de café dans une main et une assiette de petits gâteaux dans l'autre. Il cherchait à poser ses gâteaux quelque part sans être impoli au point de se lever. Jules le tira de cette situation quand il lui demanda de les accompagner dans son bureau. Laurent se leva, reconnaissant, et croisa le regard d'Aurélie qui entrait avec madame Alexandra. Elle avait de jolis yeux bleus, un sourire engageant, une taille fine et de belles jambes, tout pour lui plaire. Mais il savait qu'elle était la protégée de la femme du patron, donc à approcher avec circonspection.

Le repas du soir fut guindé à souhait, mais la nourriture, excellente. Aurélie dut s'asseoir près des Snyders, loin de Laurent qui se trouvait de nouveau entouré des filles aînées de Jules et de Violette. Même la cadette, Charlotte, qui avait douze ans, s'intéressait à ce beau jeune homme alors que ses frères plus âgés se montraient curieux de comparer la chasse et la pêche de la région du Creusot à celles de la Mauricie. Le repas terminé, Aurélie partit à regret avec son père pour Sorel. Laurent la salua poliment, sans laisser paraître un intérêt particulier. Il avait simplement les yeux encore plus verts quand il la regarda. Aurélie lui tendit la main pour pouvoir toucher sa peau et elle en frissonna longtemps dans l'auto qui la ramenait au manoir.

Edmond observa sa fille un long moment. Il n'avait pas été sans remarquer les regards plus ou moins furtifs qu'avaient lancés au jeune ingénieur presque toutes les femmes présentes au dîner. Le silence d'Aurélie était éloquent. Elle allait fêter ses seize ans dans trois jours et, pour la première fois, ce ne serait pas au manoir mais au camp de pêche. Ariane s'en était plainte : il n'y aurait pas de fête grandiose. Mais Edmond savait que le temps des clowns et des magiciens était révolu. Sa fille était assez grande pour vouloir un homme comme cadeau et c'était la dernière chose qu'il voulait lui offrir. Il se sentit particulièrement impuissant, ce soir-là. Tout semblait se mettre en place sans lui. Les temps d'incertitude, comme ceux des défis, étaient passés. Monsieur Émile et Jules discutaient maintenant de choses pratiques. Edmond revoyait le visage sérieux et intelligent de Laurent et se disait qu'il aurait pu faire un gendre parfait. Mais il avait un gros handicap : il était Français, et jamais Edmond ne permettrait à sa fille d'aller vivre en France. Sa princesse était une Savard, et une Savard ne s'exilait pas. Sa sœur Adélaïde l'avait fait et elle en était morte. Il préférait enfermer sa fille à double tour.

Aurélie dormit peu. Elle rêvait de Laurent, puis son visage disparaissait sans raison et elle se réveillait, angoissée. Elle vit le soleil se lever et s'endormit profondément. Quand elle ouvrit les yeux de nouveau, il était près de dix heures et Ariane frappait à sa porte pour lui dire de se préparer, car ils partaient bientôt. Aurélie se leva et s'habilla en vitesse. Lorsque Ariane la vit avec son pantalon et son veston parisien, elle lui demanda où elle allait habillée comme ça.

– Le pantalon est plus confortable.

– Nous allons au camp de pêche. Tu seras ridicule avec ce pantalon trop chaud pour la saison. Mets un pantalon de plage, on va certainement se baigner.

– Je n'en ai aucun d'élégant.

– Regarde dans ma garde-robe, tu en trouveras certaine-ment un qui te plaira. Et pourquoi ce rouge à lèvres ? Tu veux charmer les poissons du lac ?

Aurélie remonta, furieuse, changer de vêtements. Edmond sourit à Ariane.

– Tu sais quelque chose que j'ignore ?

– Ma chérie, je crois que notre fille est amoureuse, comme toutes ses cousines d'ailleurs.

– Quoi ?

– Tu vas faire la connaissance d'un jeune ingénieur fort séduisant. Et nous veillerons tous les deux sur elle. Elle a l'âge des amourettes et je ne veux pas que ça aille plus loin que ça.

Ariane se sentit soudain abattue. Sa petite fille était déjà amoureuse ! Comment le temps avait-il pu passer si vite ? Edmond dut sentir sa détresse, car il s'approcha d'elle et posa un baiser sur sa nuque tout en caressant son dos. Elle aurait normalement réagi en se tournant vers lui, mais elle se sentait amorphe, comme si on avait coupé tous ses nerfs d'un coup de ciseau.

— En fait, j'ai même peur qu'il te séduise aussi. Ariane réagit enfin.

— Voyons, c'est ridicule, à mon âge…

— Comment ça, à ton âge ? Une femme d'expérience est toujours tentante pour un jeune homme. Et il y a certains moments dont je me souviens très bien. Le maillot de bain sur le Normandie ou…

— Arrête, nous étions mariés. Mais si notre fille décidait de… enfin, tu sais… quelle honte ! Mon Dieu, je parle comme ma mère !

Ariane revoyait le beau pianiste qui lui avait inspiré un tel désir. Sa fille passerait ses journées en maillot de bain. Il faisait si chaud qu'elle ne pourrait pas l'en empêcher. Cependant, il y aurait tellement de gens dans ce camp de pêche que tout le monde surveillerait tout le monde, à commencer par Eugénie et Émilie. Cette idée la réconforta à peine. Toute la famille d'Edmond s'engouffra dans la Cadillac, puis prit le traversier pour atteindre Saint-Ignace-de-Loyola sur la rive nord. La route vers Saint-Alexis parut longue à tous les occupants de la voiture. Il faisait chaud. Muriel ne tenait pas en place et Aurélie passa son temps à essayer de la calmer, ce qui lui fit oublier pendant un moment le beau Laurent. Charles et Roland, âgés de treize et douze ans, se chamaillaient sans arrêt, juste pour le plaisir. Roland, le cadet, imitait son frère en tout, tellement qu'ils avaient l'air d'étranges jumeaux. Charles, costaud et frondeur, était toujours suivi de Roland, plus mince et fragile. Ils avaient établi une complicité qui excluait le reste de la famille. Vivant soudés durant ces années de pensionnat à Saint-Hyacinthe et, maintenant, au Collège Sainte-Croix, ils étaient inséparables. Muriel, encore un bébé, les ennuyait, et Aurélie, cette jeune fille qui se prenait pour une femme, était trop vieille pour eux. Ils avaient donc créé un monde clos et un langage à eux pour se moquer de leurs professeurs, de certains camarades de classe et aussi, parfois, de membres de leur famille. Seul Edmond avait droit de leur part à une admiration sans faille. Il regardait ses fils grandir et se rapprochait d'eux, voyant dans leur complicité les liens qui l'avaient de tout temps attaché à Jules. Il se disait qu'Aurélie, mariée, délaisserait peu à peu ses affaires pour se consacrer à sa propre famille. Edmond trouvait plus préoccupant le choix d'un gendre.

Quand leur voiture s'arrêta devant l'imposant camp en bois rond de deux étages, Edmond, Ariane et leurs enfants le trouvèrent presque désert. Les jeunes étaient partis avec Hélène en canot pour se baigner sur la petite île pendant que Jules et monsieur Émile taquinaient le poisson près de la décharge de l'immense lac. Il n'y avait que Violette et madame Alexandra qui avaient élu domicile dans la véranda entourée de moustiquaires, prenant le thé servi par Cyprien, le vieux majordome, lequel avait refusé de se baigner et conservait ses vêtements amidonnés et impeccables avec un flegme tout britannique.

Madame Alexandra fut ravie de faire enfin la connaissance d'Ariane, qu'elle trouva «délicieuse». Aurélie boudait dans son coin, furieuse d'être arrivée si tard et d'avoir été abandonnée par ses cousines. Charles et Roland s'empressèrent d'aider leur père à préparer la dernière embarcation qui restait sur la plage. Aurélie cherchait un moyen de rejoindre Laurent. L'île était assez éloignée, trop pour s'y rendre à la nage. La jeune fille vit alors un canot quitter l'îlot et venir en direction du chalet. C'était Hélène, la femme de chambre de madame Alexandra, qui revenait avec Laurent et Adrien. Ils accostèrent doucement pendant qu'Edmond partait avec ses fils pour aller retrouver monsieur Émile. Quelques années à peine séparaient Adrien, futur avocat, et Laurent, nouvel ingénieur, et ils avaient l'air de s'entendre à merveille. Aurélie se demanda comment exploiter cette complicité. Hélène sortit la première, se disant épuisée d'avoir tant nagé dans cette eau froide. Désireuse de se reposer à l'ombre, elle monta dans la véranda. Ayant une folle envie de se baigner, et surtout de montrer son joli maillot de bain à Laurent, Aurélie demanda à Adrien si elle pouvait emprunter son canot. Son cousin lui répondit qu'il en avait besoin pour aller pêcher, mais qu'il pouvait l'amener à la plage de l'île si elle le désirait. La jeune fille laissa glisser son pantalon de plage, dévoilant de fines jambes et un maillot de bain rouge et blanc. Laurent se tourna alors vers Adrien.

— Tout compte fait, je vais retourner à la plage aussi.
— Et la pêche?
— Un peu plus tard, si ça vous convient?
— Pas de problème.

Laurent tendit la main à Aurélie pour l'aider à monter dans l'embarcation. N'ayant pas une grande expérience en ce domaine, il fit un mouvement brusque, prit la main de la jeune fille et l'entraîna sur le côté, faisant chavirer le canot. Ils se retrouvèrent tous les trois à l'eau. Le grand cri que poussa Aurélie attira Ariane et Violette qui se précipitèrent sur le quai. Madame Alexandra resta dans la véranda avec Hélène et sourit.

— Je ne le savais pas maladroit.

— Je ne suis pas certaine, madame, qu'il soit maladroit. Il a réussi à la saisir par la taille et à la tenir contre lui.

— Il aura l'embarras du choix avec les deux cousines plus âgées.

— Elles sont un peu insipides et se cherchent ouvertement un fiancé. Mademoiselle Aurélie a plus de caractère.

— Elle a aussi la tête à faire des bêtises. J'espère que nous n'aurons pas d'ennuis avec ses parents. Je ne voudrais pas qu'ils m'accusent d'avoir débauché leur fille.

— Ne vous en faites, madame, Laurent est un garçon responsable et il sait très bien que la jeune fille est votre protégée.

— Surveillez-la quand même, Hélène. Cette petite est une passionnée.

Ariane trouvait Laurent séduisant, mais elle était rassurée par la présence d'Adrien, l'aîné de Jules étant aussi sérieux que son père. Elle remonta avec Violette la pente herbeuse qui menait à la véranda. Leurs enfants avaient retourné le canot pour vider l'eau et étaient partis en direction de la petite île. Aurélie, la surprise passée, retrouva ses gestes habituels. Faisant du canot depuis qu'elle était toute petite, elle se mit à pagayer doucement, suivant le rythme imposé par Adrien assis à l'arrière. Laurent était installé au milieu, comme un explorateur français encadré de deux sauvages. Il pouvait admirer les bras et les épaules bronzés d'Aurélie, ses cheveux mouillés qui dégoulinaient le long de son dos, sa taille fine et ses fesses rebondies sur la planchette de bois. Son corps en forme de violoncelle était vraiment attirant. Laurent s'efforçait de regarder de temps en temps la rive et l'île au loin pour refroidir ses ardeurs. Aurélie tournait la tête à l'occasion pour regarder Laurent et aussi pour faire des signes à Adrien. Habitués à pagayer tous les deux, ils avaient appris à ne pas parler pour ne pas effrayer les canards, à l'automne, et à indiquer par gestes la direction à prendre avec l'embarcation.

D'un signe de tête d'Adrien, le canot obliqua vers la gauche et s'éloigna de l'île, glissant sans bruit le long des berges. Ils arrivèrent dans une petite baie peu profonde et laissèrent le canot continuer sur sa lancée, leurs pagaies à fleur d'eau pour le diriger lentement vers le fond de la baie. Aurélie se tourna vers Laurent et lui fit signe de ne pas faire de bruit. Ils avançaient maintenant sur un tapis de nénuphars qui frottaient les flancs de l'embarcation. Le canot s'arrêta de lui-même. Personne ne bougeait. Laurent fixait le fond de la baie en se demandant ce que ses deux compagnons attendaient. Il entendait un petit ruisseau qui alimentait le lac, mais il ne pouvait pas le voir dans la végétation dense qui le couvrait. Puis il vit un animal près des joncs. Sa tête plongeait dans l'eau et en ressortait en mastiquant. Il semblait manger les racines des nénuphars. La bête leva la tête. C'était un petit orignal. Sa mère était près de lui, les pattes dans la vase, surveillant les alentours. Elle regarda le canot et ses trois occupants un long moment, sans bouger. Laurent retenait son souffle. L'animal pencha la tête vers son petit et, à ce signal, celui-ci s'enfonça sous la végétation, suivi de sa mère. Le silence revint. Personne ne bougeait. Un huard appela au loin. Laurent fixait le dos d'Aurélie, ému. Il avait envie de s'enfoncer dans cette forêt avec elle et de s'y perdre pour toujours. Elle se tourna de nouveau et lui sourit.

— C'est beau, non ?

— Magnifique.

— On a été chanceux, ils viennent manger un peu plus tôt dans la journée normalement, mais ils ont dû être dérangés ce matin.

— Ils n'ont pas eu peur de nous.

— Ils savent que ce n'est pas la saison de la chasse. Ils sont plus difficiles à approcher en automne.

— Vous en avez déjà tué un ?

— Non, je ne chasse pas. C'est le travail d'Adrien, pas vrai ?

— Je préfère la chasse aux canards dans les îles de Sorel. Alors, on va à la plage ? Je commence à avoir faim et les filles ont le panier à pique-nique sur l'île.

Aurélie n'était pas pressée de retrouver ses cousines, mais elle avait aussi une faim de loup, n'ayant rien mangé depuis son réveil tardif. Elle remerciait la mère orignal d'être venue là avec son petit, réussissant à impressionner ce beau Français dès son arrivée. Glissant rapidement sur l'eau, le canot contourna l'île pour accoster une plage de sable doré. Les cousines d'Aurélie étaient étendues au soleil pendant que leurs frères se lançaient un ballon, les pieds dans l'eau. Eugénie et Émilie se réjouirent de voir revenir Laurent, même si cela les étonna, puisqu'il avait assuré que l'eau était trop froide pour se baigner et qu'il préférait aller pêcher. Mais elles déchantèrent quand elles aperçurent Aurélie qui, s'étant attardée près du canot, arriva un instant après lui. Laurent parla des deux orignaux, qu'il appelait « élans », et les filles comprirent, au sourire d'Aurélie, que la partie serait difficile à gagner. Jouant les indépendantes, Aurélie se jeta sur le panier de nourriture, suivie de près par les autres. Une fois ses sandwichs au jambon et au poulet avalés, elle se dirigea vers l'eau. Eugénie lui cria de ne pas se baigner, car comme elle venait tout juste de manger, elle pouvait avoir des crampes et se noyer. Aurélie ne l'écouta pas ; elle comptait sur un sauveteur. Après avoir assuré à Eugénie que l'important était de ne pas s'éloigner de la rive, Laurent s'avança lui aussi dans l'eau. Elle était glacée et il se demanda comment pouvait faire Aurélie pour y nager comme un poisson. La jeune fille suivit la berge en direction de l'autre versant de l'île. Il n'y avait plus de plage. Seuls de petits arbustes couraient sur la rive. Aurélie sortit de l'eau et s'engagea dans un minuscule sentier qu'elle connaissait. Comme prévu, Laurent la suivit. Il la trouva assise sur le tronc d'un arbre mort et prit place à ses côtés en grelottant. Le soleil le réchauffa doucement.

— C'est un endroit secret ?

— Pas pour longtemps. Eugénie connaît l'île comme sa poche et elle va rappliquer à travers les buissons… et s'écorcher les jambes sur les branchages.

— Vous ne l'aimez pas beaucoup.

— Je n'ai rien contre elle, mais elle aime trop jouer la fille aînée pour tout le monde, étant l'aînée du fils aîné des Savard. On la traite souvent d'aînesse en faisant « hi han, hi han ».

Ils rirent tous les deux, puis le silence retomba. Aurélie n'osait pas regarder Laurent. Elle jouait avec ses orteils dans le sable et sentait son cœur battre trop fort. Elle savait qu'il la regardait et cela la mettait encore plus mal à l'aise. Des bruits de branches se rapprochaient. Aurélie avait les mains sur les cuisses et ses doigts se crispèrent. Laurent glissa sa main dans la sienne et approcha sa bouche de son oreille.

– Allons nous baigner.

Et il l'entraîna vers le petit sentier en courant. Ils traversèrent les buissons et se retrouvèrent dans l'eau. Il lui souriait. Ses yeux n'avaient jamais été aussi verts. Elle le fixait, immobile. Il approcha son visage, elle ferma les yeux, il déposa ses lèvres sur les siennes et elle sentit un volcan faire éruption dans sa poitrine. Il l'enlaça et ils plongèrent ensemble sous l'eau. Quand ils remontèrent, ils entendirent Eugénie.

– Ils ne sont pas là mais le tronc d'arbre est encore mouillé, ils ont pris le sentier.

Comme des enfants qui jouent à cache-cache, Laurent et Aurélie replongèrent pour ressortir plus loin, sous les branches d'un maigre saule qui s'avançait au-dessus de l'eau. Ils s'y cachèrent en souriant. Ils virent Eugénie et Émilie entrer dans l'eau pour partir à leur recherche, puis nager loin d'eux, en direction de la plage. Aurélie se tourna vers son compagnon et avança son visage pour un autre baiser. Ils s'embrassèrent, puis Laurent se ressaisit.

– Rentrons, ils vont s'inquiéter.

– Qu'ils s'inquiètent.

– Je parlais de vos parents et de mes patrons.

– D'accord, je ne veux pas que tu aies des ennuis. On peut se tutoyer, tu sais, ici tout le monde le fait, sauf pour les gens âgés qu'on vouvoie… Un dernier baiser ?

– Tu es gourmande.

Elle sourit, il l'embrassa de nouveau et ils nagèrent vers la plage où tout le monde ramassait ses affaires pour regagner le chalet. Eugénie et Émilie les boudèrent en les ignorant. Les trois plus jeunes frères partaient déjà avec le deuxième canot. Adrien terminait de ranger les paniers dans son canot et se tourna vers ses sœurs.

– Je fais un premier voyage au chalet. Vous embarquez avec moi ou vous restez ici ?

– On n'a pas fini de plier les serviettes. Embarque ces deux-là.

Laurent sourit et se dirigea vers le canot avec Aurélie, radieuse. Le bonheur qui se lisait sur leur visage ne passa inaperçu pour personne. Monsieur Émile avait fait une pêche fructueuse avec Jules. Edmond les avait rejoints avec ses fils et ils avaient passé des heures à l'ancre, à lancer leurs appâts et à écouter le ronron des moulinets. Le calme du lac n'était interrompu que par des cris de joie qu'ils poussaient chaque fois qu'ils attrapaient un poisson. Monsieur Émile débarqua du canot avec un large sourire et fut accueilli par les exclamations de sa femme. Tous deux avaient rajeuni et ressemblaient à des adolescents en vacances. Les hommes nettoyèrent leurs poissons et allumèrent un feu pour les faire griller. Les femmes préparèrent des pommes de terre que les hommes firent cuire sur la braise. Les enfants cherchaient de petites branches fines pour enfiler les guimauves plus tard dans la soirée. Le camp était un immense bourdonnement. Madame Alexandra s'émerveilla de voir son mari participer à cette vie si «nature» et pela elle-même quelques pommes de terre avec un entrain qui fit sourire Ariane et Violette.

Laurent et Aurélie avaient beau faire de gros efforts pour ne pas se regarder dans les yeux, tout le monde savait qu'ils cachaient quelque chose et ils furent surveillés toute la soirée. Les fils de Jules et d'Edmond allèrent dormir dans des tentes installées sur le terrain pendant que les filles partageaient une chambre transformée en dortoir. Jules avait laissé sa chambre aux Snyders et prit celle des garçons avec Violette. Edmond et Ariane héritèrent de la chambre des filles avec la petite Muriel. Aurélie ne voulant pas partager le dortoir des filles, madame Alexandra proposa qu'elle dorme avec Hélène dans la petite chambre en mansarde. Ariane accepta, préférant savoir sa fille avec un chaperon. Laurent et Cyprien eurent droit aux lits superposés de la chambrette du fond.

Aurélie regardait Hélène dans sa chemise de nuit toute blanche. On aurait dit un fantôme avec ses nattes défaites. Elle était surprise de voir que la femme de chambre avait des cheveux si longs, traversés de fils d'argent. Elle avait envie de lui poser mille questions sur Laurent, mais elle ne savait par où commencer. Hélène lissa les draps du plat de la main, secoua l'oreiller, rangea ses souliers et ses vêtements avec soin alors qu'Aurélie avait laissé tomber les siens au pied du lit, habituée à voir une bonne les ramasser. Regardant les vêtements froissés, Hélène fut tentée de les poser sur le dos de la chaise, mais elle se retint. Madame Alexandra lui avait dit que ce seraient des vacances pour elle aussi, et elle n'était pas au service des Savard. Elle glissa donc ses jambes sous les draps et s'étendit dans le lit étroit. Aurélie continuait de la fixer et Hélène se décida à la regarder. Un hibou hululait et on entendait le vent dans les feuilles.

— C'est très différent de votre vie au Creusot, non ?

— Oui, mademoiselle, c'est comme une expédition chez les Sauvages.

— Vous nous trouvez sauvages ?

— Ce n'est pas ce que j'ai dit. Je suppose que les premiers colons vivaient ainsi. Ce devait être difficile, l'hiver.

— On vient l'hiver se promener en raquettes sur le lac gelé. C'est très agréable. On entre se réchauffer devant le foyer en prenant du chocolat chaud. La forêt est très belle sous la neige. Je pense que vous aimeriez ça et… monsieur Dumontel aussi.

— Laurent adore l'aventure, la nouveauté. C'est de son âge. Mais il est très attaché à sa mère et sa sœur. Il se sent comme leur protecteur.

Aurélie attendit la suite qui ne vint pas. Elle voulait tout savoir de lui, mais Hélène n'avait aucunement l'intention de lui raconter sa vie.

— Il vous plaît beaucoup, c'est évident.

— C'est le garçon le plus charmant que j'aie rencontré.

— Il a vingt-cinq ans, c'est un homme, mademoiselle.

— Un jeune homme. Comment se fait-il qu'il n'ait pas de fiancée ? Il est si beau.

— Je ne sais pas, mademoiselle.

Hélène avait envie de lui dire ce que Laurent lui avait confié dans la soirée, mais elle hésitait : ç'aurait été trahir sa confiance. Aurélie était la première jeune femme qui l'intéressait depuis que Françoise l'avait quitté. Sa fiancée était partie avec un comte italien fortuné qu'elle avait rencontré à Paris, incapable de s'habituer à la vie rangée du Creusot et choisissant plutôt la Riviera italienne. Mais il était préférable qu'il lui en parle lui-même.

– Bonne nuit, mademoiselle, je dois me lever tôt.

– Bonne nuit, Hélène.

– Hélène éteignit la lampe à pétrole qui les éclairait. Aurélie fixa le ciel étoilé à travers la petite lucarne. Elle s'endormit en rêvant de Laurent et quand elle se réveilla au matin, elle avait la bouche collée en un baiser langoureux sur son bras replié. Hélène était déjà levée et son lit, fait.

La grande cuisine adjacente au salon bourdonnait d'activité. Les Savard ne venant pas au chalet avec leurs domestiques, chaque enfant apprenait très tôt à se débrouiller. Ariane et Violette s'activaient à mettre le couvert et à nourrir la petite Muriel, pendant qu'Edmond et Jules faisaient cuire des œufs et du bacon en quantité. Eugénie avait été chargée de faire griller les tranches de pain et Émilie s'occupait du café. Hélène préparait le thé qu'elle irait porter bientôt à sa patronne qui dormait toujours. Adrien entra, affamé. Ses frères et ses cousins dormaient encore après avoir passé une bonne partie de la nuit à se raconter des histoires d'horreur. Monsieur Émile était assis au salon avec une tasse de café, admirant les photos de pêche accrochées au mur. Cyprien et Laurent étaient partis tôt pêcher au bout du quai. Aurélie voulut sortir pour se rendre au bord du lac, mais sa mère la retint en lui mettant dans les mains fourchettes et couteaux. Aurélie plaça les couverts près des assiettes en poussant un soupir. Les frères Savard déposèrent les gros poêlons de fonte sur une planche de bois au bout de la table et entreprirent de servir tout le monde. Adrien ouvrit la porte et cria :

– Le déjeuner est servi, les retardataires passeront sous la table !

Les tentes se mirent à bouger sous les mouvements des garçons qui ne voulaient pas être en reste. Cyprien et Laurent laissèrent les cannes à pêche appuyées contre un arbre et se joignirent à la joyeuse tablée. Quand madame Alexandra, suivie d'Hélène, descendit, elle les trouva tous en train de manger autour de la grande table dans un grand bruit de mâchoires et de couverts. Le spectacle l'amusa. Même monsieur Émile y participait. La vieille dame avait pourtant mal dormi, peu habituée à partager son lit avec son mari, mais elle n'allait pas se plaindre de ce changement de décor. Revivre la vie des premiers colons français lui plaisait beaucoup. Tout le monde la salua en l'invitant à se trouver une petite place autour de la table bondée, mais elle préféra les regarder du salon. Laurent était assis entre Eugénie et Aurélie. Ses yeux brillaient de bonheur et madame Alexandra remarqua qu'Aurélie avait collé sa cuisse contre celle du jeune homme. La petite ne perdait pas de temps.

La journée se passa entre la plage, la pêche et la véranda. Il faisait trop chaud pour se promener dans la forêt et déranger les moustiques. Aurélie ne put avoir de tête-à-tête avec Laurent et accepta, non de gaieté de cœur, de le partager avec ses cousines. Elle allait avoir seize ans le lendemain et elle savait que c'était aussi la fête nationale des Français. Jules et Edmond avaient certainement prévu quelque chose d'inoubliable pour cet événement. En effet, les Snyders trouvèrent, à leur réveil, le salon décoré de banderoles bleu, blanc et rouge et Aurélie eut droit à des ballons roses accrochés le long de la rampe d'escalier affichant un « Bonne fête Aurélie » peint en blanc par ses frères et ses cousines. Tout le monde lui souhaita un joyeux anniversaire en l'embrassant sur les joues. Laurent fut surpris d'apprendre qu'elle n'avait que seize ans ; il la croyait plus âgée de quelques années. Il l'embrassa sur les joues comme les autres.

Jules avait apporté des bouteilles de champagne et tout le monde en but dans la soirée, admirant les feux d'artifice qu'Adrien lançait de la plage de l'île. Le ciel s'illuminait de gerbes de toutes les couleurs qui se reflétaient sur l'eau calme du lac. Laurent essayait de se faire discret en accompagnant Aurélie qui affichait un sourire rayonnant. Ariane les surveillait. Elle avait beau trouver ce garçon charmant, elle était contente qu'il reparte dans quelques jours. Aurélie en pleurerait, mais ces chagrins de jeune fille n'étaient pas éternels. Monsieur Émile et Jules avaient parlé de tout sauf d'affaires. Selon ce qui avait été prévu, Edmond recevrait les Snyders dans son manoir, à Sorel, et leur ferait visiter les chantiers. Il se demandait quelle attitude adopter avec le jeune ingénieur. Il avait besoin de son expertise, mais il ne le voulait pas comme gendre. Sa fille semblait lui plaire. Même s'ils avaient rarement l'occasion de se parler, les regards échangés étaient éloquents. Aurélie, éperdue de bonheur, ne voyait pas les chaperons se multiplier autour d'elle. Elle se contentait d'admirer les feux d'artifice, assise par terre sur une grande couverture de laine, avec Laurent à ses côtés, à nouveau escorté d'Eugénie qui ne se gênait plus pour réclamer le jeune homme pour elle. Cette rivalité ouverte agaçait Jules et Edmond qui ne voulaient surtout pas créer de querelles devant les Snyders, mais chacun se promettait de remettre sa fille à sa place aussitôt rentré à la maison.

Dès leur arrivée à Sorel, les Snyders s'installèrent dans la grande chambre ronde d'Aurélie qui dominait le fleuve pendant que la jeune fille prenait la chambre d'invités, plus petite. Madame Alexandra admira la vue un bon moment, puis prit sa protégée à l'écart.

— Vous manquez de discrétion, ma jeune amie.

— Je ne peux pas avoir l'air triste, alors que je suis si heureuse de simplement le regarder.

— Je ne vous demande pas d'avoir l'air triste, mais vous avez réussi à créer un froid avec votre cousine.

— C'est une hypocrite, elle est déjà presque fiancée et ne cherche qu'un flirt. Elle a toujours été jalouse. Quand mon père a fait construire le manoir, elle en a voulu un plus grand et à Westmount, pour avoir l'air plus riche. Madame Alexandra sourit de voir Aurélie se conduire comme une petite fille. Par moments, elle était une femme assurée ; à d'autres, elle avait l'air d'avoir douze ans.

— Peu importe, apprenez à vous conduire en société. Laurent est ici pour son travail. Je ne voudrais pas qu'il ait des ennuis avec votre père.

— Mon père ne ferait pas ça.

— Ne fournissez pas aux autres les outils nécessaires pour détruire cette idylle naissante. Dans ce monde, il faut être en représentation. Prenez-le comme un jeu, si vous voulez, mais dites-vous que vous êtes sur une scène de théâtre et que vous jouez Juliette. Attendez que les autres personnages aient quitté la scène pour ouvrir votre cœur à Roméo.

Aurélie soupira et acquiesça. Elle avait envie de dire que cette scène de théâtre n'était qu'hypocrisie et mensonge, mais elle savait qu'il y avait une part de vérité dans ce que lui disait sa vieille amie. Sa mère lui avait appris très tôt à taire ce qui se passait entre les murs de leur maison, à l'intérieur de la famille. Les secrets faisaient partie de la vie. Il fallait sauvegarder une image à tout prix. Aurélie apprit bien la leçon. Elle montra une telle indifférence face à Laurent que celui-ci crut un moment qu'elle lui en voulait pour une raison qu'il ignorait. Hélène le rassura. Ariane ne fut pourtant pas dupe et ce changement d'attitude lui fit craindre le pire : Aurélie cachait maintenant quelque chose d'important ; Laurent était peut-être devenu son amant. Mais le jeune homme avait toujours le regard aussi franc et Ariane se détendit un peu, sans relâcher pour autant sa vigilance. Aurélie se faufilait dans les quartiers des domestiques au sous-sol où logeait Laurent. Tous les prétextes étaient bons pour lui sourire, lui parler un peu. Laurent prit l'habitude d'aller fumer une cigarette au bord du fleuve. Pendant que tout le monde admirait le coucher de soleil de la véranda, il longeait la rive vers les immenses chênes et peupliers qui clôturaient le parc. Aurélie le rejoignait et ils se prenaient la main. Ils parlaient peu, se contentant de se regarder longuement. Ils avaient l'impression de se connaître, forts de toutes les informations qu'ils avaient glanées par-ci par-là en discutant avec les autres. Dès que le soleil se cachait à l'horizon, ils revenaient par des chemins différents au manoir.

Jules descendait tous les matins de Montréal et passait ses journées avec Edmond, monsieur Émile et Laurent. Ils avaient fait le tour complet des chantiers de la Maritime et de ceux que les frères Savard avaient achetés au gouvernement, vétustes, où ces derniers avaient l'intention de construire leur usine de canons. L'emplacement était vaste, au confluent du fleuve Saint-Laurent et de la rivière Richelieu, mais il fallait tout démolir pour repartir à zéro. Laurent examinait les plans proposés et expliquait comment en faire une usine moderne et productive. Edmond appréciait le jeune homme. Quel dommage qu'il fût Français! Monsieur Émile passait de longs moments silencieux à regarder le fleuve, à observer les travailleurs qui sortaient des chantiers, à essayer d'imaginer la nouvelle usine. Jules et Edmond étaient un peu inquiets. Ils n'avaient pas réussi à avoir encore son entière approbation et ils attendaient avec impatience la décision du maître du Creusot. Les travailleurs le savaient aussi et ils saluaient le vieil homme avec déférence, en mettant leur casquette sur leur poitrine, avant d'enfourcher leur bicyclette pour rentrer chez eux. Tout le monde retenait son souffle. L'avenir de la région reposait sur le verdict qui tardait à venir.

Le paquebot que les Snyders devaient prendre à New York ne partirait que dans dix jours et ceux-ci, ne voulant pas abuser de l'hospitalité des Savard, parlaient d'aller passer la fin de leurs vacances dans cette ville. Jules ne voulait pas les reconduire bêtement au train comme s'ils étaient de la marchandise. Il voulait leur en mettre plein la vue et leur montrer l'importance de la situation géographique de Sorel. Aussi décida-t-il d'aller les amener à New York à bord de son luxueux yacht pour allonger la période de séduction. Edmond trouva l'idée géniale et la proposa à monsieur Émile dans un des salons privés du club nautique. Ce n'était pas le Casino de Paris, mais les deux hommes avaient pris l'habitude de s'y retrouver pour prendre un verre ou deux sans être dérangés par le va-et-vient du manoir où femmes, enfants et domestiques occupaient tout l'espace. Ces tête-à-tête les rapprochaient. Monsieur Émile aimait le naturel bon enfant d'Edmond, même s'il appréciait davantage le sérieux de Jules quand venait le temps de parler affaires. Malgré la sympathie qu'il éprouvait pour eux, il se demandait encore si les Savard obtiendraient les contrats nécessaires à la bonne marche de leur usine. Il avait rencontré le ministre Cardinal à plusieurs reprises, mais il se méfiait de l'entrain des politiciens, sachant par expérience qu'ils étaient prêts à dire, en tout temps, ce que les autres voulaient entendre. Il ne doutait pas des intentions des Savard; il doutait des Anglais qui tergiversaient encore pour octroyer des contrats hors de la Grande-Bretagne, contrats qui menaçaient de chômage leurs propres ouvriers. Il espérait des nouvelles d'Angleterre qui ne venaient pas. Quand Edmond lui parla de remonter la rivière Richelieu jusqu'au lac Champlain et d'atteindre New York par le fleuve Hudson, il accepta avec enthousiasme ce délai.

Le lendemain, un véritable branle-bas secoua le manoir. Comme le trajet en bateau était assez long, tout le monde devait être prêt à partir le matin suivant. La Dauphine, magnifique bateau de plaisance de cinquante-sept pieds avec sa coque peinte en noir et son pont en acajou, ne pouvait accueillir qu'une dizaine de personnes. La majeure partie des nombreux bagages des Snyders serait donc envoyée par train à leur hôtel de New York. Jules se demandait si les domestiques suivraient leurs maîtres, mais il n'eut pas à poser la question: madame Alexandra n'allait nulle part sans Hélène, et Cyprien faisait partie de la famille depuis toujours. Il restait Laurent. Jules fut tenté de l'envoyer prendre le train avec les bagages, mais Edmond le supplia de l'amener, ayant peur qu'Aurélie ne prenne aussi le train et que n'arrive le pire.

Jules fit le calcul : le groupe Snyders comptait cinq personnes ; Edmond était naturellement du voyage ; il restait donc trois places. Violette insistait pour partir avec eux et Ariane ferait certainement de même, New York et sa 5ᵉ Avenue ayant le don d'attirer les femmes comme un aimant. Avec un capitaine, c'était complet et pas question d'amener un autre membre d'équipage. Jules et Edmond feraient les mousses à l'occasion en se faisait aider de Laurent. Quand son père lui apprit qu'elle resterait au manoir, Aurélie piqua une colère. Rien n'y fit. Il n'y avait tout simplement pas de place. La jeune fille chercha toute la journée une solution, suppliant sa mère qui fit la sourde oreille, proposant même à madame Alexandra de prendre la place d'Hélène.

– Vous n'y pensez pas ! Je n'enverrai pas la pauvre femme seule en train jusqu'à New York pour ensuite la faire se terrer dans une chambre d'hôtel jusqu'à notre arrivée. Ma chère Aurélie, vous saviez depuis le début que ce moment allait arriver. Eh bien, il est là. La séparation est inévitable. Qui sait ? Si cette guerre annoncée n'a pas lieu, vous reviendrez peut-être en France. Montrez à tous que vous êtes forte.

Aurélie passa le reste de la journée dans le parc à regarder le fleuve. Elle ne voulait surtout pas assister aux préparatifs qui se déroulaient à l'intérieur. Laurent la rejoignit en fin d'après-midi. Il s'assit près d'elle sans rien dire. Elle se tourna vers lui, les larmes aux yeux, et posa sa tête sur son épaule. Il la serra contre lui et ils restèrent ainsi un long moment. Il caressait ses cheveux. Aurélie essayait de retenir ses larmes, ne voulant pas qu'il garde l'image d'une jeune fille aux yeux rougis. Elle s'efforçait de sourire, mais elle était loin d'être convaincante : elle avait la bouche rieuse et les yeux tristes.

– Dis-moi qu'on se reverra.

– On se reverra.

– Tu m'oublieras, je ne suis qu'une enfant gâtée pour toi.

– C'est vrai que tu es une enfant gâtée, mais je n'ai jamais oublié la première fois que j'ai posé mes yeux sur toi. Tu seras toujours pour moi la jeune fille à la brioche. Je porte cette tendre image en moi. Nous n'avons pas eu beaucoup le temps de nous connaître et, pourtant, j'ai l'impression de t'avoir rencontrée dans une autre vie. Tu m'es si proche, c'est comme si nos âmes se touchaient.

Il se pencha vers elle et l'embrassa. Ce fut un vrai baiser. Laurent ouvrit sa bouche et Aurélie en fut si surprise qu'elle ne sut pas quoi faire immédiatement, pinçant les lèvres. Il fut patient et elle finit par s'abandonner et goûter à sa langue et à sa salive au goût de café. Elle se sentit défaillir de bonheur et apprécia qu'il la soutienne de ses bras. Les mots étaient superflus. Ils restèrent enlacés longtemps, ajustant leur respiration, chacun emmagasinant l'odeur de l'autre, le souvenir de sa peau, de ses cheveux. Aurélie se détendit enfin : son prince l'aimait. Un petit raclement de gorge d'Hélène les ramena à la réalité : le repas du soir les attendait. La femme de chambre repartit vers le manoir. Laurent prit le visage d'Aurélie entre ses mains et l'embrassa. Elle lui répondit avec fougue, se jurant que ce n'était pas la dernière fois.

Ils rentrèrent ensemble, sans se cacher cette fois-ci. Aurélie souriait bravement au bras de Laurent. Ariane ressentit un pincement au cœur en voyant sa fille souffrir autant de ce départ. Madame Alexandra admira la jeune fille et Edmond trouva qu'ils formaient tous deux un bien joli couple. Le silence se fit un court instant, puis le babillage de Muriel et les tiraillements des garçons ramenèrent tout le monde à la table. Après le café au salon, les hôtes, comme les invités, montèrent se coucher tôt pour être au quai au petit matin, un exploit pour madame Alexandra.

Aurélie fit ses adieux aux Snyders ; elle ne se lèverait pas pour les voir partir. Laurent regagna le quartier des domestiques et Aurélie monta à la chambre d'invités. Elle passa d'abord prendre quelques affaires dans sa chambre, de quoi faire un petit bagage, puis elle régla le réveil pour trois heures. Elle dormit à peine et arrêta le réveil avant qu'il ne sonne. Elle se glissa hors du manoir sans réveiller qui que ce soit, prit la bicyclette du jardinier et se rendit au chantier de la Maritime où le luxueux yacht de son oncle dormait dans son hangar. Aurélie contourna la clôture et abandonna la bicyclette devant les bureaux de son père avec une petite note indiquant le nom de son propriétaire. Elle se glissa à bord et s'installa tout au fond, dans le petit hamac sous la proue. L'endroit était étroit et elle savait qu'on le remplirait de bagages et de provisions. Elle prit une couverture et s'en recouvrit. Pourvu que le capitaine n'y voie que du feu ! Puis elle s'endormit, épuisée.

Jules et Violette furent les premiers à se présenter au chantier de la Maritime. Le capitaine avait sorti le yacht de son hangar et l'avait rangé le long du quai. Edmond et Ariane arrivèrent avec le couple Snyders et montèrent à bord pendant que leur chauffeur allait chercher les derniers passagers au manoir. Tout le monde s'installa dans cet espace réduit de moins de douze pieds de large. Les trois cabines à grand lit furent réservées aux Snyders, à Jules et à Edmond alors qu'Hélène avait droit à un lit à rabat près de la minuscule cuisine. Cyprien et Laurent dormiraient dans le salon en dépliant les deux divans qui se faisaient face. Le capitaine prendrait la petite cabine près des moteurs.

Quand tout le monde fut à bord, les passagers montèrent sur le pont pour assister au départ du yacht. La Dauphine avait une double cabine vitrée sur le pont. Celle de devant servait au pilotage et celle en poupe faisait office de salon, permettant aux passagers d'admirer le paysage même sous la pluie. Mais il faisait un magnifique soleil estival et Jules fut particulièrement ému de voir tous les ouvriers du chantier se tenir en rang le long de la berge. Quand ils virent leurs patrons et monsieur Émile sur le pont avant, ils soulevèrent leur casquette pour les saluer. Monsieur Émile répondit à leur salut comme s'il était un roi en visite répondant à ses sujets. Sur le pont arrière, madame Alexandra fit de même, accompagnée d'Ariane et de Violette qui souriaient, intimidées par ce déploiement inhabituel.

Le yacht glissa sur la rivière Richelieu et remonta doucement le courant. Les moteurs à essence étaient assez silencieux et le voyage commençait tout en douceur. Monsieur Émile descendit au salon tout en bois d'acajou, comme l'intérieur du bateau, seul le plafond étant fait de lattes de bois peintes en blanc. Quatre fauteuils recouverts de tapisserie or et vert se faisaient face près des deux divans pliants aux teintes de bourgogne. Deux lampes sur pied avec de belles franges or étaient disposées en coin et des stores permettaient de créer un peu d'intimité dans cette pièce toute vitrée. Les frères Savard, accompagnés de leurs femmes et de madame Alexandra, le rejoignirent au salon pendant qu'Hélène préparait du thé. Cyprien et Laurent étaient avec le capitaine qui leur expliquait ce qu'ils auraient à faire quand le bateau passerait les écluses.

La première écluse rencontrée fut celle de Saint-Ours. Inauguré en 1849, le canal de Saint-Ours avait été le dernier maillon de la canalisation du Richelieu permettant de contourner les obstacles entre le lac Champlain et le fleuve Saint-Laurent. Au milieu du XIXe siècle, les Américains importaient de grandes quantités de bois pour palier la surexploitation des forêts du Vermont, et la rivière Richelieu avait vu défiler des centaines de barges pleines de bois en provenance des vallées de l'Outaouais et du Saint-Maurice vers les États-Unis, et des bateaux remplis de charbon dans l'autre direction. La crise économique qui perdurait depuis près de dix ans avait ralenti passablement la navigation commerciale et la Dauphine fut seule à passer les écluses ce matin-là. Elle se faufila dans la nouvelle écluse terminée en 1933, à l'ouest de la première, et placée du côté est de l'île Darvard. Les portes nord se refermèrent pendant que Laurent et Edmond descendaient les défenses sur le côté de la coque pour ne pas érafler le bois le long des parois de béton. L'eau se mit à monter peu à peu et tous les passagers se retrouvèrent sur le pont pour regarder les murs de béton diminuer de hauteur dans cet enclos de plus de quatre-vingt-dix pieds de long. Les portes sud s'ouvrirent et la Dauphine reprit sa route.

Aurélie ouvrit les yeux. Tout était sombre dans ce cagibi. Le clapotis de l'eau et le ronron du moteur la bercèrent un moment. Le bateau était en marche, mais elle ne voulait pas sortir tout de suite de sa cachette. S'il n'était qu'à Saint-Ours ou à Saint-Jean, elle serait renvoyée au manoir tout de suite.

Aussi Aurélie devait-elle attendre d'être au moins sur le lac Champlain. Elle ne pouvait pas savoir l'heure qu'il était, se trouvant trop loin de l'endroit où se réunissaient les autres passagers pour entendre ce qu'ils disaient. Comme elle était affamée, il devait être à peu près midi. Elle glissa la main dans son sac de voyage, avala un des biscuits qu'elle avait pris à la cuisine avant de partir, puis essaya de changer de position et de se rendormir. Elle pensa à Laurent, ferma les yeux et retrouva le sommeil.

Le voyage était plaisant et paisible. Le bateau longeait le chemin des Patriotes, les villages de Saint-Denis et de Saint-Charles, le mont Saint-Hilaire et Belœil. Les Snyders admiraient les petites églises qui jalonnaient la rivière pendant que Jules leur résumait l'histoire des invasions venant du Sud, autant britanniques au temps de la colonie qu'américaines au temps de la guerre de l'Indépendance. La vallée était reconnue pour la richesse de ses terres agricoles, ce qui avait encouragé les colons à s'y établir et les autres, à la conquérir.

La Dauphine monta jusqu'à Chambly. Personne ne visita le fort du XVIIIe siècle. Les Snyders furent impressionnés par le canal de Chambly. Ils avaient l'impression de traverser l'Europe par ses canaux, même si tout le décor criait l'Amérique avec ses logettes originales où habitaient les éclusiers. Inauguré un peu moins d'un siècle auparavant, le canal s'étirait sur plus de douze milles entre Chambly et Saint-Jean, et ses neuf écluses permettaient de franchir une dénivellation de près de deux cent quarante-deux pieds entre le bassin de Chambly et le haut Richelieu. Si une barge, tirée par des chevaux que conduisaient des charretiers le long du chemin de halage, prenait de dix à douze heures pour traverser le canal, il n'en fallait que trois ou quatre pour un bateau à moteur. Toutes les écluses fonctionnaient manuellement comme aux premières heures de leur création. Des éclusiers faisaient tourner de grosses roues pour fermer les vannes inférieures et ensuite ouvrir les vannes supérieures qui laissaient entrer l'eau, laquelle élevait doucement la Dauphine jusqu'à ce qu'elle atteigne le niveau de l'écluse suivante. Un maître éclusier les salua avec sa casquette ronde. Il portait une grosse moustache et madame Alexandra lui trouva un air hollandais. Les apprentis moussaillons Laurent et Cyprien, aidés par Edmond qui s'amusait dès qu'il montait à bord d'un bateau, refaisaient les mêmes gestes pour jeter les défenses sur le côté du yacht et veiller à ne pas abîmer la Dauphine qui repartait le long du canal pour gagner les portes de la prochaine écluse.

Un bruit sur la coque réveilla Aurélie pour de bon. On marchait sur le pont avant. Elle entendit des gens parler. Quelle heure pouvait-il bien être? Elle vit un rayon de lumière quand quelqu'un déplaça des boîtes et elle s'efforça de ne pas bouger. On referma la porte, la plongeant de nouveau dans l'obscurité. Les bruits de pas s'éloignèrent et le clapotis de l'eau revint la bercer. Aurélie avait gagné: ce devait être les douaniers américains. Elle essaya de sortir du hamac et de se libérer de la couverture, mais elle était ficelée comme un saucisson. Elle se débattit un moment, puis appela. Personne ne vint à son secours. Essayant de se calmer, la jeune fille respira profondément, puis poussa les boîtes avec ses pieds. L'une d'elles tomba, laissant passer un peu de lumière. Aurélie put voir suffisamment pour rouler en sens contraire et se défaire du hamac. Elle retomba sur le fond de la coque dans un bruit sourd. Elle se fraya un passage parmi les bagages et les boîtes de provisions et sortit enfin du cagibi. La première personne qu'elle rencontra fut sa mère qui allait enlever son maillot de bain dans sa minuscule cabine afin de revêtir une robe pour le cocktail de fin d'après-midi. Ariane poussa un cri qui fit sursauter Violette, derrière elle. Les deux femmes regardèrent Aurélie sans oser y croire. Cette petite avait toutes les audaces. Ce fut Violette qui parla la première :

— Je préfère que ce soit ta fille plutôt que la mienne. Mais je n'ai rien vu. Elle se faufila dans sa cabine et Ariane s'en trouva encore plus découragée.

— Mais qu'est-ce qui t'a pris ? Il faut toujours que tu fasses à ta tête ! Ton père va te tuer et je ne lèverai pas le petit doigt. Je ne sais plus quoi faire avec toi.

Aurélie prit sa mère par la taille et posa sa tête sur son épaule.

— Je l'aime, maman.

Ariane caressa les cheveux de sa fille. Que pouvait-on dire de plus ? À seize ans, toutes les amours étaient de grandes amours. Elle attrapa sa fille par les épaules et l'éloigna d'elle.

— Tu es toute sale et tu as des miettes de je ne sais quoi sur le visage. Débarbouille-toi dans ma cabine que j'aie le temps de penser à ce que je vais dire à ton père.

— Nous sommes aux États-Unis, il ne me renverra pas.

— Nous traversons la dernière écluse et nous arrivons à Saint-Jean, l'endroit idéal pour te mettre dehors.

— Oh ! maman ! tu ne feras pas ça ! Je t'en supplie, je me ferai toute petite comme une souris, je n'importunerai personne. Je veux passer encore quelques jours à le regarder.

Je ne sais même pas si je le reverrai un jour. Je ne sortirai pas de la cabine, si tu veux, je le regarderai par le hublot. Ariane poussa sa fille dans sa cabine et ferma la porte. Violette ressortit juste à ce moment de la sienne, vêtue d'une robe de cotonnade pastel. Ariane la regarda en silence. Le découragement se lisait sur son visage. Violette lui sourit.

– Nous atteindrons le lac Champlain en début de soirée. Les surprises passent toujours mieux à la brunante. Prépare-toi. Ils vont se demander ce qu'on fabrique ici.

Ariane entra dans sa cabine. Aurélie se lavait le visage au minuscule lavabo. Ariane prit une robe et l'enfila rapidement sur son maillot.

– Tu restes ici sans bouger. Tu sortiras pour le souper. J'espère que tu as d'autres vêtements, je ne te prêterai pas les miens. Et pas de bruit.

Aurélie voulut embrasser sa mère pour la remercier, mais celle-ci sortit en coup de vent. Elle s'allongea sur le lit et regarda par le hublot. La Dauphine quittait la rive pour prendre le centre de la rivière. La dernière écluse était passée. Aurélie soupira d'aise. Elle n'était allée qu'une fois sur le lac Champlain. Elle se rappelait qu'il était vaste et très long, presque une mer intérieure avec de nombreuses baies, paisibles hors saison et fourmillantes d'activité en plein été. Elle avait envie de monter sur le pont pour profiter un peu du soleil et participer aux conversations animées qui lui parvenaient de loin. Tout le monde devait prendre un verre au salon. Aurélie regarda son pantalon tout sale et décida d'aller chercher son bagage dans le cagibi. Ouvrant doucement la porte de la cabine, elle entendit la voix de son père.

– Mais pourquoi je ne pourrais pas aller le chercher ? Tu ne le trouveras pas, il est dans mes bagages.

Ariane protestait au loin pendant qu'Edmond descendait les quelques marches menant aux cabines. Aurélie se faufila dans le cagibi et s'y cacha juste à temps. Son père trouva la porte de la cabine ouverte et le dessus de lit chiffonné. Ariane arriva derrière lui et poussa un soupir de soulagement en trouvant la pièce vide.

– C'est toi qui as laissé la porte ouverte ?

– Euh !… Je suis remontée trop vite. Tu as trouvé ?

– Mais oui. Qu'est-ce qui se passe ? Tu as l'air tout drôle.

– Trop de soleil sans doute. Fresh air poisonning, comme disent les Américains.

– Nous avons plusieurs jours de route à faire. Il faudra te reposer si tu ne veux pas arriver à New York avec une mine d'enterrement.

Edmond lui caressa la joue et repartit vers le salon. Ariane se tourna vers le cagibi et ouvrit la porte. Aurélie s'y terrait en serrant son bagage contre sa poitrine, comme une enfant.

– Change-toi et monte sur le pont. C'est le bateau de Jules. S'il veut faire demi-tour et te ramener à Saint-Jean, c'est son droit. Tu devras plaider ta cause comme tu l'as fait dans son bureau il y a quelques mois. Il vaut mieux que tu sortes plutôt que de te faire démasquer par quelqu'un. Assume, ma fille, tu n'es plus une enfant.

Ariane tourna les talons et repartit vers le salon rejoindre les autres. Elle se trouvait dure d'avoir parlé ainsi à sa fille, mais elle savait que c'était la seule façon de la rendre plus autonome. Sa mère l'avait traitée comme une petite fille jusqu'à son mariage et, encore aujourd'hui, elle lui donnait des conseils comme si, avec quatre enfants, elle avait encore dix ans. Aurélie se changea, se coiffa et appliqua un peu de rouge sur ses lèvres. Elle était blême de peur et elle en voulait à Ariane de sa froideur, mais, au fond d'elle-même, elle savait que sa mère avait raison : elle devait de nouveau s'imposer. Elle cherchait des raisons valables pour expliquer sa présence sur ce bateau et ne trouva rien d'autre que de parler d'amour, ce qui était un bien mauvais point de départ pour discuter avec l'oncle Jules. Elle ne pouvait retarder son entrée plus longtemps, ayant peur que sa mère ou sa tante Violette ne la dénonce. Elle monta sur le pont arrière sans rencontrer qui que ce soit. Cyprien était avec le capitaine dans la cabine de commandement et Laurent était assis sur le pont avant, admirant le lac. Tous les autres passagers étaient au salon où Hélène servait le thé aux dames pendant qu'Edmond offrait des alcools aux messieurs. Quand Aurélie entra, le silence se fit immédiatement. Edmond regarda Ariane qui rougit et leva les épaules en signe d'impuissance. Violette sourit et la salua la première. Jules s'aperçut que sa femme n'était même pas surprise. Madame Alexandra applaudit en riant.

— Ma chère Aurélie, vous êtes la jeune fille la plus surprenante que je connaisse.

Elle se tourna vers Jules, muet et rouge de colère.

— Mon cher, nous avons un passager clandestin. Il est peut-être de coutume de les jeter par-dessus bord, mais je préférerais l'accueillir parmi nous. Y voyez-vous des objections ?

Jules tiqua un peu mais s'efforça de sourire à la vieille dame. Monsieur Émile souriait aussi et semblait être d'accord avec sa femme, amusé par toute cette histoire. De toute façon, Jules ne désirait pas perdre du temps en retournant à Saint-Jean et, surtout, que ferait-il de la jeune fille ensuite ? Il ne pouvait la laisser là toute seule ni demander à Edmond ou à Ariane de la raccompagner à Sorel. Il était coincé avec sa nièce effrontée, alors aussi bien plaire aux Snyders et montrer qu'il pouvait être magnanime. Il se leva, s'inclina légèrement, prit la main de madame Alexandra et y posa ses lèvres.

— Madame, vos désirs sont des ordres.

— Vous êtes un gentleman, monsieur.

Tout le monde fut soulagé, à commencer par la principale intéressée qui se sentit vaciller de bonheur. Seul Edmond était furieux, persuadé qu'Ariane était complice. Celle-ci essaya d'expliquer qu'elle n'y était pour rien et il fallut l'intervention de Violette pour calmer Edmond. Aurélie était très peinée de l'attitude de son père. Elle essaya de se rapprocher de lui, de lui expliquer les raisons de sa conduite, mais il fuyait sa fille, trouvant mille prétextes pour aller jouer au moussaillon. Aurélie resta avec les femmes au salon, n'osant pas aller sur le pont rejoindre Laurent, jugeant qu'elle devait cette politesse à ses hôtes. Elle était affamée et dévora des gâteaux avec appétit. Quand la Dauphine entra dans le lac Champlain, tout le monde se réunit sur le pont pour admirer cette vaste étendue d'eau. Laurent fut si surpris de voir Aurélie qu'il ne sut quoi faire. Tout le monde agissait normalement comme si elle avait toujours été là et il n'y comprenait rien. Avait-on voulu lui faire une surprise ? Il regarda Hélène qui lui fit signe qu'elle lui expliquerait plus tard. Aurélie lui sourit ; il lui sourit aussi, sans trop comprendre.

Le soleil descendait lentement à l'horizon. La Dauphine continuait sa route. Les femmes étaient toutes sur le pont avant, allongées sur des transatlantiques, offrant leur visage à la brise estivale. Jules et monsieur Émile fumaient un cigare sur le pont arrière. Edmond était à la barre pendant que le capitaine prenait un peu de repos après avoir mangé. Laurent l'avait rejoint, estimant qu'il devait mettre les choses au clair avec lui. Edmond parlait de tout et de rien, puis il lui raconta la tempête qu'il avait essuyée avec son père, ses frères et ses sœurs. Il avait alors cinq ou six ans. Leur mère était morte et Julien Savard, fier propriétaire et capitaine d'une goélette, prenait la mer chaque printemps pour faire le transport de marchandises le long de la côte nord du fleuve, faisant la navette entre Québec et Sept-Îles. Veuf, il ne pouvait laisser les enfants sans surveillance à la maison et avait décidé de les amener avec lui pour faire du cabotage de village en village. Le ciel s'était couvert. Le vent avait enflé et une pluie violente s'était mise à tomber. Il était devenu impossible de voir la côte, pourtant pas très éloignée. Julien avait rassemblé ses enfants dans la cabine de pilotage, persuadé que le bateau allait faire naufrage. Les enfants s'étaient entassés les uns sur les autres, effrayés et silencieux. Une odeur de laine mouillée avait envahi la cabine. La goélette craquait de partout, essuyant des vagues de plus en plus hautes, ballottée par les flots déchaînés. Un mât s'était brisé avec fracas. Julien avait regardé ses enfants promis à une noyade certaine. Il s'en voulait de les avoir tous conduits à la mort. Chaque petit visage anxieux attendait de lui le salut, sans dire un mot. Puis le calme était revenu et le ciel s'était éclairci. Le bateau était endommagé et prenait l'eau, mais il pouvait encore se rendre à un port. Julien avait promis à ses enfants de ne plus jamais leur faire connaître un tel effroi. Il avait vendu sa goélette et s'était engagé sur de gros vapeurs comme marin. Jules et Edmond y avaient travaillé comme stewards en été. Ce presque nau-frage les avait rapprochés de la mer au lieu de les en éloigner. Ils avaient du respect pour ce monstre invitant et quelquefois trompeur comme une sirène.

Laurent ne comprenait pas pourquoi Edmond lui racontait cette histoire. Voulait-il montrer que son père avait sacrifié sa position de capitaine pour ses enfants ou que sa fille pouvait être invitante et dangereuse comme une sirène ? Ou avait-il simplement besoin de se confier, de se rapprocher de quelqu'un ? Les marins n'avaient-ils pas tous des histoires de tempête en eux ? Peu importe, Laurent trouvait cet homme charmant, humain et attachant. Quand Edmond lui demanda à brûle-pourpoint ses intentions envers Aurélie, le jeune homme ne sut que répondre. Il bafouilla qu'elle lui plaisait beaucoup, mais qu'il avait eu peu de temps pour la connaître. Tant de choses les séparaient.

– L'océan vous sépare et l'Atlantique peut se montrer furieux et exigeant.

Hélène et Cyprien avaient préparé la salle à manger qui jouxtait le salon et la cabine de pilotage en poussant les fauteuils afin de tirer la table d'acajou qu'on avait rallongée pour asseoir six personnes. La porcelaine fine, les couverts d'argent, la nappe de dentelle et les chaises à fond de paille tressée en faisaient une pièce élégante. Une table plus petite avait été dressée dans le salon pour Laurent, Aurélie, Hélène et Cyprien, mais le majordome refusait de manger en même temps que ses maîtres et tenait à les servir avant. Le repas était simple, composé surtout de mets qu'on pouvait réchauffer facilement, la petite cuisine ne permettant pas d'exploits culinaires. Comme il faisait chaud, tous les passagers apprécièrent les galantines et la mousse de saumon en entrée. Le vin frais rendit tout le monde joyeux et la salle à manger ressembla bientôt à une pièce désordonnée où chacun y allait d'une blague ou d'une chanson. Cyprien s'était retiré sur le pont avant pour admirer les étoiles pendant qu'Aurélie, Laurent et Hélène rejoignaient les joyeux dîneurs pour le dessert. Le lac était calme et on entendait les rires dans la nuit. Les plaisanciers qui les voyaient passer devaient se dire qu'on fêtait à bord un anniversaire.

La tension des premières heures était tombée. Le capitaine fit glisser le bateau dans une petite baie et jeta l'ancre pour la nuit. S'il y avait eu un second officier à bord, la Dauphine aurait pu continuer à naviguer toute la nuit, mais Jules préférait que son capitaine se repose. Il se chargerait de reprendre lui-même la barre à l'aube. Jules ne se souvenait pas d'avoir dormi un jour après six heures du matin. Violette et Ariane furent les premières à regagner leur cabine. Madame Alexandra, habituée à se coucher tard, alla s'allonger sur le pont avant en compagnie d'Hélène. Jules rejoignit sa femme pendant qu'Edmond fumait un dernier cigare avec monsieur Émile à l'arrière du bateau. Cyprien avait tiré les divans pour en faire des lits et il attendait que son patron rentre dans sa cabine pour se coucher. Le yacht était un enclos assez réduit malgré ses proportions confortables et l'intimité était difficile à trouver à moins de se rendre sur le pont avant, et encore. Aurélie et Laurent n'avaient pas encore eu l'occasion de se retrouver en tête-à-tête. Ils rangèrent ensemble la salle à manger, repoussant la table et accrochant les chaises. Ces gestes simples les rapprochaient. Aurélie avait accepté de retourner dormir dans son hamac, les boîtes ayant été déplacées pour lui faire un peu plus de place. Avant de réintégrer son cagibi, elle se tourna vers Laurent pour lui souhaiter une bonne nuit. Il se pencha vers elle et l'embrassa doucement, sachant fort bien qu'on pouvait les voir du pont arrière, tout comme du salon adjacent où se trouvait Cyprien. Elle sourit et disparut vers les cabines pendant que Laurent allait retrouver le majordome. Les deux hommes s'allongèrent en silence. Monsieur Émile et Edmond avaient regagné leur cabine, ce dernier s'assurant que sa fille était bien dans son hamac. Ariane le rassura : il l'entendrait si elle se levait dans la nuit ; le moindre pas faisait craquer le plancher. Elle n'eut pas à le prouver. Ils entendirent madame Alexandra rejoindre monsieur Émile et se plaindre du lit étroit. Ariane sourit et se colla contre Edmond, soucieux, qui chuchota à son oreille :

— Tu crois que nous sommes trop permissifs avec elle ?

— Tu la connais, elle en ferait à sa tête de toute façon, aussi bien la surveiller de loin. Tu as parlé à Laurent dans la cabine de pilotage. Qu'est-ce que tu penses de lui ?

— Il me semble honnête. La distance et le temps viendront bien à bout de cette idylle.

Les nuits d'été étaient courtes et dès que le soleil effleura le bateau, Jules leva l'ancre et mit les moteurs en marche. Il était moins de cinq heures du matin et tout le monde se rendormit au son des moteurs. La Dauphine reprenait sa course sur les eaux calmes du lac, longeant les petites baies. Elle avait onze écluses à passer avant d'arriver à Albany, la capitale de l'État de New York. Le lac Champlain s'étirait en un long ruban d'eau pour devenir le canal Champlain après les écluses de Whitehall et de Fort Ann. Les moussaillons avaient pris de l'expérience et accrochaient le yacht aux bittes d'amarrage en veillant à ce qu'il ne frotte pas sur les parois de béton des écluses. La vie à bord s'était organisée, chacun faisant ce qu'il avait à faire et s'accommodant du peu d'espace dont il disposait. Madame Alexandra dormait tard dans sa cabine et passait une partie de la nuit allongée sur le pont avant. Jules se couchait tôt et prenait la barre aux aurores alors qu'Edmond conduisait le bateau dès la tombée de la nuit, laissant la Dauphine à l'ancre quelques heures à peine. Le capitaine manœuvrait le reste du temps et passait les écluses, remplacé de temps en temps par un des frères Savard. Laurent s'intéressait à la navigation et se retrouvait souvent avec Edmond à la barre. Les deux hommes parlaient peu et semblaient apprécier la compagnie l'un de l'autre. Ariane se rapprochait de Violette. Elle avait aimé sa discrétion et son soutien face à la passagère clandestine. Aurélie profitait de la beauté du paysage, heureuse de voir son amoureux sympathiser avec son père.

La Dauphine et ses passagers coulaient des jours heureux. Après l'écluse de Smith's Bash, le yacht passa l'écluse numéro 8, puis arriva à celle de Fort Edward. Comme le Richelieu, le canal Champlain était parsemé de forts. Près de Fort Edward, le canal recevait les eaux du fleuve Hudson, qui prenait sa source au lac Tear of the Clouds dans les Adirondacks et plongeait d'une falaise en créant les chutes Hudson. La rivière serpentait doucement, contournant des îles comme l'île Thompson qui était couverte de pâturages verdoyants. Un canal bordait souvent la rivière pour permettre de passer les nombreux barrages. Les écluses se succédaient: Fort Miller,

Northumberland, Schuylerville, Stillwater, Waterford parmi d'autres sans nom, coiffées seulement d'un numéro. Deux jours plus tard, la Dauphine arriva à Troy et traversa cinq écluses sur plus d'un mille pour descendre de cent soixante-dix pieds, le double de ce que permettent d'atteindre les trois écluses du canal de Panama, et ainsi gagner le Lower Hudson à Albany. Le paysage commençait peu à peu à changer pour céder la place à des villes plus importantes, à des maisons bourgeoises et des châteaux construits par de riches New-Yorkais.

Toujours désireux d'impressionner les Snyders, Jules fut heureux de leur montrer, au sud de Kingston, la maison où était né l'actuel président des États-Unis, Franklin Delano Roosevelt. La maison cossue était entourée de végétation où l'on pouvait deviner un beau parc et un jardin de roses qui émut particulièrement madame Alexandra. Tout près de là se trouvait le château de l'industriel Frederick Vanderbilt aux dimensions imposantes avec ses colonnes à volutes et son style classique défiant le temps. Le château, qui surplombait le fleuve, était aussi entouré d'un immense parc et d'une grande variété de rosiers. Frederick Vanderbilt était le petit-fils de Cornelius Commodore Vanderbilt, qui s'était d'abord inté-ressé à la navigation avant de faire fortune dans les chemins de fer. Comme monsieur Émile, Frederick Vanderbilt avait hérité d'un opulent et puissant passé, faisant de lui un des hommes les plus riches d'Amérique. Sa vaste propriété sur la rivière Hudson était peu visible du bateau, mais il était facile d'imaginer la magnifique vue sur la vallée qu'on pouvait avoir de cette immense demeure. Jules savait que les Vandrebilt ne passaient que quelques fins de semaine au printemps et en automne dans cette propriété, préférant vivre à Newport en été et à New York en hiver. La femme de Frederick, Louise, était décédée en 1926 et Jules avait appris récemment la mort de Frederick. Les nombreux descendants de Cornelius Vanderbilt remplissaient souvent les pages mondaines des journaux, aussi bien par leurs actes de philanthropie que par leurs scandales, offrant des sensations de toutes sortes aux lecteurs de potins. Jules se demandait ce qu'il adviendrait de ce vaste domaine, voisin de la maison des Roosevelt.

la Dauphine poursuivait imperturbablement son chemin. Le fleuve Hudson était en fait un fjord profond où s'engouffraient les marées englouties par les barrages. Les phares prenaient des allures de maisons victoriennes toutes blanches ou revêtues de briques rouges, plantés au milieu du fleuve ou sur les berges, adossés aux monts Catskill. Après Newburgh, les passagers du yacht purent admirer l'Académie militaire de West Point avec ses fortifications. New York approchait comme le jour déclinait. Les Palissades apparurent avec leurs falaises de près de cinq cents pieds du côté ouest du fleuve, et la ville à l'est, avec ses immeubles de béton annonçant la grande baie de New York.

La métropole accueillit majestueusement la Dauphine sous les rougeoiements du soleil couchant. Ses passagers étaient tous sur le pont pour admirer la ville illuminée en buvant du champagne. Jules et Edmond étaient fiers d'avoir impressionné leurs invités avec cette croisière et de leur avoir montré les importants liens géographiques qu'il y avait entre Sorel et New York. Monsieur Émile tenait à les revoir à son hôtel pour le petit-déjeuner. Les deux frères se disaient que le contrat se signerait à ce moment-là et ils rêvaient déjà à la construction de leur nouvelle usine. Ariane était fière d'offrir New York à madame Alexandra qui, elle, avait Paris. Les deux villes étaient très différentes, mais exerçaient l'une et l'autre une grande fascination.

Aurélie et Laurent restèrent un long moment sur le pont arrière à se promettre de s'écrire, de se revoir. Ils avaient peu parlé pendant le voyage et ils essayaient de rattraper le temps perdu. Aurélie apprit que Laurent était un pur produit du Creusot : il y était né, son père y avait travaillé jusqu'à sa mort et sa sœur était infirmière à l'hôpital. Il n'avait quitté sa ville que pour poursuivre ses études en génie grâce à une bourse Snyders et y revenir rapidement. Ce voyage en Amérique du Nord avait étendu son univers de façon considérable. Il se sentait privilégié d'être choisi par une jeune fille comme Aurélie et mesurait toute la distance qui les séparait. Il n'osa pas lui parler de la femme qu'il avait aimée et qui l'avait quitté pour sortir de la vie trop rangée du Creusot. Aurélie n'accepterait jamais de s'enfermer dans toute cette rigueur sans véritable surprise, même sous la protection de madame Alexandra. Elle avait prouvé qu'elle était trop rebelle pour ça. Mais il ne pouvait pas lui briser le cœur en lui racontant cette vieille histoire que lui-même essayait d'oublier.

Laurent préférait acquiescer à toutes ses demandes. Écrire ne lui en coûterait pas beaucoup et il pourrait peu à peu prendre ses distances. Et puis, Aurélie était jeune, jolie et riche, les prétendants ne lui manqueraient jamais. Il était persuadé qu'elle l'oublierait rapidement et qu'il ne recevrait peut-être même jamais les lettres enflammées qu'elle promettait de lui écrire tous les jours. Il préférait entourer ses épaules de son bras, sentir ses cheveux lui caresser la joue, respirer le parfum de sa peau douce. Aurélie parlait trop et Laurent la fit taire d'un tendre baiser. Elle voulut lui répondre avec fougue et retrouver sa langue et sa salive, mais il la retint : tout le monde pouvait les voir et il se sentait encore embarrassé devant ses patrons d'avoir été si romantique durant la dernière soirée au manoir, qu'il avait crue être aussi sa dernière soirée avec Aurélie.

La navigation n'était pas facile dans le port de New York avec le va-et-vient des barges, des traversiers, des remorqueurs et autres navires commerciaux, sans parler des courants, des marées et des débris flottants qu'il fallait surveiller de près. La Dauphine semblait perdue dans toute cette activité portuaire, mais le capitaine l'arrima de main de maître à un quai de la marina, près de la 76e Rue. Les Snyders, suivis d'Hélène, de Cyprien et de Laurent, quittèrent le bateau après les formalités de douanes et d'immigration pour se rendre au Waldorf Astoria. Les Savard restèrent à bord pour la nuit. Le yacht sembla désert et vaste, comme une salle de réception une fois que tous les convives sont rentrés chez eux. Les manufactures et les entrepôts environnants donnaient un aspect lugubre au port. Depuis la chute de la Bourse et le début de la crise économique subséquente, neuf ans auparavant, les quais se délabraient et les rives étaient particulièrement polluées. N'ayant aucune envie de s'aventurer hors de la marina, tout le monde regagna sa cabine assez tôt. Aurélie eut du mal à s'endormir, même si elle appréciait le confort du lit qu'avaient occupé les Snyders.

Jules et Edmond se levèrent tôt comme à leur habitude. Ils revêtirent chacun un sobre complet et prirent un taxi jusqu'à l'hôtel des Snyders. Monsieur Émile les attendait déjà dans la salle à manger. Il avait pris connaissance de plusieurs télégrammes dont un lui annonçant que le gouvernement britannique demanderait aux pays membres du Commonwealth de soumissionner la fabrication d'armes. Il accueillit donc les frères Savard avec un large sourire. Le petit-déjeuner se déroula dans la bonne humeur. Après qu'ils eurent mis au point plusieurs détails techniques, monsieur Émile raccompagna les frères Savard dans le hall d'entrée. Il serra la main de Jules en lui disant qu'il allait faire transférer, dans une banque de New York, dix millions de dollars à son intention. Ils étaient maintenant associés. Aucun papier n'était signé. Tout était dans l'honneur de la solide poignée de main que se donnèrent ces deux hommes en se regardant dans les yeux.

Jules prit le train pour Montréal. Ses affaires l'attendaient avec les échanges habituels de lettres et de contrats. Violette avait décidé de prendre quelques jours de vacances de plus loin du tumulte familial et de rester à bord de la Dauphine avec Edmond, Ariane et Aurélie. Cette dernière joua au moussaillon avec son père et le capitaine, ce qui permit au yacht de faire peu d'arrêts. La croisière était plus décontractée. Tout le monde flânait sans se sentir obligé de meubler les silences. Aurélie reprenait goût à la navigation. Habituée à se promener avec son père sur le Bucéphale, qu'il avait acheté quelques mois après que Jules eut acquis la Dauphine, elle prenait plaisir à pouvoir de nouveau lire les courants, observer les berges, les yeux surveillant les nuages ou le nez en l'air pour flairer les vents et leurs caprices. Aurélie se sentait plus libre de penser à Laurent maintenant, n'ayant plus rien à cacher et pouvant se laisser aller à rêver. Edmond était heureux de retrouver sa petite fille, le méchant prédateur étant bien loin sur l'océan. Quand les chantiers de la Maritime apparurent à bâbord, tous les passagers en furent surpris : tout était allé si vite !

La soirée s'était prolongée et Lorraine avait regagné la maison familiale complètement épuisée. Elle avait demandé à Aurélie quelques jours de repos, le temps de développer les photos et surtout d'enlever du grenier tout ce bric-à-brac poussiéreux. Un jeune couple avait visité la maison et s'était montré intéressé. Lorraine et Martin avaient trouvé ces gens sympathiques et ils attendaient une offre d'achat sous peu. Il fallait donc vider la maison.

Dans une vieille malle métallique, Lorraine avait trouvé un paquet de lettres datant de 1942 et des photos d'un jeune soldat souriant avec son képi à bordures à carreaux. Un jeune Écossais qui avait même envoyé à « Dear Jane » une photo de lui portant un kilt dans son uniforme de parade. La fine écriture parlait des doux yeux noirs de Jeanne, de son sourire radieux. Lorraine les relut avec attention, cherchant des mots à double sens, cachant une maîtresse derrière une marraine de guerre. Après s'être arraché les yeux pendant des heures sur les minces feuilles jaunies, elle ne trouva rien d'autre que des remerciements pour les chaussettes que Jeanne lui avait tricotées ou les conserves qu'elle avait faites pour lui. John avait passé quelques semaines au camp militaire de Sorel où il avait connu sa marraine. Pas d'allusion à des bijoux offerts ni même à un baiser volé. Tout était propre, trop propre même. Les jeunes marraines avaient été présentées aux soldats par les Filles d'Isabelle. Lorraine ne pouvait pas imaginer de furieuses parties de jambes en l'air face aux visages souriants et austères qui fixaient l'objectif au moment d'une photo de groupe. Et, une des rares fois où elle s'était confiée à sa fille, Jeanne lui avait parlé de sa nuit de noces et de sa grande timidité. Elle s'était enfermée pendant une heure dans la salle de bain de l'hôtel, de peur de se montrer en chemise de nuit à son nouveau mari. Comment cette fille gênée aurait-elle pu être la maîtresse d'un soldat écossais ?

Ces bijoux restaient un mystère que Lorraine essaya d'éclaircir en consultant un joaillier de Montréal. Celui-ci examina la broche avec soin et lui affirma que ce dessin était très à la mode au début des années cinquante. La bague était plus classique et aurait pu être fabriquée dans les années trente ou quarante. Le diamant et les saphirs étaient de belle qualité, et la broche était bel et bien en or. Le joaillier ne pouvait donner une date précise, mais il était certain que la broche datait de l'après-guerre. Lorraine revint à Sorel avec son énigme intacte, sinon plus profonde. Jeanne avait reçu cette broche après la naissance de sa fille, peut-être même après la naissance de Martin.

Lorraine chercha d'autres bijoux, en vain, mais elle trouva quelques vieux vêtements et des sacs à main luxueux. Jeanne avait eu une double vie, et cette découverte assomma Lorraine. Comment avait-elle pu ne rien voir ? André Léveillée était-il au courant des aventures de sa femme ? Avait-il fermé les yeux pendant toutes ces années ou avait-il pardonné à la coupable pour ne pas divorcer et faire souffrir ses enfants ? Et cette image de famille unie et heureuse, l'avait-il fabriquée ou y avait-il cru naïvement ?

Lorraine avait envie de fuir cette maison qui révélait des secrets qu'elle aurait dû engloutir à jamais. Elle appela Aurélie pour se distraire de cette enquête qui ne menait nulle part et à laquelle elle n'avait plus envie de trouver de réponses. Elle avait besoin de la vie fastueuse de la riche héritière et espérait trouver des bals et des amours éperdues. La vieille dame lui dit de passer quand elle le voudrait : les portes de son manoir lui étaient ouvertes en tout temps et son invitation à y vivre tenait toujours. Aurélie avait vécu ces derniers jours dans une solitude étouffante, elle qui ne s'ennuyait jamais auparavant. La présence de Lorraine lui devenait de plus en plus nécessaire.

Lorraine arriva au manoir avec ses appareils photos, quelques clichés particulièrement réussis et un petit sac de voyage. Elle fut accueillie avec chaleur par Aurélie et lui parla longuement de ses découvertes. La vieille dame écouta attentivement. Quand le silence revint dans la salle de séjour, elle prit la main de Lorraine.

— Ne juge pas ta mère. Peu importe ce qu'elle a fait, je suis certaine qu'elle l'a fait par amour. Et je suis certaine aussi qu'elle a aimé ton père, sinon elle serait partie. Une femme amoureuse rejoint toujours son amant, même si, parfois, elle doit attendre que les enfants soient grands.

— À moins que l'amant ne l'attende pas.

— C'est possible, mais cette présumée liaison semble avoir duré des années d'après la description que tu as faite des vêtements. Viens, allons nous promener pendant qu'il y a encore un peu de soleil dans le parc. Tu as besoin d'oxygène. Tu connais Londres ?

On passa l'automne à tout planifier. Jules et Edmond avaient de longs tête-à-tête avec le ministre Cardinal, cherchant le meilleur moyen de convaincre l'Amirauté britannique de faire affaire avec eux, ainsi que la meilleure personne à qui s'adresser. Ils n'étaient pas les seuls sur la liste et la concurrence s'annonçait féroce avec des usines montréalaises et ontariennes qui voulaient toutes cette manne dans leur cour. Edmond trépignait d'impatience. Il voulait se retrouver sur le terrain à parler avec des gens, à serrer des mains. La paperasse l'ennuyait. Il se promenait presque tous les jours devant les anciens chantiers du gouvernement et rêvait de voir les poutrelles d'acier se monter, les ouvriers entrer le matin en grand nombre comme une foule qui va à la messe, en ressortir le soir, le corps fatigué mais l'esprit en paix, satisfait du devoir accompli. L'hiver s'installa avec son interminable attente du printemps. Pendant que le Parlement britannique comparait les mérites des divers pays membres du Commonwealth, Edmond préparait ses valises et ses arguments. S'il avait réussi à s'associer avec Émile Snyders, il lui fallait maintenant non seulement obtenir l'appui des Anglais, mais aussi vaincre les autres Canadiens.

Aurélie voulait de nouveau être du voyage, mais elle ne pouvait faire le coup du Consulat français une autre fois.

Elle avait pris des cours particuliers d'anglais, question de maîtriser la langue de Shakespeare, mais c'était tout ce qu'elle avait à offrir aux affaires Savard. Il n'était plus question d'aller séduire une famille, mais des membres du gouvernement de Sa Majesté. Edmond n'avait besoin de personne pour faire ce travail. Aurélie ne pouvait se confier qu'à sa mère. Elle voulait revoir Laurent à qui elle écrivait régulièrement et qui lui répondait occasionnellement. Le jeune homme semblait fort occupé et avait peu à dire, se contentant de prendre des nouvelles de celle qui lui en donnait dans les moindres détails. Il savait ce qu'elle mangeait, ce qu'elle portait et il ne pouvait douter de son assiduité. Ariane ne connaissait pas Londres et plus les rumeurs de guerre s'intensifiaient, plus elle avait envie de voir cette ville tant qu'elle le pouvait encore. Quand Edmond annonça qu'il partirait au début de mai, elle lança :

– Et si nous y allions ensemble ?

– Comment ça, ensemble ? C'est un voyage d'affaires et je vais le faire avec Jules. N'insiste pas.

– Bien sûr et vous ferez vos affaires. Mais qu'est-ce qui m'empêche de visiter Londres avec Aurélie ? Les musées, les théâtres, les palais. Ce sera une visite culturelle. Si la guerre éclate, qui sait ce qu'il adviendra de cette ville ?

– Il n'en est pas question.

– Je peux voyager avec ma fille, prendre un bateau pour l'Angleterre, y passer quelques jours et revenir. Les garçons sont pensionnaires de toute façon et Mathilde rêve de s'occuper de Muriel. Qui sait, nous nous verrons peut-être à bord, ou là-bas ?

– C'est sérieux, tu me désobéirais ?

– Je t'aime, Edmond, je ne te le dis pas assez souvent, mais je ne suis pas ta propriété.

– Tu te fais enfler la tête par Aurélie, c'est elle qui est derrière tout ça. Et pourquoi ? Pour rejoindre son Français qui la trouve mignonne, sans plus.

– Edmond, si tu avais demandé à ma mère la permission de m'emmener chez un bijoutier à Montréal, elle t'aurait dit non, pour le simple plaisir d'avoir raison, de gouverner ma vie. Mais tu ne l'as pas fait et j'en suis bien contente. Pourquoi notre fille ne pourrait-elle pas rencontrer l'homme qu'elle aime ? S'il ne l'aime pas, il va le lui dire.

– Il sera peut-être trop tard… Il va le lui dire après avoir abusé d'elle.

– Tu crois que tu as abusé de moi à Contrecœur ?

– Mais non, ce n'est pas pareil. Je t'aimais.

– Et si c'était la même chose pour eux, pourquoi leur mettrions-nous tant d'obstacles ?

Edmond soupira. Il se sentait démuni quand venait le temps de diriger son propre foyer alors qu'il lui était si facile de négocier avec ses ouvriers. Et qu'allait-il dire à Jules ? « Je traîne mon harem comme un sultan » ? Il fixa sa femme dans les yeux.

– Ce sera un voyage éprouvant. Rien n'est gagné. Au contraire, la concurrence est forte. Jules et moi connaîtrons des moments de grande tension et il n'est pas question de nous laisser distraire par deux dames venant nous montrer leurs emplettes. Et toutes les armes sont permises dans ce genre d'affaires. Je ne te garantis pas de rentrer à l'hôtel à neuf heures du soir. Je devrais passer des nuits blanches et je paierai de belles filles, ou de beaux garçons, s'il le faut.

Ariane l'écoutait, étonnée de ces révélations.

— Tu as déjà fait ça?

— Non, mais je le ferai si j'y suis obligé.

— Des garçons?

— Pas pour moi. Mais les Anglais sont encore coincés dans l'ère victorienne et cela crée des êtres bizarres, frustrés, qui sont froids en public et débauchés en privé. Ce n'est pas une arme de bons chrétiens, mais c'en est une de bon businessman. Je ne pense pas que tu aies envie de voir ça.

— En effet. Il serait préférable que je prenne une chambre avec Aurélie. Si tu rentrais seul, je pourrais toujours aller te rejoindre dans ta chambre. Je ne veux pas que tu me racontes ces choses, mais je veux que tu penses à moi.

Edmond la serra dans ses bras. Ils étaient ensemble depuis plus de dix-sept ans et le temps avait passé si vite. La belle fille aux yeux bleus et aux cheveux courts avait changé, mûri, pris de l'assurance. Elle lui avait donné quatre enfants et avait su se conduire avec grâce en toutes circonstances. Si madame Alexandra était de tous les longs voyages de son mari, pourquoi pas Ariane? Aurélie, seule, lui demanderait beaucoup de son temps et de son énergie, mais sa mère et elle formeraient un duo autonome.

— Pourquoi est-ce que je cède toujours devant toi?

— Parce que nous pouvons nous offrir la vie dont nous rêvons.

— Des fois, ce bonheur me fait peur. J'ai peur que tout s'effrite. Si nous n'avons pas ce contrat…

— Tu l'auras, je ne connais personne qui puisse te résister. C'est bien ce qui me rend jalouse, tu plais à tous. Mais ça me console de savoir que tu m'appartiens.

– Je t'appartiens ? Tu viens de me dire que tu n'étais pas ma propriété. Et je suis la tienne ? C'est nouveau.

– Je suis ta femme et tu es mon mari. Cette appartenance-là, j'y tiens.

Jules ne posa même pas de questions quand son frère lui annonça qu'une cabine avait été réservée pour Ariane et Aurélie. La perspective de passer des jours et des jours sous le vilain climat britannique ne lui plaisant pas tant que ça, il avait lui aussi proposé à Violette de l'accompagner, mais cette dernière avait préféré rester à Westmount : sa vie mondaine réglée comme une horloge ne lui laissait que peu de temps, surtout avec le mariage d'Eugénie en vue. Ils arrivèrent à New York sous une pluie froide qui donna le ton à la traversée. Il ne restait plus qu'à lire de vieux journaux anglais et à fumer des cigares arrosés de scotch pendant que l'Atlantique Nord exprimait sa mauvaise humeur. Ariane regrettait déjà ce voyage qui la laissait étourdie et sans appétit. Aurélie était tendue comme un arc. Elle avait annoncé sa visite par télégramme à Laurent et n'avait reçu aucune réponse avant d'embarquer.

Londres les accueillit avec un fin crachin et un brouillard qui diluait tout, rendant poisseux tout ce qu'on touchait. Ariane regarda sa fille d'un air atterré. Pourquoi avait-elle voulu voir Londres à tout prix ? On ne pouvait même pas dire l'heure qu'il était. Le soleil semblait coincé quelque part derrière les nuages et la course du jour, arrêtée. Ils s'engouffrèrent tous les quatre dans un énorme taxi noir qui les amena à l'hôtel. Toute couleur avait disparu de la ville. Ne restait qu'un camaïeu de noir, gris acier, gris perle, gorge-de-pigeon, anthracite, argent, ardoise, platine. Les passants avaient l'air d'être en deuil sous leurs grands parapluies noirs. Même les arbres dans les parcs s'étaient habillés d'ombre en plein jour. Le hall de l'hôtel était rouge et or, éclairé de lumières jaunâtres qui contrastaient avec le gris extérieur, sans être pour autant chaleureuses. Il y avait une froideur, due au climat peut-être, ou simplement à l'efficacité et à l'ordre qui se dégageait de tout. Même Edmond et Jules la ressentirent. Autant ils s'étaient sentis à l'aise en France, autant ils se sentaient étrangers dans cette ville.

Aurélie s'empressa de demander s'il y avait un télégramme pour elle, dès qu'elle vit ses parents et son oncle prendre le chemin de leurs chambres. Le non catégorique du réceptionniste l'abattit encore plus. Elle courut rejoindre sa mère dans l'ascenseur tout en dorures. Un groom vêtu de rouge, qui avait un visage couvert de tâches de rousseur lui donnant des allures de lutin, les conduisit à leur chambre, contiguë à la suite qu'avait louée Jules pour son frère et lui. Cette dernière possédait deux chambres séparées par un salon où trônait un imposant mobilier d'acajou. Les murs étaient décorés de scènes de chasse à courre, et une aquarelle, montrant le port de Londres quelques siècles auparavant, était accrochée au-dessus de la cheminée encastrée entre deux fenêtres étroites. Le velours vert émeraude des coussins et du sofa ajoutait à la lourdeur du décor. Ariane et Aurélie partageaient une chambre tout en bleu et argent, plus douce au regard.

Entre les deux lits, il y avait un guéridon chargé d'un énorme bouquet de fleurs. Au-dessus était suspendu le portrait d'une jeune fille habillée en bergère du XVIIIᵉ siècle, souriant sur son escarpolette.

Aurélie n'avait qu'une envie : sortir de là pour aller retrouver Laurent, refusant de croire qu'il ne voulait plus la voir. Elle profita de la migraine de sa mère pour s'éclipser et descendit à la réception envoyer un autre télégramme. Elle ne fit pas dans la dentelle, cette fois-ci. « Suis arrivée à Londres, prendrai le ferry demain, serai au Creusot dans deux jours. Hâte de te revoir. Aurélie. » La jeune fille n'avait aucune idée de la façon dont elle s'y prendrait pour échapper à ses parents et entrer en France. Elle n'avait même pas assez d'argent pour payer le trajet en train jusqu'en Bourgogne. Elle serait obligée de prendre quelques billets dans le portefeuille de sa mère. Elle n'essayerait même pas d'amadouer son père. Elle savait que c'était inutile, n'ayant jamais vu Edmond si nerveux.

Les deux frères Savard s'étaient enfermés à double tour dans leur suite et faisaient appel sur appel pour joindre les nombreuses personnes dont ils avaient obtenu les noms par le ministre Cardinal et d'autres hommes d'affaires montréalais. Même en début d'après-midi, tous ces gens semblaient introuvables. Excédé, Edmond décida de sortir prendre l'air. Une bonne marche lui éclaircirait peut-être les idées. L'hôtel Mayfair était situé près de Green Park. Plutôt que d'aller vers le nord et la foule de Piccadilly Circus, Edmond opta pour le sud et traversa Green Park. Quand il arriva en vue du palais de Buckingham, qu'il n'avait pas particulièrement envie de visiter, il bifurqua vers St. James Park. Il longea l'immense parc en se dirigeant vers Downing Street.

Le temps maussade et les piétons pressés n'aidaient pas à sa méditation. Edmond voulait s'imprégner de la ville, de ses humeurs, de sa grisaille. Il avait besoin de comprendre comment ces gens fonctionnaient. Tout avait été plus facile en France où il avait été accueilli avec bienveillance. Ici, tout allait vite et était impersonnel. Les gens étaient polis, courtois, mais savaient en même temps vous ignorer, hautains. Il traversa Birdcage Walk et atteignit l'abbaye de Westminster qui, majestueuse, élevait ses arcs de flèche en pierre pour se donner des airs de légèreté. Cette cathédrale, qui abritait les couronnements et les mariages princiers, contenait les tombes des nombreux monarques qui s'étaient succédés dans ce pays. Edmond n'avait pas la tête au recueillement et il se tourna pour admirer le Parlement et marcha le long de la Tamise. C'était dans cet édifice tout en longueur que se décideraient son sort et celui de sa famille. Pour la première fois de sa vie, Edmond doutait. Il remonta jusqu'à la tour du Big Ben et prit ensuite Whitehall jusqu'à Trafalgar Square.

La pluie avait cessé, mais les piétons n'avaient rien de joyeux. La guerre civile espagnole était terminée depuis moins de deux mois et l'Espagne, aux mains des fascistes et de Francisco Franco, venait de rejoindre le pacte signé par l'Allemagne, l'Italie et le Japon. Les Italiens de Mussolini occupaient depuis plus d'un mois l'Albanie, et les Britanniques sentaient la menace fasciste et nazie se rapprocher de plus en plus, surtout depuis que Hitler avait violé le traité de Munich en s'emparant de la Bohême et de la Moravie pour en faire des protectorats allemands, envahissant la Tchécoslovaquie et forçant la Lituanie à lui céder certains territoires. Winston Churchill, retiré de la politique active depuis les élections de 1929 et revenu à l'écriture, ne cessait de mettre en garde ses compatriotes contre les nazis. Les gens marchaient dans la rue en rasant les murs, lisant avidement la une des journaux étalés sur les kiosques. Depuis qu'ils avaient appris, récemment, que tous les Allemands de dix à treize ans étaient désormais obligés de faire partie des Jeunesses hitlériennes, les Anglais se demandaient ce qu'il adviendrait de leurs propres enfants avec cette guerre qui semblait de jour en jour plus difficilement évitable.

Edmond sentait le climat de fatalité qui régnait dans la ville. La colonne de Nelson du Trafalgar Square lui rappela sa fonction de fabricant d'armes. La guerre n'était qu'une série de batailles gagnées par les uns et perdues par les autres. Lui voulait construire des canons pour que les Anglais puissent se défendre contre les Allemands et il avait envie de crier à tous qu'il pouvait les aider, si seulement ils écoutaient. Mais les piétons continuaient leur course folle, les yeux rivés sur le trottoir. Les autobus rouges à impériale tournaient avec les taxis noirs autour de la colonne de Nelson comme si celle-ci eut été le pivot du manège. Les pigeons semblaient être les seuls à profiter de cette journée. Edmond prit Pall Mall et retourna lentement à son hôtel. Le soleil faisait une percée à travers la couche nuageuse. Il prit ce petit changement de climat pour un bon augure.

Attendant avec une impatience croissante la réponse de Laurent, Aurélie passait son temps à demander à la réception si elle avait des messages. Elle avait peu dormi et s'était levée à l'aube. Elle avait réussi à prendre un peu d'argent dans le sac de sa mère, mais ce n'était pas suffisant pour se rendre au Creusot. Si Laurent ne lui répondait pas avant la fin de la journée, elle prendrait le train pour la France dès le lendemain, quitte à demander à son père de l'argent pour faire les magasins. Après le petit-déjeuner au restaurant de l'hôtel, Edmond et Jules étaient partis rencontrer des fonctionnaires et des politiciens pour essayer de devenir les fournisseurs de Sa Majesté le roi George VI. Ariane, qui se sentait mieux, attendait sa fille pour aller visiter Londres. Aurélie tournait en rond. Elle se recoiffa, changea de robe, puis de manteau pour ensuite s'éclipser. Elle revint quelques minutes plus tard complètement transfigurée, souriante et détendue. Ariane se demandait ce qui avait bien pu se passer pendant ce court laps de temps. Aurélie se garda bien de lui dire qu'elle venait de lire les mots les plus doux, les plus charmants, les plus magiques de sa vie.

« Serai Londres dans trois jours. Rendez-vous Big Ben quatorze heures. » Laurent serait enfin là et ces trois jours d'attente à jouer les touristes seraient un enfer. Mais la récompense au bout n'était-elle pas le paradis ?

Aurélie eut droit avec sa mère à toutes les attractions touristiques, du changement de la garde au palais de Buckingham à la visite de la tour de Londres et de ses joyaux, sans oublier les achats chez Harrods dans Knightsbridge et dans les nombreuses boutiques de la rue Oxford. La National Gallery, du côté nord de Trafalgar Square, et le British Museum, dans Great Russell Street, reçurent aussi leur visite. Ariane s'ennuya rapidement, indifférente à la pierre de Rosette du département des Antiquités égyptiennes ou à la Magna Carta de la British Library. Deux jours de tourisme sous la pluie et le ciel gris eurent raison d'Ariane qui attrapa un bon rhume. Aurélie devait faire de gros efforts pour ne pas montrer à quel point cela l'arrangeait de voir sa mère allongée dans sa chambre. Persuadée que

Laurent arriverait à cette gare, elle marcha dans les alentours de Victoria et chercha un coin tranquille pour revoir son amoureux. Le va-et-vient la rassurait : elle passerait facilement inaperçue dans cette cohue incessante.

Si Ariane était confinée dans sa chambre, Edmond l'était dans les couloirs et les salles d'attente de sous-fifres, du lever au coucher du soleil. On le promenait de bureau en bureau, de secrétaire en secrétaire, et il s'accrochait, les mâchoires bien serrées, sur le petit os qu'on daignait lui lancer. Sa persévérance commençait à en épater plus d'un. Edmond avait appris depuis longtemps à ne pas négliger les petits employés ignorés de tous. Il obtenait grâce à eux des renseignements qui, pris séparément, semblaient insignifiants, mais qui, mis ensemble, formaient une jolie toile d'informations utiles. Il commençait à faire la différence entre les responsables réels et ceux de façade, mis en place pour brouiller les pistes. Il prenait des notes et échafaudait des plans. Jules faisait la même chose avec des cousins de lords et des membres de clubs privés dont lui avaient parlé quelques confrères ou voisins de Westmount. Le soir, les deux frères résumaient leur journée et préparaient les attaques du lendemain. Voulant s'imprégner de Londres et de ses habitants, ils ne prenaient même pas leur repas du soir à l'hôtel, si bien qu'Ariane et Aurélie les voyaient à peine. Ariane, fiévreuse, s'en rendait à peine compte, et Aurélie, fébrile dans l'attente de Laurent, ne pensait à rien d'autre, surtout depuis qu'un deuxième télégramme avait annoncé un retard de quarante-huit heures. Elle se demandait si Laurent n'était pas en train de gagner du temps en espérant qu'elle retourne bientôt au Canada.

Le grand jour arriva enfin, sans télégramme l'avisant d'un autre contretemps. Quand elle la vit revêtir une jolie robe imprimée et appliquer avec soin un peu de maquillage, Ariane se demanda ce qu'il y avait de nouveau dans la vie de sa fille. Avait-elle rencontré un jeune Anglais séduisant?

– Mais non, maman. Je vais passer la journée au British Museum. C'est tellement grand et on a vu si peu de choses quand nous y sommes allées.

– Tu seras là pour le thé?

– Je ne pense pas. Je rejoindrai peut-être papa et oncle Jules au restaurant.

– Ils t'ont dit où ils allaient manger?

– Oui, près de Trafalgar Square. Ne t'en fais pas et repose-toi. On se revoit ce soir.

Se sentant coupable de débiter tous ces mensonges, Aurélie avait le cœur qui battait à tout rompre et elle était impatiente de sortir de la chambre d'hôtel. Elle espérait que son père ne reviendrait que très tard et que sa mère dormirait déjà. Il était encore tôt et elle ne voulait pas attendre des heures près de la tour de l'Horloge. Elle préférait surprendre Laurent à sa descente du train et se rendit donc à la gare Victoria. Ne voyant rien sur les tableaux d'affichage, elle attendit en file pour demander les heures d'arrivée des trains de Southampton ou de Portsmouth. Quand finalement un employé lui dit que les trains en provenance des ferries arrivaient à la gare de Waterloo, elle regarda l'heure, paniquée. Où était donc la gare de Waterloo? Il lui fallait prendre la rue Victoria jusqu'au Parlement, contourner la tour du Big Ben et traverser la Tamise. Aurélie partit en courant, puis se calma après quelques rues. Elle arriverait en sueur, décoiffée, haletante et ce n'était pas cette image qu'elle voulait offrir à l'homme de sa vie. Elle marcha pourtant d'un pas rapide en prenant les deux tours de l'abbaye de Westminster comme point de repère. Elle vit ensuite la tour de l'Horloge au bout du long édifice du Parlement. Elle allait sonner deux heures et Aurélie avait la gorge serrée, ayant encore une bonne distance à parcourir.

Laurent n'avait pas perdu une seconde, prenant le train, puis le ferry et encore le train, dormant tant bien que mal sur des banquettes inconfortables. Il avait profité d'un voyage à Paris pour ses patrons afin de s'éclipser. Il reprendrait le train dans la soirée, prétextant un délai quelconque à Paris pour justifier son retard. Il ne voulait pas voir Aurélie au Creusot et il devait la rencontrer pour mettre les choses au clair. Le voyage avait été épuisant, mais le train était à l'heure. Il se rasa du mieux qu'il put et revêtit une chemise propre dans une des minuscules toilettes du train. Il avait une mine horrible à cause du manque de sommeil. Aurélie le trouverait moins séduisant et ce serait plus facile de lui dire adieu. À son âge, tout était magique et il devait la ramener sur terre. Cette corvée ne le réjouissait pas du tout.

Laurent descendit du train dans la cohue de la plus grande gare de Londres avec ses dix-neuf quais. Il chercha la sortie à travers les bagages et les foules qui arrivaient en sens contraire. Il fut soulagé de sortir à l'air libre et de regarder le ciel gris et jaune, les nuages laissant percer quelques faibles rayons de soleil. Essayant de s'orienter, il vit la fameuse tour du Big Ben qui n'était pas très loin. Il prit cette direction avec beaucoup de voyageurs et traversa le pont enjambant la Tamise. Une femme portant un imperméable marine attendait visiblement quelqu'un au pied de la tour de l'Horloge. Elle avait de courts cheveux blonds ; ce n'était pas Aurélie. Une autre, vêtue d'un tailleur, gris attendait également, ainsi qu'une femme en robe bleue avec un manteau beige sous le bras. Laurent comprit que la tour du Big Ben était le lieu de rendez-vous favori des Londoniens et des touristes. Personne ne pouvait se manquer à cet endroit. Les femmes retrouvèrent leur compagnon, leur parent ou leur amie, et Laurent resta à regarder passer les bateaux sur le fleuve. Aurélie avait peut-être compris l'impossibilité de cette relation et était restée sagement à l'hôtel. Il ne lui restait plus qu'à reprendre le train pour la France.

– Laurent ! Laurent !

Il se retourna en entendant son nom. Aurélie lui faisait signe de la main, radieuse, éblouissante dans sa robe à fleurs, si gaie dans cette grisaille. Laurent sentit son cœur battre plus fort et il essaya de se répéter le discours rationnel qu'il s'était tenu tout au long de son voyage. La jeune fille lui sauta au cou et l'embrassa devant tous les passants. Certains les regardaient avec froideur, d'autres avec amusement. Ceux qui les entendaient parler français étaient moins surpris, se disant qu'il n'y avait que les Français pour être aussi démonstratifs.

Laurent sentait le corps d'Aurélie contre le sien et il avait la tête qui tournait. Le goût de ses baisers était rafraîchissant. Il essuya avec douceur la sueur qui perlait sur son front ; elle avait couru et il la regardait, ému. Elle n'était plus la gamine qui se baignait avec lui l'été précédent ; elle était une belle jeune femme au corps souple et aux yeux enjôleurs. Le temps se couvrait et un fin crachin enveloppa la ville. Il la regardait et se taisait, incapable de parler. Trop de choses se bousculaient dans sa tête.

– Viens, ne restons pas ici.

Il la suivit comme un automate, lui prenant la main. Ils s'enfoncèrent dans une rue derrière l'abbaye de Westminster. Aurélie avait revêtu son imperméable et sortit un grand parapluie londonien acheté la veille. Ils se fondaient maintenant dans la foule, enlacés sous le parapluie anonyme. La jeune fille savait où elle allait. Laurent se disait qu'elle l'amenait à son hôtel où il devrait rencontrer ses parents. Cette perspective ne l'enchantait pas, mais c'était sans doute la meilleure façon de mettre les choses au clair. Quand il vit apparaître la gare Victoria, Laurent se demanda si Aurélie ne le kidnappait pas. Mais ils n'entrèrent pas dans la gare. Ils la contournèrent pour atteindre la rue Hugh, juste à l'arrière des voies ferrées. Une série de petites maisons de trois étages annonçaient des chambres bon marché. Les Savard n'avaient pu descendre là. Laurent ralentit le pas. Aurélie le regarda, souriante.

– Tu as peur?

– Où m'entraînes-tu?

– Dans un endroit où nous pourrons parler à notre aise, sans oreilles indiscrètes.

– Un pub ferait aussi bien l'affaire, ou un salon de thé.

– Je n'ai envie ni de l'un ni de l'autre. Je veux être avec toi. Laisse-moi au moins une petite heure. Je sais bien que tu retourneras en France bientôt. Tu pourras garder la chambre jusqu'à demain matin. Je l'ai louée pour toi. Laurent s'arrêta net. Aurélie prenait le contrôle de tout et cela l'énervait.

– Je ne pense pas que ce soit une bonne idée de se retrouver seuls tous les deux dans une chambre.

– Moi, je pense que c'est une très bonne idée et elle ne t'engage à rien.

– Tes parents savent que je suis ici ?

– Bien sûr que non. Je ne suis pas une petite dinde parce que j'ai des parents riches, ce qu'ils n'étaient même pas quand je suis née. Il fait froid, la pluie augmente, je t'en prie.

Laurent se sentait sans volonté. Il savait bien ce qui risquait de se passer s'il montait avec elle. Une partie de lui le désirait, une autre le mettait en garde contre les nombreux ennuis qui pourraient en découler. Finalement, ce fut le mauvais temps qui décida pour lui. Après avoir monté les trois marches qui séparaient la porte rouge du trottoir, ils s'engouffrèrent dans un minuscule hall ouvrant sur un petit comptoir encastré dans le mur. Un homme chauve et bedonnant les regarda d'un œil sévère. Aurélie demanda la clé de la chambre numéro 7. L'homme la fixa un moment, puis son regard alla vers Laurent et revint sur Aurélie. Celle-ci lui montra le reçu de son paiement effectué le matin même. L'homme voulut savoir s'ils étaient mariés. Aurélie lui répliqua avec une audace effrontée que son mari arrivait de France et qu'il était fatigué.

L'homme sourit légèrement pour montrer qu'il n'était pas dupe et tendit finalement la clé en disant que c'était une bonne maison, l'hôtel qu'il tenait. Il ne voulait aucun bruit : des clients se reposaient. Aurélie croisa, en montant l'étroit escalier beige au tapis élimé, une femme aux lèvres peintes en rouge vermillon que suivait un soldat britannique avec son gros sac de toile. Une bonne maison, oui ! Elle essaya à quelques reprises de glisser la clé dans la serrure, sans succès. Laurent se tenait derrière et voyait ses doigts trembler légèrement. Il saisit doucement la clé et ouvrit la porte.

– Tu peux encore changer d'idée et aller retrouver tes parents.

Aurélie fit signe que non de la tête et entra dans la petite chambre beige. Tout était de la même couleur, l'entrée, l'escalier, les murs des corridors et ceux de la chambre. Le propriétaire avait dû avoir un rabais sur un stock de peinture beige. Mais le décor avait si peu d'importance! L'homme qu'elle aimait était là, à ses côtés, enlevant son imperméable et le déposant sur le crochet derrière la porte qu'il venait de fermer. Il s'assit sur la petite chaise près de la fenêtre et la regarda. Intimidée, Aurélie s'assit sur le bord du lit, face à lui. Le ciel, couvert de nuages sombres, leur renvoyait une lumière crépusculaire à travers les rideaux qui avaient sans doute déjà été blancs. Le silence alourdissait l'air entre eux.

– J'avais mille choses à te dire… et maintenant, je ne sais plus. J'ai juste envie… Tu m'en veux de t'avoir fait venir ici?

– Moi aussi, j'ai des choses à te dire, des choses que tu ne voudras pas entendre et que tu sais probablement déjà. Tout nous sépare, encore plus avec la guerre qui approche. Oublie-moi, Aurélie.

– Je ne peux pas. Mais oublions la guerre, l'océan qui nous sépare… Aurélie commença à détacher les boutons de sa robe et se leva pour la faire glisser sur le sol.

– Non, arrête. Tu ne peux pas faire ça. Tu es si jeune, tu le regretteras.

– Je veux que tu sois le premier.

Elle s'approcha de lui. Il restait assis. Ses genoux touchèrent les siens. Il tendit les mains en tremblant et lui saisit les hanches en froissant le jupon. Elle se pencha vers lui et chercha sa bouche de ses lèvres. Il souleva le jupon, caressa ses cuisses et détacha les bas des jarretelles. Il se leva et la déshabilla lentement. Le corps d'Aurélie était traversé de spasmes. Elle était excitée et elle avait peur aussi. Il regarda son corps nu et elle se sentit rougir sous ces yeux qui étaient passés du gris au bleu, puis au vert tendre de chat. Ses mains chaudes la rassurèrent peu à peu. Elle défit les boutons de sa chemise. Il l'enleva puis dégrafa son pantalon. Aurélie n'avait jamais vu un homme nu. Elle avait bien essayé de s'imaginer la nudité masculine en voyant ses cousins en maillot de bain, mais ce qu'elle avait maintenant tout près d'elle était si différent; elle n'aurait jamais pu l'imaginer. Laurent perçut sa surprise et colla son corps contre le sien. Aurélie sentit le sexe de son amant vibrer tout contre son ventre. Elle enlaça sa taille et l'embrassa de nouveau.

Laurent la prit dans ses bras pour l'étendre sur le lit. Il embrassa et caressa chaque parcelle de sa peau. Aurélie était chatouillée, émoustillée, titillée, caressée. Son état d'excitation augmentait et sa respiration devenait saccadée. Elle manquait d'air et avait l'impression de suffoquer par moments. Quand il toucha son sexe, elle crut exploser. C'était donc ça qui se passait entre un homme et une femme! Pourquoi ne parlait-on jamais de cette merveille, sauf pour chuchoter et rire derrière sa main? Elle avait fermé les yeux de plaisir et quand elle les ouvrit, elle vit la tête de Laurent sur son ventre. Il écarta doucement ses cuisses et posa ses lèvres à l'endroit qu'elle avait cru être une partie honteuse de son corps. Elle ne put en supporter davantage. Son cœur allait exploser dans sa poitrine. Son sexe palpitait au même rythme. Elle était certaine de s'évanouir. Elle poussa un cri qui la soulagea. Il tendit une main sur sa bouche pour la faire taire. Elle en mordit le bord et se laissa aller à plus de plaisirs.

Il s'étendit à ses côtés, mit la main d'Aurélie sur son sexe et lui imposa un rythme de plus en plus rapide. Elle le caressa, d'abord avec curiosité puis, voyant que son amant avait lui aussi la respiration haletante, elle comprit qu'il allait pousser un cri. Mais il n'en fit rien. Il se lova contre elle et éjacula sur son ventre. Il leva la tête et la regarda de ses yeux devenus si pâles, presque phosphorescents. Leur respiration se calma lentement. Elle sentait son ventre collé au sien et elle aurait voulu rester ainsi, soudée à lui pour toujours. Ils dormirent sans doute un peu car quand il ouvrit les yeux, la fenêtre renvoyait un ciel noir. On entendait au loin les trains aller et venir. Laurent regarda Aurélie, la tête appuyée sur son bras, le sourire attendri d'un enfant aux lèvres. Elle était si belle et si fragile que cela lui fit mal. Pourquoi aimait-il toujours des femmes inaccessibles ? Françoise était partie parce qu'il ne pouvait lui offrir la vie excitante dont elle rêvait. Comment pourrait-il être à la hauteur d'Aurélie, et surtout de son père ? Il caressa ses cheveux et elle ouvrit les yeux.

– Merci, mon amour.

– Ne dis pas ça. C'est toujours impossible entre nous.

Après l'avoir embrassée sur le front, il se leva et s'habilla.

– Je dois prendre le ferry ce soir. Personne ne doit savoir au Creusot que je suis ici.

– Mes parents ne sauront pas non plus.

– Alors, ce sera notre secret, ma belle Aurélie. Et tu n'auras pas à rougir la nuit de tes noces.

Elle le regarda, étonnée, puis examina les draps. Aucune trace de sang. Elle était donc encore vierge.

– Pourquoi as-tu fait ça ? Tu ne m'aimes pas du tout ?

– Au contraire, tu m'as offert un cadeau que je ne pouvais pas accepter sans te nuire. Tu es une jeune fille merveilleuse et j'espère que tu rencontreras un homme digne de toi. Habille-toi, il ne faut pas rester ici, il est tard.

Aurélie remit ses vêtements sans hâte, triste que tout se termine de cette façon. Laurent souffrait de la voir ainsi et il voulait couper tout lien immédiatement, se disant qu'elle en souffrirait moins. Il l'aida à revêtir son imperméable et ils sortirent de l'hôtel. Les rues sombres étaient lugubres et encombrées de voyageurs se dirigeant vers la gare ou en sortant. Laurent regardait autour de lui, cherchant à s'orienter.

– Tu retournes à Waterloo ? C'est par là.

Ils marchèrent en silence vers le Parlement et la tour du Big Ben. Rendu sous l'horloge, Laurent s'arrêta. Il connaissait maintenant la route à suivre. Il l'embrassa. Elle se serra contre lui. Il caressa ses cheveux.

– Adieu, Aurélie. Oublie-moi, mais n'oublie pas le bonheur que nous avons connu.

– Je n'oublierai jamais. Tu fais partie de ma vie maintenant.

– De tes souvenirs.

Laurent l'embrassa de nouveau, avec une ardeur qu'il aurait voulu étouffer, puis se détacha d'elle avant que la force ne lui manque. Il traversa le pont en courant. Il ne voulait surtout pas se retourner et voir sa frêle silhouette le fixer. Il savait qu'elle le regarderait, immobile, jusqu'à ce qu'il disparaisse dans la nuit. Il retrouva avec soulagement la bruyante gare de Waterloo. Il voulait se perdre dans la foule et devenir amnésique.

Aurélie resta un bon moment à fixer les eaux noires de la Tamise. Elle n'avait envie de rien et la nausée secouait son estomac vide. Il ne pleuvait plus. Un vent léger refroidissait l'air, donnant à cette journée de mai des allures de septembre. Elle devait maintenant retourner à l'hôtel. Le chemin, agréable par beau temps, semblait interminable un soir de fraîcheur. Aurélie songea à prendre un taxi, mais elle n'avait que de la menue monnaie sur elle, ayant tout dépensé pour la chambrette qui avait abrité son premier amour. Elle accéléra le pas et traversa St. James Park, indifférente aux passants peu nombreux. Elle arriva à l'hôtel, épuisée et affamée. Elle avala un sandwich avant de retrouver sa mère dans sa chambre. Heureusement, Ariane, sous l'effet du somnifère qu'elle venait de prendre, ne put que saluer sa fille et l'entendre dire que le musée était extraordinaire.

— Tu as vu ton père ?

— Non, je n'ai pas trouvé le restaurant, la mauvaise adresse sans doute. J'ai mangé ici. Repose-toi, je vais prendre un bain.

Ariane s'endormit et Aurélie alla pleurer à sa guise dans le bain chaud. Elle se demandait encore si elle avait rêvé. Ce qu'elle venait de vivre avec Laurent était si loin de ses attentes. Et pourtant, elle avait été si bien dans ses bras. Et il l'avait aimée, même pour quelques brefs instants, elle avait senti qu'il l'avait vraiment aimée. Elle essaya de retrouver les caresses de Laurent sur son corps et n'y arriva pas. De guerre lasse, elle se glissa sous les draps.

Ayant appris que le sous-ministre chargé des projets d'armement arrivait très tôt à ses bureaux, Edmond allait l'attendre tous les matins, le regardant sortir de l'auto et passer devant lui, le saluant d'un coup de chapeau et d'une petite inclinaison du corps. William Asbury était rompu au protocole en tout genre et avait, depuis l'enfance, suivi la route qu'on avait tracée pour lui. Homme d'ordre et d'habitudes, il avait d'abord été surpris par cet étranger bien mis, au complet sans doute coupé chez un bon tailleur anglais, au sourire engageant et au silence éloquent. Après quelques jours de ce manège répété, William s'était informé auprès de son secrétaire de l'identité de ce grand gaillard fidèle au poste. Quand il avait appris que cet homme était l'un des Canadiens venus offrir leurs usines d'armement au gouvernement britannique, il avait décidé de ne pas s'en occuper. Mais le Canadien n'avait pas abandonné et avait continué à se présenter chaque matin, même sous la pluie battante, armé de son parapluie et de son sourire. William, las de cet accueil quotidien, finit par lui dire qu'il perdait son temps. Edmond lui répliqua qu'il avait enfin la chance de lui parler et qu'il n'avait donc pas perdu son temps. Les journées du sous-ministre étant bien remplies, Edmond lui proposa de le rencontrer pour le déjeuner. Asbury marchait vers son bureau, le Canadien à ses côtés. Il refusa l'invitation : il ne pouvait être vu avec l'un des nombreux soumissionnaires. Il devait d'ailleurs rencontrer ce jour-là un Australien, un Néo-Zélandais et deux hommes d'affaires de Johannesburg, sans parler de deux Canadiens de Toronto.

— So, your private club at ten o'clock will be fine ?

William Asbury s'arrêta pour dévisager cet homme étrange. Il avait l'air d'un bon vivant, un accent français presque imperceptible et il portait la cravate de son école. Il y avait quelque chose de rassurant chez lui. Il souriait, sûr de lui. Le sous-ministre ne sut dire non et lui refila l'adresse de son club qu'Edmond connaissait déjà, sa semaine d'espionnage ayant porté fruit. Ayant maintenant toute la journée pour préparer au sous-ministre une nuit inoubliable, Edmond se rendit à Soho. Il passa l'après-midi à tout régler et rejoignit son frère pour le repas du soir. Jules était réticent au plan proposé.

— Nous risquons gros.

— Nous n'avons pas le choix. Les autres sont commandités et dépensent une fortune en cadeaux et sorties de toutes sortes. Le gouvernement australien a donné une grande réception. La fine fleur du War Office y était. On va faire la même chose, à petite échelle. Le gouvernement canadien, lui, pense que la vertu suffira. Les deux gars de Toronto, avec leurs airs de moucherons, m'ont regardé comme si je sortais de ma cabane en bois rond. Ils parlent d'un chantier à Montréal, mais ils n'ont rien pour faire des canons. Je ne leur laisserai pas ce marché-là.

— Si Asbury ne marche pas, nous retournons à Montréal bredouilles et sans espoir de contrats. Tu seras sur sa liste noire.

– Moi, oui, mais pas toi. Tu pourras toujours continuer des démarches plus officielles. Je ne veux qu'un rendez-vous à son bureau. Les vraies négociations vont se dérouler là.

– Alors, ce que tu vas faire ce soir, ce ne sont pas des négociations ?

– Non, je vais tisser des liens de confiance.

– Tu m'étonneras toujours, Edmond. Tu as une façon de faire si peu… orthodoxe. Mais je te laisse aller. Tes méthodes ont plu à Émile Snyders, espérons qu'elles fonctionneront avec ce Asbury. Les Anglais sont dans un état bizarre entre la panique et l'aveuglement. Ils se préparent à la guerre en croyant qu'elle n'arrivera pas. C'est à croire qu'ils ne lisent pas les mêmes journaux que nous. Les Allemands ont pourtant lancé le Bismarck, le plus gros navire de guerre, en février dernier. Qu'attend Chamberlain pour écouter Churchill ?

– Depuis l'invasion de la Tchécoslovaquie, il a instauré la conscription. Mais il a hésité trop longtemps à se préparer à la guerre et ce retard pourrait leur coûter cher. J'espère qu'Asbury est plus vif que ça.

– J'espère qu'il n'a pas été trop vif en donnant les contrats cet après-midi aux Australiens ou à d'autres.

– Je ne pense pas. Ce sont des fonctionnaires avant tout. Tu devrais voir les couloirs du ministère. Les gens passent leur journée à se promener avec des feuilles de papier à la main. Ils vont et viennent sans qu'on ait l'impression qu'ils ont fait autre chose que de déplacer de la paperasse et user leurs souliers.

– C'est tout le contraire à leurs clubs privés. Ils ne bougent pas de leur fauteuil, se cachent derrière leur journal ou discutent longuement à voix basse au sujet des compétences d'untel comparativement à celles d'un autre qui ne vient pas de la même école. Venir d'Eton, d'Oxford ou de Cambridge semble faire la différence.

– Asbury vient d'Oxford, c'est un pur et dur. La soirée s'annonce intéressante.

– Tu en as parlé à ta femme?

– Ben voyons, ça ne la regarde pas. Tu en parlerais à Violette, toi?

– Jamais de la vie. Tu veux un bon café? Je suis fatigué de leur thé.

– J'ai trouvé cet après-midi un petit restaurant dont le propriétaire italien a une belle machine à espresso. J'en aurais bien besoin pour passer la soirée.

Les deux frères quittèrent le restaurant et allèrent prendre un café. Jules regagna ensuite son hôtel pendant qu'Edmond se rendait au club rencontrer William Asbury. Monsieur le sous-ministre l'attendait en lisant le journal du soir, qu'il referma à l'arrivée de son invité. Il se leva, tendit la main, se rassit, croisa ses jambes en faisant attention à ses plis de pantalon et demanda à Edmond ce qu'il avait de si particulier pour demander une audience privée. Le Canadien s'attendait à cette froideur et il débita le petit discours prévu. Il offrait les loyaux services du Canada et la grande expertise française en armement dans un même endroit: une petite ville portuaire qui avait la réputation d'avoir des ouvriers compétents et fiables et qui n'était qu'à quelques jours de navigation de la Grande-Bretagne. Asbury lui répondit que tous ceux qu'il avait rencontrés faisaient d'aussi belles promesses.

– *Canada is closer than Australia.*

Le sous-ministre approuva de la tête et allait appeler le maître d'hôtel pour demander un autre whisky quand Edmond l'arrêta d'un geste de la main.

— *I know a better place.*

Asbury le regarda d'un air perplexe. Il avait vu bien des roublards dans sa vie et se dit qu'il ferait échouer celui-là comme les autres. Mais il y avait quelque chose en cet homme qui inspirait la confiance. Le sous-ministre savait qu'Edmond avait sa salade à vendre. Pourtant, il ne sortait ni chiffres ni promesses impossibles, simplement quelques faits glissés dans une phrase. Et il l'invitait maintenant à prendre un verre ailleurs. Asbury affirma qu'il ne voulait pas parler affaires en dehors de ses bureaux ou de son club. Edmond regarda sa montre un long moment et déclara que l'heure de parler affaires était passée. Il était maintenant un simple touriste qui avait envie de visiter Londres. William se méfiait et s'amusait aussi. Qu'est-ce que ce gaillard avait donc préparé ? Curieux, il répliqua qu'il devait rentrer chez lui dans une heure. Edmond acquiesça.

Les deux hommes se levèrent et prirent un taxi qui les conduisit à Soho par des rues étroites en partant de Piccadilly Circus et s'arrêta devant un cabaret dont les lumières clignotantes annonçaient simplement : «Night-club». William Asbury sourit, se disant que ce Canadien voulait le dévergonder. Il prendrait un verre et le laisserait là ensuite ; il avait une réunion le lendemain matin. La salle était remplie de gens bien mis, assis autour de tables rondes éclairées par des petites lampes roses. Des serveuses légèrement vêtues circulaient avec des plateaux de verres d'alcool et, sur la scène minuscule, une jeune femme chantait d'une voix nasillarde en enlevant lentement ses longs gants de satin. Asbury pensa qu'il avait déjà vu mieux et avait envie de sortir de là quand le gérant de l'établissement vint à leur rencontre. Il les accueillit avec chaleur et les invita à passer dans un salon privé. Ils contournèrent la salle par un étroit corridor tapissé de rouge, à l'abri des regards indiscrets. Une table était dressée avec un buffet, du champagne, du caviar. Deux fauteuils confortables les attendaient. Le sous-ministre s'assit et grignota un peu. Le caviar était étonnamment bon. Il ne savait pas que ce genre de cabaret pouvait servir des produits d'aussi bonne qualité. Le Canadien avait sans doute acheté tout ça ailleurs.

Edmond versa du champagne dans deux coupes, trinqua à leur amitié et appuya sur une sonnette. On entendait la musique du spectacle, étouffée par les lourds rideaux de velours cramoisi. Une jeune femme en robe du soir, avec de longs cheveux blonds attachés savamment et un sourire radieux, entra. Asbury la regarda, surpris, puis se tourna vers Edmond qui souriait. La femme enleva lentement son étole de soie, puis ses gants. Elle fit glisser sa longue jupe et dégrafa son corsage pour exposer un autre corsage, en dentelle celui-là. À chacun de ses mouvements, le collier de perles qu'elle portait se balançait entre ses seins. Elle enleva le jupon transparent, détacha les jarretelles une à une, roula ses bas de soie pour les déposer sur l'épaule du sous-ministre qui était subjugué par le spectacle se déroulant tout près de lui, et pour lui seul. La femme ne regardait jamais Edmond qui avait comme disparu dans un coin du salon privé. Asbury pouvait sentir son parfum. Il n'avait qu'à tendre la main pour caresser sa peau, mais il se retenait de peur de mettre fin à ce délice. La fille prit une gorgée de champagne dans son verre. Elle avait des lèvres charnues et rouges. Elle fit glisser les bretelles de son corsage de dentelle pour dévoiler des seins blancs aux mamelons roses qui aveuglaient maintenant Asbury. Il ouvrit la bouche et la fille y glissa le bout d'un sein. Edmond s'éclipsa au moment où le sous-ministre posait ses mains sur les hanches de la jeune femme, et il alla prendre un verre au bar. Le gérant lui sourit et regarda l'heure. Il espérait que la fille tarde un peu, question de se faire une jolie commission.

Edmond dut attendre que deux femmes se succèdent sur la scène, avec plus de chair grasse que de talent, et enlèvent leurs vêtements aux couleurs criardes, dévoilant des corps usés, avant de revoir William Asbury. Le sous-ministre était pâle et troublé. Edmond alla à sa rencontre. Asbury le regarda avec colère.

— *Now, I suppose that you want to blackmail me.*

Edmond sourit et lui asséna une tape dans le dos. Ce n'était pas du tout son intention. Il voulait simplement qu'Asbury s'amuse un peu et espérait que c'était ce qu'il venait de faire. Il n'y avait pas que le travail dans la vie. Et puis, caresser une jolie fille consentante n'était pas un bien grand crime. Quel scandale y avait-il là ? Le sous-ministre était à peine rassuré. Sa carrière politique pouvait être malmenée et plafonner là. Edmond lui assura qu'il était un gentleman. Asbury le regarda dans les yeux et le crut. Il lui donna rendez-vous le lendemain à son bureau pour discuter de cette usine canadienne. Edmond lui serra la main, heureux, et l'accompagna à un taxi avant de retourner payer la note salée qu'avait préparée le gérant de la boîte. Il arriva à son hôtel au petit matin et alla réveiller Jules pour lui apprendre la bonne nouvelle. Jules sourit.

– Mon petit frère, tu es un salaud de première. Je ne voudrais pas t'avoir contre moi.

– Allons donc, offrir des plaisirs n'a rien de salaud.

– Et s'il avait refusé, tu l'aurais menacé de chantage ?

– Non, pas du tout. Je l'aurais traité d'idiot pour rater une telle occasion. La fille était pas mal, elle avait de ces tétons !

– Edmond !

– Bon, je vais me coucher.

Edmond referma la porte de la chambre de Jules et se glissa dans la chambre d'Ariane. Celle-ci dormait profondément. Il allait ressortir quand il entendit renifler dans le lit voisin. Il s'approcha et découvrit Aurélie en pleurs.

– Qu'est-ce qui se passe, ma princesse ?

Entre deux hoquets, elle lui chuchota que Laurent ne l'aimait pas. Edmond en fut soulagé. Il lui caressa les cheveux en lui disant que tout s'arrangerait. Elle rencontrerait un autre jeune homme qui l'aimerait, celui-là. Les pleurs d'Aurélie redoublèrent et il l'embrassa sur le front avant de s'éclipser dans sa chambre.

Edmond était heureux de ces deux bonnes nouvelles après toutes ces longues journées d'attente et d'angoisse. Il avait envie de chantonner, de crier sa joie, mais il n'avait personne avec qui partager ce moment. Il se glissa sous les draps et revit les seins blancs de la stripteaseuse. Si seulement Ariane n'était pas grippée et assommée de somnifère, elle aurait partagé son lit cette nuit et laissé Aurélie toute seule.

Mais au fait, comment savait-elle, Aurélie, que Laurent ne l'aimait pas ? Elle avait sans doute reçu une lettre de lui. Il fallait qu'il pense à lui poser la question. Et puis, c'était sans importance. Il devait plutôt profiter des quelques heures qui restaient pour essayer de dormir.

William Asbury arriva comme d'habitude très tôt à son bureau. Il avait peu dormi, préoccupé par ces Savard qu'il devait rencontrer en fin de matinée. Il avait déjà mis au point son petit discours encourageant. Il leur ouvrirait un dossier qu'il pourrait classer dès qu'ils seraient sortis du ministère. Que pouvait donc faire Edmond ? Une tentative de chantage le mènerait tout droit à son bled natal, et adieu les contrats. Après tout, ce divertissement avait été plus agréable que préjudiciable. William reprit son assurance et se dirigea vers la salle de réunion pour sa rencontre matinale avec Sir Harold Brown et ses collègues du War Office et du cabinet.

Jules et Edmond, rasés de près, vêtus de costumes neufs bien coupés par un excellent tailleur londonien, attendaient depuis un moment dans l'antichambre du sous-ministre Asbury. Ils commençaient à se demander si ce rendez-vous n'avait pas été qu'un leurre pour se débarrasser d'eux. Le secrétaire du sous-ministre ouvrit la porte de chêne massif pour s'excuser : la réunion à laquelle assistait monsieur le sous-ministre se prolongeait et il serait en retard. Jules serra le lourd porte-documents en cuir qu'il tenait à la main. Les Anglais, réputés si ponctuels, lui avaient fait le coup de la réunion prolongée plus d'une fois. Edmond prenait ce retard avec plus de diplomatie. Un instant plus tard, la porte s'ouvrit de nouveau et les frères Savard furent invités à entrer dans le bureau du sous-ministre. William Asbury se leva pour leur serrer la main et les inviter à s'asseoir dans des fauteuils de cuir brun qui faisaient face à son immense bureau de style Chippendale. La grandeur et la décoration de l'endroit montraient l'importance de ce poste de sous-ministre et Edmond se demanda comment pouvait bien être le bureau du ministre.

Jules commença à exposer leur projet, mais le sous-ministre l'interrompit rapidement. Avait-il bien entendu? L'usine n'était même pas construite? Jules sortit alors les lettres échangées avec Émile Snyders. Les Savard bénéficiaient de l'expertise d'un des plus importants fabricants d'armes du monde qui, tout comme les Britanniques, sentait venir la menace allemande. Asbury regarda Edmond d'un air étonné. Celui-ci ayant mentionné l'expertise française sans donner de nom, il avait cru qu'il parlait de l'expertise des travailleurs canadiens-français. La réputation des canons et des obus Snyders n'était plus à faire. Le sous-ministre sourit à Edmond. Les Savard avaient désormais un allié de taille. William Asbury se sentait soulagé. Ces hommes étaient des gentlemen doublés d'hommes d'affaires sérieux. Après la réunion à laquelle il venait d'assister, il savait que cette affaire devait être rapidement réglée maintenant. Aussi, il ne perdit pas de temps et offrit à Jules et à Edmond de rencontrer Sir Harold Brown en personne. Quelques coups de téléphone plus tard, Asbury et les frères Savard entraient dans le bureau du ministre qui écouta son adjoint avec intérêt. Il scruta longue-ment les deux Canadiens, puis donna finalement son accord, mais une condition s'y rattachait: les Savard devaient obtenir, dans les plus brefs délais, la recommandation du gouvernement canadien, ce qui rassurerait le gouvernement britannique sur la bonne marche de cette usine à construire et la livraison des armes à venir. Jules se leva, suivi d'Edmond, pour serrer la main du ministre. William Asbury avait bien l'intention de ne pas classer le dossier qu'il ouvrirait pour eux, certain de revoir ces Canadiens bientôt.

Aurélie dormit tard. Elle avait passé la nuit à pleurer et, épuisée, elle s'était endormie à l'aube. Ariane s'était réveillée un peu engourdie à cause des somnifères qu'elle prenait depuis quelques jours, mais elle respirait mieux et se sentait assez en forme pour sortir du lit et se faire monter un petit-déjeuner. Sa fille semblait dormir comme un ange. Ariane eut le temps de prendre un bain, de se vêtir, de se maquiller et de déjeuner avant de voir Aurélie ouvrir les yeux.

– Comment ça va, ma chérie ? Tu as mauvaise mine. Je t'ai peut-être donné mon rhume.

Aurélie s'étira et regarda l'heure. Elle alla à la salle de bain passer de l'eau sur son visage et revint boire un peu de thé avec sa mère. Elle n'avait pas envie de lui parler de Laurent. Ça n'aurait servi à rien, ou plutôt si, ça aurait servi à lui faire perdre la confiance d'Ariane qui ne l'aurait plus quittée d'une semelle ensuite, de peur qu'elle ne se jette dans les bras du premier garçon venu. Comment sa mère pourrait-elle comprendre qu'elle s'était offerte et, surtout, qu'elle avait été rejetée ? Aurélie ne pouvait pourtant pas accuser Laurent de l'avoir blessée. Il avait toujours été sincère avec elle, lui disant que leur relation ne pouvait avoir de suite. Ce qu'il avait fait ensuite était aussi une preuve d'amour plus que d'indifférence. Et la façon dont il avait caressé son corps, comme si c'était un objet précieux et fragile entre ses doigts, démontrait qu'il était un homme sensible et aimant. Il ne pouvait plus la voir à cause de mille choses, mais pas à cause de son manque de désir. Il avait bien prouvé qu'il la désirait. Comment dire cela à sa mère qui ne parlait que du grand amour dans le mariage ?

Ariane l'observait, soucieuse. Aurélie, les yeux gonflés et rougis, fixait sa tasse de thé comme si elle lisait son avenir. Chaque question d'Ariane recevait un oui ou un non comme réponse, puis le silence retombait. Elle s'approcha de sa fille et lui caressa le dos en lui demandant ce qui n'allait pas : elle avait tellement changé en quelques jours. Était-ce le climat, le voyage ? On frappa à la porte qui s'ouvrit sur Edmond, jubilant. Aurélie fut soulagée de cette diversion, ayant eu peur de se laisser aller aux confidences.

— Faites vos valises, on prend le bateau ce soir même. On va avoir le contrat.

Ariane embrassa son mari, réjouie de le voir si heureux, en oubliant le chagrin d'Aurélie. Dans le branle-bas qui suivit, personne ne se préoccupa plus des humeurs de la jeune amoureuse. Quand Aurélie quitta l'hôtel, il faisait un soleil radieux. St. James Park verdoyait, donnant envie d'y flâner. Même l'humeur des Londoniens avait changé. Ils se promenaient pour une fois sans parapluie et avec le sourire. Aurélie en fut contrariée. Comment pouvait-il faire si beau alors que son cœur était en deuil ? Arrivée à Southampton, elle entra dans sa cabine avec l'intention de ne plus en sortir. La traversée fut agréable pour les autres. Jules avait envoyé un télégramme pour aviser le ministre Cardinal des derniers événements et se sentait tout fébrile en pensant aux succès à venir. Edmond et Ariane retrouvèrent la passion de leur premier voyage sur le Normandie, passant des après-midi torrides enfermés à double tour dans leur cabine pendant que leur fille fixait la mer.

Lorraine et Aurélie fixaient le fleuve en silence. Le ciel était gris et bas, mais la lumière n'était pas triste. La vieille dame revoyait la mer comme si elle était encore dans une cabine de paquebot. À son âge, elle avait cru disparues à jamais ces sensations de plaisir et elle avait découvert avec joie qu'elle pouvait revivre les émois de sa première rencontre avec Laurent. Aurélie avait follement aimé cet homme et elle savait qu'elle l'aimait toujours après toutes ces années. Elle aimait son souvenir et elle aimait aussi tout ce qu'il lui avait apporté. Elle ne savait pas s'il vivait encore et elle ne désirait pas le revoir. Elle avait été amoureuse d'un beau jeune homme ; le vieillard qu'il était certainement devenu aurait brisé l'image merveilleuse qu'elle en gardait.

La photographe se sentait mieux. Ce voyage dans le temps lui avait permis de mettre les choses en perspective. Dans la description que faisait Aurélie de la relation d'Ariane et d'Edmond, Lorraine retrouvait des moments de complicité et d'amour entre ses parents. Jeanne et André s'étaient aimés et l'entente qu'ils avaient passée entre eux ne regardait qu'eux. Elle n'avait pas à juger de ce qui était bien ou mal pour Jeanne. Celle-ci avait vécu avec ses propres fantômes et ses secrets. Si elle avait préféré ne pas les dévoiler à la fin de sa vie, Lorraine devait respecter son choix. N'avait-elle pas elle aussi des cadavres dans son placard ? Elle avait quitté son mari pour un amant plus jeune, mais, avant ce départ, elle avait mené une double vie pendant des mois, jouant à cache-cache avec son emploi du temps. Mais il n'y avait pas d'enfants pour la retenir. C'était un mariage de célibataires, deux êtres qui vivaient en couple pour ne pas se retrouver seuls. Cette sorte de mariage devenait de plus en plus fréquent, image du modernisme qui allouait au confort une place prédominante. Lorraine était heureuse d'y avoir mis fin. Sa liberté était peut-être parfois accompagnée de solitude, mais elle n'avait plus peur de se retrouver face à elle-même.

Le silence était devenu confortable entre les deux femmes. Aurélie se sentait rajeunir, reléguant son deuil et son chagrin aux oubliettes. Raconter ainsi sa vie lui permettait de revoir tous ses proches et de les présenter à Lorraine. Celle-ci avait l'impression de s'être rapprochée de sa mère davantage qu'à l'époque où elle la veillait jour et nuit, essayant de lui arracher des souvenirs, des récits qui ne venaient pas. Elle avait pris peu de photos d'Aurélie, se laissant glisser dans le récit en fermant les yeux. Au moment où Laurent avait pris dans ses bras la toute jeune Aurélie, Lorraine s'était rappelé le grand amour de sa vie, de vingt ans son aîné. C'était à Rome.

Elle revenait de Beyrouth le cœur en lambeaux, ayant passé une semaine à photographier des décombres, des gamins de neuf ou dix ans, cigarette au bec, qui s'amusaient avec des carcasses d'autos explosées, des femmes qui couraient avec un cabas sous le bras pour essayer de trouver de quoi nourrir les leurs avant qu'un missile ne fasse s'écrouler un édifice. Lorraine n'avait pas encore assez d'expérience pour trouver un coin insensible de son être où remiser les horreurs qu'elle photographiait afin d'alerter le monde et réveiller les consciences. Elle était encore assez naïve pour croire que, face au drame, l'humanité pouvait se mobiliser et laisser de côté la propagande véhiculée par les gouvernements et les intérêts financiers.

Rome l'avait accueillie sous le soleil et elle s'était dit qu'elle pourrait y panser ses blessures pendant quelques jours. Vittorio attendait à la terrasse du café San Eustacchio. Grand, élancé, la crinière argentée en bataille, il était le type parfait du Romain désinvolte. Lorraine n'y avait pas fait attention, mais lui l'avait déjà remarquée, avec son uniforme de photographe de guerre : ses jeans et sa chemise d'homme, ses cheveux attachés sous une casquette, les armes en bandoulière. Quelques mots échangés, des rires, une soirée de bavardage dans les rues étroites de Rome, de fontaine en fontaine, une chambre en mansarde, et les ingrédients étaient tous réunis pour que deux corps se rencontrent et que deux âmes se touchent. Une semaine magique où le monde entier avait disparu sous les draps, où les famines et les guerres n'avaient plus cours.

Vittorio était un peintre, un poète, un amant attentif, sensible et entier. Il n'aimait que la passion et il avait accompagné Lorraine à l'aéroport avec le sourire. Ils avaient passé ensemble des jours merveilleux ; il ne fallait surtout pas les diluer dans le quotidien banal et laid. Lorraine avait compris son point de vue même si elle trouvait difficile de quitter pareil bonheur. Mais elle savait qu'il avait raison. La vie de tous les jours aurait fini par les acculer aux querelles, aux jalousies, aux mesquineries. Le souvenir qu'elle en gardait était intact et il lui était revenu pour ensoleiller son cœur.

Simone attendait depuis un moment dans l'entrée de la salle de séjour. Elle regardait les deux femmes, perdues dans leurs mondes respectifs, n'osant pas les déranger. Lorraine sursauta en s'apercevant qu'elle était épiée. Simone lui sourit et Aurélie se tourna vers elles. Le repas les attendait dans la petite cuisine. La vieille dame se leva et prit le bras de Lorraine.

– Je suis contente que tu sois là. Je me sens rajeunir. Tous ces souvenirs m'ont mise en appétit.

– Vous l'avez revu ? Aurélie sourit comme une petite fille espiègle.

– Tu es trop pressée, tu veux tout savoir tout de suite. Attends, tu verras bien.

Ariane retrouva ses enfants et le manoir avec joie. Si sa visite londonienne n'avait pas été des meilleures, le voyage de retour avait été un enchantement, malgré la mauvaise humeur d'Aurélie. Celle-ci exhibait une moue continuelle pour bien montrer qu'elle ne voulait rien savoir de personne. Elle affichait son chagrin comme une oriflamme aux couleurs de son amour perdu. Il n'y eut que le sourire et les baisers de la petite Muriel pour la dérider un peu. La jeune fille retrouva sa chambre bateau, sa vue sur le fleuve, son parc et ses rosiers qui bourgeonnaient de vie. Les boutures de madame Alexandra semblaient vouloir survivre. Le mois de juin était maintenant bien entamé, annonçant l'été avec son soleil et sa chaleur. Aurélie avait pourtant le cœur en hiver. La beauté de la nature la dégoûtait, le sourire de son entourage aussi. Si bien que tout le monde lui tourna le dos, attendant que le temps cicatrise sa blessure. Ariane ne posa pas de questions, même si elle avait trouvé, entre les vêtements de sa fille, le télégramme annonçant l'arrivée de Laurent. Elle se souvenait d'avoir passé cette journée-là avec Aurélie et de ne pas l'avoir quittée d'une semelle. Ariane en avait déduit que Laurent avait fait faux bond à sa fille, que c'était ce rendez-vous manqué qui avait causé tout cet émoi. Ne tenant pas à remuer le couteau dans la plaie, elle préféra se taire et attendre que le temps fasse son œuvre.

Edmond avait salué ses enfants et défait ses bagages à la hâte. Il repartit avec Jules deux jours plus tard à Ottawa. Le ministre Cardinal les reçut chaleureusement dans son bureau, très fier que ce soient les Savard, des Canadiens bien de chez nous, qui décrochent un tel contrat du British War Office. Il voyait déjà son nom passer à la postérité comme le politicien qui avait aidé le plus sa région. Parti de peu, il avait décroché, grâce à son acharnement et à sa volonté, des postes enviés de plusieurs et voilà que son travail portait fruits.

— J'ai obtenu un rendez-vous avec le premier ministre cet après-midi.

— Il est au courant des demandes des Anglais dans tous les détails ?

— Oui, et je ne veux pas trop m'avancer, mais je peux vous dire qu'il semble disposé à vous aider, même si vous n'êtes pas les seuls.

— Comment ça, pas les seuls, explique-toi, Alfred ?

— Écoute, Jules, je ne peux pas te donner de noms, mais tu sais qu'il y a d'autres hommes d'affaires qui sont intéressés par ces contrats. Comme ils n'ont encore rien obtenu d'aussi officiel que vous, ils aimeraient un délai.

— Tu penses que la guerre va les attendre ?

Alfred Cardinal sourit. Il aimait bien le côté fonceur de Jules, même s'il préférait traiter avec la bonne humeur d'Edmond.

— C'est justement ce que j'ai dit au premier ministre. Surtout que le gouvernement britannique est pressé. On dirait que les Anglais viennent de se réveiller. Je pense que Churchill brasse l'arbre, des pommes vont tomber.

Après les attentes interminables dans les bureaux minis-
tériels de Londres, Edmond et Jules trouvèrent Ottawa
fort accueillante. William Lyon Mackenzie King était de
bonne humeur. La visite officielle du roi George VI, accompagné de sa femme, la reine Marie, et de leurs filles, les
princesses Elizabeth et Margaret, qui avait eu lieu en mai,
avait prouvé que l'Angleterre et le Canada avaient des liens
étroits qui se resserreraient encore davantage avec les turbulences que traversait l'Europe. Il fut très direct avec Jules et
Edmond.

— Can you do it? La réponse fusa, rapide :

— Absolutly, Sir!

Les Savard n'attendaient que le feu vert des politiciens
pour transformer les vieux chantiers du gouvernement en
usine ultramoderne de fabrication d'armes. King regarda
longuement Cardinal. Son ministre, si habile à collecter des
fonds et à faire campagne pour lui au Québec, venait de lui
apporter sur un plateau des hommes d'affaires qui étaient
non seulement désireux d'obtenir de lucratifs contrats, mais
aussi en possession d'atouts majeurs : la collaboration des
usines Snyders et des lettres enthousiastes de l'Amirauté
britannique et du War Office. S'il ne signait pas cette
recommandation, Mackenzie King verrait peut-être des
Australiens ou des Sud-Africains décrocher le gros lot. Le
temps pressait et ses amis de Toronto devraient en faire
leur deuil. Le premier ministre se leva, tendit la main à Jules
puis à Edmond et leur dit de faire leur valise : ils auraient la
recommandation demandée par le gouvernement britannique
dans quelques jours.

Jules était si heureux qu'il ne se rappelait même pas être sorti du bureau du premier ministre et s'être rendu à sa limousine. Il avait flotté pour se réveiller aux côtés de son frère à l'arrière de la Rolls Royce qui les ramenait à Montréal. Edmond chantonnait, un verre de whisky à la main, un air de marin. Quand il vit Jules le fixer, il s'arrêta.

– On pourra dire que je l'ai traversé, cet océan-là. Une chance que j'ai pas le mal de mer.

– Tu ne prendras pas le bateau.

– Comment ça ?

– Ça prend trop de temps. Mackenzie King a dit « quelques jours ». Tu sais ce que ça veut dire ? Faire rédiger le texte, le faire lire par des fonctionnaires pour s'assurer qu'on dit bien ce qu'on veut dire, faire taper la lettre et ensuite la mettre dans une pile pour qu'elle soit signée. Si Cardinal pousse comme il l'a promis, au mieux, nous aurons cette lettre dans une semaine. N'oublie pas ce qu'a dit Asbury. Ils sont pressés. On leur a promis que les armes sortiraient rapidement d'une usine qui n'est pas encore construite, alors si on prend des semaines à échanger des papiers, comment veux-tu qu'ils nous croient ? Tu vas prendre l'avion.

– T'es fou !… Ça a beau être pressé, on peut leur envoyer un télégramme pour leur dire qu'on a les papiers et qu'on arrive. Ils vont savoir qu'on ne leur raconte pas d'histoires.

– Et pourquoi nous feraient-ils confiance à ce point ? Asbury, peut-être, et on sait tous les deux pourquoi, mais le ministre et l'ensemble du Parlement ne nous connaissent pas.

– J'ai manqué de stripteaseuses…

– Je ne blague pas, tu prends l'avion.

La perspective de survoler l'Atlantique n'avait rien de rassurant pour ce fils de marin. La mer, même démontée, cruelle et furieuse, offrait quelque chose de plus palpable que l'air. Dix jours plus tard, Edmond se rendait donc à New York. À la sortie de la gare, il se fit conduire au Marine Air Terminal de la compagnie Pan American World Airways. Un Boeing 314 l'attendait paresseusement, le ventre sur l'eau, dans la chaleur des derniers jours de juin. On aurait dit une grosse baleine. À sa vue, Edmond regretta que Jules ne veuille pas faire le voyage. Il aurait même préféré y envoyer Aurélie, mais elle passait ses journées à jouer les demoiselles éplorées. Ses deux frères étant revenus du pensionnat pour l'été avec encore plus de mauvais tours dans leurs sacs, Edmond espérait secrètement qu'ils la fassent suffisamment enrager pour lui faire oublier son prince français.

Edmond regarda la lourde carlingue d'acier de plus de cent pieds de long. Il devait entrer dans ce ventre et il se sentait comme une sardine à la vue de sa boîte. Il prit une bonne respiration et descendit la large passerelle qui reliait la terre ferme au grand quai où était amarré le Yankee Clipper. Il entra dans le ventre du monstre sous les sourires bienveillants des membres d'équipage strictement vêtus d'uniforme marine, chemise immaculée et cravate comme les officiers d'un navire. L'avion était divisé en différents salons munis de fauteuils qui pouvaient se tendre pour la nuit. Des rideaux coulissaient pour préserver l'intimité de chacun. Le steward Thaler se présenta et conduisit Edmond au salon des passagers. La plupart étaient des hommes qui semblaient, comme Edmond, aller en Europe pour affaires. Il y avait aussi deux couples, dont une lady britannique qui commentait tout à haute voix pour être certaine d'être remarquée. Quel plaisir d'être parmi les premiers passagers à traverser l'Atlantique en une journée ! Et dire que ses amies ne juraient que par les paquebots ! Tout ça serait bientôt complètement démodé. Se disant qu'une journée était encore trop longue pour la passer avec cette pie, Edmond se rendit dans un autre salon où il rencontra trois hommes d'affaires américains qui discutaient chaussures et sous-vêtements de laine. Ils espéraient pouvoir vendre leurs produits en Europe.

Edmond les salua et repartit vers un autre salon, en fait une petite salle adjacente à une minicuisine. L'officier radio, qui passait par là, lui proposa de visiter le cockpit de l'hydravion. Edmond le suivit et monta l'escalier menant à la cabine de pilotage. Quatre personnes s'affairaient déjà aux préparatifs du départ. Le capitaine et son copilote étaient assis à leur poste devant une série de cadrans. L'officier radio se joignit à son collègue, assis à une table devant une large boîte noire munie de cadrans. Il s'assit à son tour et mit des écouteurs sur ses oreilles. L'ingénieur de vol était penché sur une autre table au-dessus de cartes. Le capitaine Gray salua Edmond et s'excusa, le départ étant imminent, et il l'invita à remonter dans la cabine durant le vol. Il n'aurait qu'à demander au steward de l'accompagner en temps voulu. Edmond le remercia et redescendit dans le salon où les trois hommes d'affaires parlaient maintenant des danseuses des Folies Bergère.

Quand la vingtaine de passagers eurent pris place, les quatre hélices se mirent à tourner. Le métal vibrait tellement autour de lui qu'Edmond sortit de sa poche un flacon de whisky et avala une longue rasade, regrettant de ne pas en avoir emporté une bouteille entière. L'avion était toujours amarré au quai et dansait sur place comme une libellule. Le clipper s'éloigna finalement et glissa sur l'eau en prenant de plus en plus de vitesse. Edmond ferma les yeux et se cala dans le fauteuil étroit. Il eut un haut-le-cœur, ouvrit les yeux et découvrit que l'avion survolait la mer le long des côtes de la Nouvelle-Angleterre.

La vibration était constante et les gens devaient élever la voix pour se parler. Edmond, si sociable, n'avait pas envie de faire la conversation à qui que ce soit. Il ne rêvait que du retour en bateau. Si seulement il arrivait un jour en Angleterre… L'avion longea les côtes de la Nouvelle-Écosse, puis amerrit à Shediak au Nouveau-Brunswick et se rangea sagement le long du quai. Tout au bout, une grande baraque de bois servait de bureau et d'entrepôt. L'arrêt était de courte durée. Edmond décida tout de même de sortir marcher un peu. Il respira l'air marin avec plaisir, les pieds sur la terre ferme. L'appareil prit du carburant et repartit vers le Groenland en direction de l'Irlande, prochain arrêt.

L'Atlantique Nord n'était pas toujours doux pour les bateaux et il ne l'était pas davantage pour les avions que des turbulences secouaient régulièrement. Ayant terminé son whisky, Edmond en découvrit, avec ses trois compagnons de voyage, plusieurs bouteilles dont ils se servirent copieuse-ment, si bien qu'il était complètement soûl avant que le Yankee Clipper ne voie les côtes irlandaises. Il admira les pâturages verdoyants et faillit vomir quand l'avion se posa, au petit matin, sur les vagues tourmentées, pour se diriger vers le quai de l'île de Foynes. Quatre passagers débarquèrent et Edmond sortit prendre un peu d'air frais avant que l'avion ne reparte vers l'Angleterre. Il avait dormi un peu, du moins assez pour oublier quelques heures de voyage, mais il sortit de l'avion courbaturé. Le village irlandais était désert et paisible à cette heure matinale. Le seul brouhaha était autour de l'avion.

L'appareil décolla de nouveau et arriva à Southampton quelques heures plus tard. Edmond prit le train pour Londres et put enfin se détendre. Le roulement sur rails semblait plus doux à ses oreilles que les craquements de la carlingue. Il se rendit à l'hôtel prendre un bain et appeler William Asbury qui se dit heureux de le voir revenir si vite. Jules lui avait envoyé la veille un télégramme annonçant son arrivée.

– So you took the flying boat ? How was the flight ?

Edmond n'avait pas très envie d'en parler, mais il se montra enthousiaste face à ce nouveau mode de transport, question de ne pas avoir l'air dépassé. William était curieux de tout et particulièrement content de revoir Edmond. Ce dernier se rendit à son bureau le lendemain matin et fut reçu rapidement par le ministre qui ne voyait pas d'objections, maintenant, à lui donner le contrat. Il fallait faire approuver le tout par le conseil des ministres, une question de jours, tout au plus une semaine. Edmond se vit donc obligé de jouer les touristes pour tuer le temps. Le mois de juillet arriva avec sa chaleur et Londres resplendissait sous le soleil. William passait ses week-ends avec sa famille, installée pour l'été à la campagne. Demeurant seul à Londres pendant la semaine, il eut l'idée d'organiser pour Edmond une sortie aussi mémorable que la soirée que celui-ci lui avait fait passer à Soho.

Un soir, il l'invita au restaurant, mais l'amena au préalable dans une maison de jeux clandestine où des hommes et des femmes, vêtues somptueusement, jouaient gros. Edmond fit le tour, risqua quelques jetons à la roulette et au black-jack avant de déclarer à William qu'il avait faim. Attendant ce moment avec impatience, ce dernier le pria de passer dans une autre salle, au dernier étage de cette maison anonyme en plein cœur de Londres.

L'escalier étroit qui y menait intrigua Edmond. Comment un restaurant pouvait-il être situé dans un endroit aussi inaccessible ? Les deux hommes arrivèrent finalement dans une grande pièce éclairée par d'immenses chandeliers. Une longue table était dressée, couverte d'une nappe blanche qui touchait le sol. Une dizaine d'hommes étaient debout, un verre à la main, discutant à mi-voix. Ils saluèrent William, et le maître d'hôtel vint leur dire que le dîner allait être servi. Les hommes prirent place d'un seul côté de la table. Des serveurs allaient et venaient avec les plats. Edmond trouvait bizarre d'être assis face à un mur orné de tableaux montrant des scènes de chasse.

Le sous-ministre avait les yeux brillants de plaisir anticipé. Edmond sentit quelque chose bouger sous la table. Devant son regard interrogateur, William lui chuchota de ne s'étonner de rien. Les convives avaient l'air si joyeux qu'Edmond se sentit en confiance et décida d'attendre la suite. Soudain, une main se posa sur son mollet, glissa le long de sa jambe et remonta la cuisse. William l'observait toujours en souriant. Edmond regarda les autres. Personne ne bougeait. La main remontait toujours la cuisse et s'approchait de la braguette de son pantalon. Edmond commençait à comprendre. Il avala une gorgée de vin pour se donner une contenance. Des ongles raclaient son pantalon et Edmond sentit son sexe se dresser. Des doigts habiles ouvrirent la braguette. Edmond avala une autre gorgée de vin et vit un invité se faire pointer du doigt. Les rires fusaient. On avait deviné qu'il était un de ceux qui avaient droit en ce moment à une fellation. L'homme démasqué dut se lever et quitter la table des délices, la braguette ouverte sur des chairs flasques qu'il s'empressa de cacher.

Le jeu consistait donc à deviner qui était l'heureux élu, lequel était expulsé. Il n'était pas question de toucher les filles. Les mains devaient rester sur la table, prendre les couverts sans trembler, boire une gorgée de vin sans en renverser une goutte. Supplice et plaisir. Edmond tint bon. Il essayait de penser à des histoires tristes, la guerre, les canons, les chiffres comptables, et comprit que les scènes de chasse devant eux pouvaient servir à engourdir un peu les sens, encore fallait-il ne pas trouver séduisante la croupe d'un cheval. William, à ses côtés, lui parlait des seins superbes de cette blonde qu'Edmond lui avait déjà présentée. Quand il en arriva à décrire son sexe aussi pâle que ses seins, Edmond ne put se retenir davantage. Mais il avait su garder son verre de vin à la main sans trembler, et son soupir ne put être entendu que par William qui ne le dénonça pas. Il toucha plutôt la fille du genou : c'était son tour, maintenant.

Le manoir avait quelque chose de triste sans la présence d'Edmond. Ariane ne pouvait plus supporter de voir sa fille s'envelopper de son chagrin d'amour et se couper du monde, enfermée dans sa chambre à lire les journaux. Attentive aux rumeurs de guerre, Aurélie lisait tout ce qui s'écrivait sur l'Europe et la politique internationale. Elle se réjouissait en parcourant les textes optimistes de ceux qui prédisaient que le chancelier du Reich n'irait pas envahir les peuples non germaniques, se contentant d'avoir ramené la prospérité dans un pays durement touché par le chômage. Hitler n'avait-il pas résolu depuis trois ans, avec son « ordre nouveau », ce problème grâce à de grands travaux d'infrastructures et un ambitieux programme de réarmement ? Les agressions allemandes, de plus en plus ouvertes, étaient minimisées par les partisans d'une politique d'apaisement. Aurélie s'attristait par contre en lisant les articles de ceux qui dénonçaient le plan d'élargissement de l'espace vital allemand. Ce plan menaçait tous les pays européens, en particulier la France où avait été signé le traité de Versailles mettant fin à la Première Guerre mondiale, traité que les Allemands n'avaient jamais accepté. La jeune fille savait que le Creusot avec son industrie d'armement serait une cible de choix et elle ne pourrait supporter de ne plus jamais revoir Laurent. Quand elle voyait passer un bateau sur le fleuve, elle avait envie d'être à bord et de filer en France. Elle deviendrait une gentille petite épouse, dans une jolie maisonnette du Creusot, avec plein de bambins souriants autour d'elle. Comme Jeanne d'Arc, elle monterait à l'assaut de l'ennemi et sortirait les Allemands de sa nouvelle patrie.

Ses rêves s'arrêtaient aux fenêtres de sa chambre. Aurélie fêta ses dix-sept ans sans grande joie. Quelques jours plus tard, les journaux lui apprirent que le 23 juillet, cent six couples s'étaient mariés au cours d'une cérémonie collective au stade de Lorimier. Prévoyant que le gouvernement fédéral voterait prochainement l'enrôlement obligatoire et que les hommes mariés en seraient exemptés, ces gens voulaient exprimer leur refus de participer à la guerre, mais Aurélie y voyait des centaines de gens amoureux. Quand vint le temps de choisir une robe pour le mariage de sa cousine Eugénie, elle fondit en larmes. Elle ne voulait assister au mariage de personne. Ariane n'en pouvait plus et fut soulagée de voir Edmond revenir.

Edmond était heureux de rentrer chez lui et de retrouver sa famille. Tout le monde l'accueillit avec joie. Charles et Roland l'attendaient pour aller à la pêche. Aurélie sortit un peu de sa torpeur pour l'embrasser. La petite Muriel lui sauta au cou. Ariane se lova dans ses bras ; son homme était enfin de retour. Les enfants déballèrent les souvenirs avec entrain pendant qu'Ariane attendait un moment d'intimité qui n'arriva que tard le soir. Elle se brossait les cheveux devant sa coiffeuse quand Edmond l'embrassa dans le cou. Elle se retourna en souriant.

– Veux-tu être à nouveau ma femme ?

– Qu'est-ce que tu racontes, je suis déjà ta femme ? Oh !

Elle venait de voir la petite boîte en velours noir que son mari lui tendait. Edmond l'ouvrit sous ses yeux et elle découvrit une magnifique bague à diamants, une étoile filante qu'il glissa à son doigt. Ariane resta sans voix, les yeux brillants. Edmond était heureux de sa réaction. Sa visite londonienne l'avait troublé plus qu'il ne l'aurait cru. Déboussolé par le cadeau de Williams, il avait regagné sa chambre d'hôtel au petit matin après avoir assisté au strip-tease des trois filles qui s'étaient affairées sous la table. Il était content de ne pas rentrer chez lui tout de suite, car Ariane aurait lu en lui comme dans un livre ouvert. Les jours suivants, se sentant coupable, il avait erré sans but dans Londres. Il avait alors pris le ferry pour la France et s'était rendu à Paris à la boutique Chanel. Il avait trouvé le personnel de la boutique en état de grande excitation. Face à la menace allemande, Mademoiselle parlait de fermer et de se retirer en Suisse. Le magnifique collier de diamants Comète étant hors de prix, Edmond avait opté pour la bague.

Ariane regardait la bague à son doigt, une miniature du merveilleux collier, et n'en croyait pas ses yeux. Sa bague de fiançailles faisait figure d'enfant pauvre face à la brillance de la comète. Ce cadeau trop luxueux cachait certainement quelque chose, mais quoi ? Elle fixa Edmond dans les yeux.

– Pourquoi veux-tu m'épouser à nouveau ? Tu as quelque chose à te reprocher ?

– Pourquoi dis-tu une chose pareille ? Je te fais un cadeau parce que je t'aime et tu doutes de moi. J'ai réussi à obtenir des contrats qui vont assurer notre prospérité et celle de la région. J'ai bien le droit de dépenser pour la femme que j'aime depuis dix-huit ans. Mais je t'avertis, pour le collier, j'ai bien peur que tu doives attendre quelques années.

Ariane se sentit stupide et rabat-joie d'avoir eu de telles pensées. Elle se leva et embrassa Edmond qui la prit dans ses bras et la déposa sur le lit.

– Alors, veux-tu être ma femme ?

– Oui, pour toujours.

Aurélie avait écouté à la porte et se précipita vers sa chambre pour ne pas en entendre davantage. Elle en voulait à ses parents de s'aimer encore après tant d'années alors qu'elle-même n'avait réussi qu'à passer quelques heures dans les bras de l'homme de sa vie. Elle regarda la lune se refléter sur les eaux du fleuve. Les cigales chantaient l'été à tue-tête. Le mariage d'Eugénie approchait, la guerre aussi. Aurélie devait trouver une occupation digne d'elle et ne trouvait rien d'autre à faire que de pleurer sur son sort.

Le jour du mariage arriva. Tout le monde se leva tôt pour arriver à Montréal avant la cérémonie. Aurélie avait laissé à sa mère le soin de choisir sa robe et elle avait accepté de sourire à la demande expresse de son père. L'église de Westmount était bondée d'hommes en habits sombres et de femmes élégantes portant des chapeaux pastel. Aurélie se dit que ce mariage fastueux serait éclipsé un jour par le sien, encore plus extraordinaire. Le marié attendait nerveusement sa promise en regardant souvent sa mère qui lui souriait pour le rassurer. Il avait des cheveux blond-roux, des yeux noisette, un nez retroussé et un gros bouton dans le cou qui devait faire sa gêne. Aurélie se demandait ce que sa cousine pouvait bien lui trouver. Beaucoup d'argent, bien sûr, à voir les bijoux portés par la future belle-mère, mais il n'était certainement pas le seul garçon riche de la ville.

Tout le monde se tourna vers les portes de l'église pour regarder entrer Eugénie. Elle était resplendissante dans sa robe immaculée, avec son diadème de fleurs blanches et son long voile de dentelle que tenait sa plus jeune sœur derrière elle, suivie d'Émilie en demoiselle d'honneur tout en rose. On aurait dit trois anges descendus directement des nuages, marchant au pas de la musique nuptiale. Eugénie flottait visiblement de bonheur. Aurélie observa le marié. Ses yeux brillaient maintenant. Toute l'anxiété s'était évanouie et il souriait à sa bien-aimée. Eugénie lui rendait son sourire et Aurélie sentit une autre douleur au cœur. Ces deux-là s'aimaient.

La réception fut à la hauteur des ambitions de Jules et de Violette. Les invités déambulaient sur l'herbe bien verte du parterre du country club, un verre de champagne à la main, pendant qu'une armée de serviteurs veillaient à satisfaire leur moindre désir. Edmond présenta à sa fille plusieurs jeunes hommes élégants. Aurélie était polie, souriante, gentille et en même temps indifférente. Elle embrassa Eugénie, ivre de bonheur, et resta un moment avec Émilie et son fiancé qui lui présenta Jérôme, son meilleur ami. À part les enfants, tout le monde était en couple. Aussi Aurélie finit-elle par accepter la présence de Jérôme et jouer le jeu. Celui-ci terminait des études en médecine et ne parlait que de philosophes grecs pour ne pas aborder les aspects techniques de son travail. Aurélie s'ennuyait un peu mais fit bien attention de ne pas le montrer. Les leçons mondaines de madame Alexandra avaient porté fruit. Elle joua à la jeune fille charmante, qui savait rire à l'occasion sans tomber dans la vulgarité et qui n'étalait jamais ses connaissances pour ne pas rabaisser son entourage. Elle ne parla de rien en particulier, pas de guerre en Europe, pas de contrats d'armement, surtout pas d'ingénieur français séduisant. Un test de mondanité qu'elle passa avec succès, mais sans joie.

Eugénie n'était pas revenue de son voyage de noces que Jules annonçait fièrement que l'Angleterre venait d'attribuer à la Maritime un contrat d'essai de cent canons de campagne. Deux jours plus tard, le 16 août, Edmond demandait à la population de Sorel de contribuer à la démolition des bâtisses en emportant tout le bois qu'elle voulait. Commença alors une procession inhabituelle. Les gens se ruaient, hommes, femmes et enfants, pour emporter le bois, utilisant tous les moyens de transport imaginables, de la brouette à la carriole. Tout le monde aurait de quoi se chauffer pour l'hiver ou construire une bicoque. En quelques jours, tout fut démoli. Une cinquantaine de bâtiments des ex-chantiers du gouvernement fédéral, dont deux en brique, des boutiques, des hangars, une chaudronnerie, des magasins, des entrepôts, furent rasées. Les vestiges d'un siècle d'histoire industrielle disparaissaient pour faire place à une nouvelle histoire, une nouvelle industrie. Quand le terrain fut suffisamment nettoyé, on commença à enfoncer des milliers de pieux pour former des pilotis pendant que les pelles mécaniques creusaient les fondations, jour et nuit.

Septembre arriva avec l'invasion de la Pologne par l'armée allemande. Dix jours plus tard, le Canada entrait en guerre aux côtés de la Grande-Bretagne. Les dés étaient jetés. La

Seconde Guerre mondiale commençait. À la fin du mois, Varsovie capitulait. L'Allemagne et la Russie, en bons alliés, se partageaient alors la Pologne. En octobre, cent trente-huit mille soldats britanniques débarquaient en France. Aurélie suivait les informations à la radio à ondes courtes que lui avait offerte son père et passait ses nuits à écouter la BBC et à craindre pour la France. À la fin de novembre, la Russie attaquait la Finlande qui refusait de lui céder des bases militaires, et les États-Unis votaient pour la neutralité. Aurélie sentait la tension monter pendant qu'Edmond assistait avec fébrilité à la naissance de Sorel Industries. Les nouvelles installations s'étendaient sur six cent mille pieds carrés. Deux cent mille pieds carrés de verre dispensaient un éclairage parfait aux ouvriers, et un tunnel de plus de deux mille pieds de long assurait la distribution d'huile et d'électricité aux usines et aux bureaux. Des voies ferrées reliaient les usines aux principales voies de chemin de fer nationaux et permettaient aussi le déchargement du matériel dans l'usine. Un quai fut également construit au bord de la rivière Richelieu. Les bâtiments se dressaient et ne servaient à rien sans l'outillage nécessaire.

Edmond attendit le lendemain de Noël pour annoncer à sa fille que des ingénieurs des usines du Creusot arriveraient en janvier pour veiller à la bonne installation de la machinerie et enseigner leur savoir-faire aux ouvriers locaux. Le cœur d'Aurélie bondit. Elle regardait son père en silence. Edmond n'était pas dupe des sentiments de sa fille.

— Parmi ces trois ingénieurs, il y a un monsieur que tu connais.

— Laurent?

– Tu en connais un autre ?

Aurélie crut s'évanouir en apprenant cette bonne nouvelle. Laurent serait là bientôt, dans quelques jours en fait. Elle pourrait le voir, lui parler, l'embrasser. D'un coup de baguette magique, Edmond avait retiré toute la tristesse des yeux de sa fille. Ariane, déjà au courant, prit la main de son mari. Elle n'avait pas oublié le télégramme qu'elle avait trouvé dans les vêtements d'Aurélie. Elle comptait sur la promesse d'Edmond de tenir leur fille sous haute surveillance pour limiter les dégâts. Edmond alla accueillir les ingénieurs à Montréal, ayant fermement refusé la présence d'Aurélie. Laurent Dumontel le salua chaleureusement et présenta ses deux compagnons, Jacques Cacheu et Matthieu Langassier. Le voyage avait été pénible. L'Atlantique avait déchaîné sa fureur pendant des jours, et les trois hommes étaient heureux d'être enfin arrivés à destination. Le trajet en auto jusqu'à Sorel se déroula dans la bonne humeur et pas une seule fois le nom d'Aurélie ne fut prononcé.

Aurélie avait passé la journée à tourner en rond. En début d'après-midi, Ariane avait réussi à la persuader de sortir un peu et de faire un bonhomme de neige avec Muriel. Charles et Roland, qui patinaient sur les bords du fleuve gelé, avaient commencé une bataille de boules de neige qui avait enragé Aurélie. Elle avait contre-attaqué avec Muriel qui faisait les boules que sa grande sœur lançait à ses frères. Cette guerre d'enfants les avait occupés pendant un long moment et l'arrivée de la brunante les avait forcés à rentrer au manoir, les joues rouges et le nez dégoulinant. Ariane avait regardé avec bonheur son petit monde boire son chocolat chaud et manger du pain d'épices. Si seulement ils avaient pu toujours rester petits! Mais ils grandissaient rapidement. Charles, à quatorze ans, commençait à avoir quelques poils au-dessus de la lèvre supérieure, et Roland se regardait dans le miroir tous les matins dans l'espoir d'en voir sortir un. Il s'efforçait aussi de rendre sa voix plus grave, ce dont se moquait Charles. Edmond entra juste à temps pour le repas du soir. Aurélie l'attendait, assise au salon, faisant mine de lire une revue. Quand elle vit son père seul, son visage s'assombrit.

— Où est Laurent?

— Je les ai présentés aux principaux contremaîtres de l'usine et, ensuite, ils sont allés se reposer à l'hôtel Saurel. Le voyage les avait fatigués. Demain, ils iront loger dans la pension de madame Dionne.

— Pourquoi tu ne les loges pas à l'hôtel?

— Loger des mois à l'hôtel est ennuyeux. Ils seront mieux logés et nourris par madame Dionne. Elle est habituée aux grosses familles et c'est une bonne cuisinière. Ces hommes sont venus ici pour travailler. Ce ne sera pas des vacances pour eux et ils seront très occupés. Et puis, monsieur Émile n'aimerait pas savoir que ses employés vivent si près des bars et des tavernes. Tu comprends qu'il est préférable qu'ils logent pas trop loin des usines.

Aurélie comprenait surtout que son père voulait l'éloigner de Laurent. Le voyage en bateau de l'été précédent jusqu'à New York semblait ne jamais avoir eu lieu. En fait, Edmond ne parlait pas de Laurent, mais des «ingénieurs français». Laurent n'avait plus de nom. Il n'était plus le garçon qui avait embrassé sa fille à New York, simplement un ingénieur des usines de monsieur Émile. Aurélie monta dans sa chambre assez tôt. Elle avait besoin de se retrouver seule pour rêver à sa guise. Laurent était maintenant tout près d'elle et en même temps si loin, à l'hôtel. Pensait-il à elle en ce moment ou fêtait-il son arrivée avec ses confrères? Aurait-il la même attitude qu'à Londres ou accepterait-il de l'aimer enfin? Mille questions tournaient dans sa tête et elle ne pouvait pas dormir. Elle échafauda plusieurs plans pour revoir Laurent par hasard. S'il avait logé à l'hôtel, tout aurait été plus simple. En fait, non, car cet établissement appartenait aux Savard et tout le personnel leur était dévoué. Personne n'aurait risqué de perdre son emploi pour protéger les amours secrets d'une Savard.

La froidure de janvier surprit les ingénieurs. Ils s'y étaient attendus, mais ils n'auraient jamais cru que le froid serait aussi perçant et que la neige pouvait tomber en une telle quantité. Même s'ils n'avaient pas beaucoup à marcher pour se rendre aux usines, cette distance semblait parfois exiger des pas de géant quand les rafales de vent venant du nord transperçaient leurs vêtements, mettant foulards et mitaines de laine à rude épreuve. La neige s'accumulait dans les rues, rendant le trajet difficile, et on voyait à peine les maisons derrière les énormes montagnes que les gens entassaient en traçant un chemin pour se rendre à leur porte. Les ingénieurs arrivaient à la pension gelés et allaient se réchauffer dans la cuisine de la grosse dame où il y avait toujours plusieurs chaudrons sur le poêle, remplis de mets nourrissants mais sans saveur. Le plus âgé, Jacques, se rappelait son service militaire chaque fois qu'il voyait les grosses marmites bouillonner.

– Encore la corvée de patates ce soir. Laurent, tu devrais nous présenter à la jolie fille qu'on croise, la tête enveloppée dans un châle de laine rose, et qui te sourit sans dire un mot. Je suis certain qu'elle peut nous offrir mieux que cette bouillie.

Laurent était gêné de ces allusions à Aurélie qui venait souvent les regarder sortir de l'usine. Il avait remarqué que le chauffeur l'attendait non loin. Dès qu'il entrait chez la mère Dionne, elle montait dans l'auto et disparaissait. Ils ne s'étaient pas parlé depuis son arrivée. Laurent avait eu envie de lui téléphoner, mais il avait promis à Edmond de se tenir à distance et il tenait à respecter sa parole. Monsieur Émile lui avait d'ailleurs fait les mêmes recommandations. Le jeune homme pensait pourtant à Aurélie tout le temps. Il revoyait son corps mince, ses petits seins fermes, son ventre tout blanc et ses jambes bronzées. Il regrettait de ne pas avoir passé la nuit à Londres, puis il se disait qu'il avait bien fait de ne pas prendre le risque de gâcher la vie d'Aurélie. La jeune fille au châle rose faisait désormais partie des plaisanteries quotidiennes. Jacques et Matthieu se moquaient gentiment de Laurent depuis qu'ils avaient appris que cette jeune fille était l'enfant du patron, monsieur Edmond.

Cela faisait maintenant quelques semaines qu'ils veillaient à l'installation de plus de mille machines, sept mille gabarits et jauges, des fourneaux, des presses géantes, des ponts transbordeurs, des grues mécaniques et tout l'outillage nécessaire à la fabrication de canons et d'obus. Les trois ingénieurs avaient du mal à s'habituer au langage des ouvriers et se retrouvaient quotidiennement déboussolés, ne comprenant pas la moitié de ce qu'on leur disait avec ce drôle d'accent et tous ces mots anglais dans le vocabulaire. Jacques était celui qui s'en plaignait le plus et demandait souvent à Laurent de traduire pour lui.

– Je n'y arriverai jamais. Il y en a un aujourd'hui qui m'a demandé de lui passer une note. Je me suis dit qu'il me prenait pour un violoniste. Quelle note tu veux, petit, un do, un mi ? Il m'a regardé avec un large sourire de demeuré, pensant que je devais encore me payer sa tête. Eh bien, non, je ne comprenais rien à ces notes. Il m'a dit : « C'est simple, j'veux une nut qui va avec c'te bolt-là. » Tu te rends compte ? Cinq minutes pour des écrous et des boulons. Comment veux-tu leur enseigner quoi que ce soit ? Heureusement qu'ils se comprennent entre eux, sinon la guerre aurait le temps de finir avant qu'on voie un canon se pointer. Et cette piaule est d'un ennui mortel. Sans parler de la putain de soupe au chou de maman Dionne, c'est à croire que c'est le seul légume qui pousse ici.

— Arrête de te plaindre et attache ta tuque, comme on dit ici. Il fait froid et on va sortir un peu.

— Pas encore pour aller prendre une bière dans une taverne ? C'est déprimant.

— Que veux-tu, Jacques, les bordels sont rares et les curés sont partout.

— Et comment ils font, les riches Savard ?

— Ils doivent aller à Montréal. Vaut mieux une bière dans une salle crasseuse et enfumée que de regarder la mère Dionne faire des tartes. À moins que tu veuilles sauter la vieille.

— Je suis pas rendu là, tout de même, mais il doit bien y avoir une fille qui taille des pipes à l'occasion.

— Eh, Laurent, il semble que monsieur Edmond t'a à la bonne. Tu pourrais pas lui demander de nous loger ailleurs ? La vieille, elle ronfle et comme mon lit est collé sur le mur de sa chambre, elle commence à m'énerver.

– Ça m'arrangerait aussi, Matthieu. Pourquoi on ne va pas tous les trois lui en parler ? Il va au salon bleu de l'hôtel Saurel presque tous les soirs.

Les trois hommes s'habillèrent chaudement, mais, pour une fois, c'était avec gaieté. Une petite neige tombait doucement et la nuit était calme. Ils marchèrent en direction de la rivière Richelieu. Leurs pas crissaient sur la neige. Ils traversèrent la rivière par le chemin tracé par des centaines de pas et de traîneaux, ce que les gens appelaient le « pont de glace ». Ils se retrouvèrent presque aussitôt devant l'hôtel Saurel qui se vantait d'être le plus luxueux et le plus spacieux de la rive sud du Saint-Laurent entre Montréal et Québec. Au confluent de la rivière et du fleuve, situé près du marché entre les rues du Roi et de la Reine, le bâtiment de trois étages, surmonté de deux coupoles à chaque extrémité, possédait des fenêtres blanches qui ponctuaient de façon régulière les murs de briques rouges. En forme de U, il était orné d'une longue galerie toute blanche en façade et de deux entrées, une pour l'hôtel proprement dit et l'autre donnant accès au dancing et au grill. Les trois hommes entrèrent en secouant leur chapeau et leur manteau, faisant tomber la neige autour d'eux. Edmond se trouvait bien au salon bleu, entouré de quelques notables, un verre de whisky à la main. Il se leva pour les accueillir.

– Venez, venez, un petit coup va vous remonter.

Laurent remarqua qu'il avait déjà plusieurs petits coups derrière la cravate : ses yeux brillaient et il se montrait plus familier avec eux. Edmond venait de plus en plus souvent à l'hôtel. Aussitôt après le coup de téléphone de Jules, il trouvait une excuse pour rejoindre le notaire ou l'avocat au club nautique ou à l'hôtel Saurel. En fait, depuis quelques mois, il ne trouvait même plus d'excuses. Ariane ne lui demandait rien, sachant qu'il allait boire entre hommes, parler de femmes, de sa prospérité bien visible, rire un peu et rentrer en fin de soirée, un peu pompette, mais encore en état de l'honorer, comme il disait. Depuis son dernier voyage à Londres, Edmond avait changé. Il devenait parfois vulgaire sous l'effet de l'alcool et il lui faisait rarement l'amour, se contentant de rapides relations sexuelles avec elle, parfois même sans la regarder comme si elle était un simple objet. Ariane ne cherchait pas à en savoir davantage de peur de découvrir des choses qui la feraient souffrir. Elle se contentait de regarder sa petite comète briller à son doigt.

Edmond offrit une tournée générale et les Français apprécièrent le changement de décor. Une heure plus tard, Laurent aborda le sujet de la pension et de la soupe au chou de la mère Dionne. Jacques et Matthieu, l'alcool aidant, renchérirent. La grosse madame ronflait et pétait toute la nuit. Ils ne mangeaient qu'une espèce d'infâme bouillie, et l'odeur du chou leur collait à la peau. Edmond en rit aux larmes et les invita à déménager à l'hôtel le soir même. Les ingénieurs ne se le firent pas dire deux fois. Ils se rendirent à la pension en un temps record, ramassèrent leurs affaires et trouvèrent un plaisir évident à dormir dans une chambre d'hôtel.

Aurélie se rendit le lendemain devant les usines de Sorel Industries. Léopold s'arrêtait là avant de la conduire chez sa couturière, son professeur de piano ou à tout autre rendez-vous que l'imagination de la jeune fille avait concocté pour sa mère. Ce détour l'ennuyait un peu. Il avait toujours peur que monsieur Edmond ne le voie. C'est pourquoi il éteignait les phares dès qu'Aurélie quittait l'auto. Les trois Français sortirent comme d'habitude, mais au lieu de se diriger à droite vers la pension, ils allèrent à gauche vers la rivière. Laurent se retourna pour regarder Aurélie. Ses compagnons s'arrêtèrent aussi et lui parlèrent. Il se détacha d'eux et marcha vers elle. Aurélie sentit ses genoux trembler et ce n'était pas à cause du froid. Elle eut soudain l'impression que tout le monde avait les yeux rivés sur eux. Quand Laurent fut face à elle, elle fut incapable de prononcer un seul mot. Ils restèrent un moment silencieux avant que Laurent ne remarque que les gens ralentissaient lorsqu'ils arrivaient près d'eux. Il essaya de prendre un air détaché.

— Bonsoir, Aurélie. Nous avons déménagé à l'hôtel, comme tu as pu le voir.

— Pourquoi ne m'as-tu pas téléphoné ?

— J'avais promis de ne pas entrer en contact avec toi.

— Mon père, c'est ça ?

— Monsieur Émile aussi.

— Et ça compte plus que l'amour pour toi ?

— Pas ici dans la rue, je t'en prie.

— Tu as peur du scandale en plus ! Je ne te pensais pas si frileux.

— Je comprends que tu sois fâchée. Excuse-moi pour tout.

— Je ne veux pas que tu t'excuses, je veux que tu me prennes dans tes bras, que tu prennes des risques, que tu ne sois pas lâche.

— Si je fais ça, ton père me met dans le prochain bateau, avec l'aide de la police s'il le faut. Tu n'as pas encore remarqué que lui et tes oncles contrôlent tout ? Si un ouvrier casse quelque chose, on lui enlève l'argent sur sa paye. Les gens travaillent ici douze heures par jour, six jours par semaine, pour ne pas aller à la guerre. Tu vis dans la soie, comment peux-tu savoir tout ça ? Tu veux un amant qui te suive comme un chien fidèle. Je ne veux pas être ton caniche.

Aurélie avait la gorge nouée. Des larmes de rage lui montaient aux yeux et le froid la transperçait. Elle ne bougeait pourtant pas, impuissante devant ces dures paroles. Comment avait-elle pu aimer cet homme ? Mais comment pourrait-elle ne plus le désirer ? Laurent sentit qu'il en avait trop dit. Il avait envie de la prendre dans ses bras et de la consoler. Il se retint.

– Pardonne-moi. En d'autres circonstances, cela aurait pu…

Il se retourna et rejoignit ses compagnons. Aurélie resta plantée là comme un poteau gelé. S'inquiétant de son immobilité, Léopold alla la chercher. Il la prit par les épaules et la ramena à l'auto. Aussitôt assise à l'arrière, Aurélie se mit à pleurer à chaudes larmes. Beaucoup de curieux avaient suivi la scène et Léopold démarra pour soustraire la jeune fille à leur regard. Il tourna un peu dans la ville de Saint-Joseph, puis prit le pont Turcotte et fit le tour du centre-ville de Sorel. Aurélie pleurait toujours. Léopold longea alors la rivière Richelieu vers le village de Saint-Ours. Quand la jeune fille se calma, il lui demanda si elle se sentait prête à rentrer au château.

– Merci, Léopold, merci de votre bonté. On peut rentrer maintenant.

Aurélie n'essaya même pas de cacher son chagrin à Ariane. Elle enleva son manteau qu'elle fit glisser par terre et monta rapidement à sa chambre où sa mère la rejoignit. La jeune fille raconta sa rencontre avec Laurent en se mouchant souvent. Ariane ne dit mot, attentive à la douleur d'Aurélie et surprise de l'emprise qu'exerçait son mari. Elle ne doutait pas de l'amour d'Edmond pour sa fille, mais elle trouvait que ses méthodes ressemblaient dangereusement à celles de sa propre mère qui obéissait à toutes les autorités, le curé en premier, les commérages en second. Quand Aurélie se pencha vers elle, elle ouvrit les bras pour l'accueillir et lui caresser le dos comme quand elle était petite. Ariane avait eu la vie dont elle avait rêvé et, ses rêves réalisés, il lui restait à rêver pour ses enfants.

— Je devrais tout raconter à ton père, me conduire en bonne mère en t'empêchant de revoir Laurent. C'est ce que ma mère a fait toute sa vie. Mais j'ai trop souffert de sa dureté… Je ne peux pas. J'ai peut-être tort mais je crois qu'il est plus important de prendre les décisions selon ses propres réflexions. Je pense que vous devez vous revoir au moins une fois pour mettre les choses au clair. Et la peur ne doit pas entrer là-dedans.

Aurélie se sentit plus forte de ce soutien, mais elle redoutait la colère de son père. Edmond ne resterait pas les bras croisés face aux agissements de sa femme. Quand il rentra pour le repas du soir, Aurélie était silencieuse à table et Ariane essayait d'être décontractée.

— Chéri, ça fait plus d'un mois que les ingénieurs français sont ici. Si on les invitait à dîner dimanche?

— Pour quoi faire? Nous n'avons jamais invité d'employés à manger ici. Edmond arrêta de manger et regarda ses deux femmes. Voilà donc où on en était! Aurélie était allée pleurer dans les bras de sa mère pour revoir Laurent et la conspiration débutait. Edmond avait souvent plié devant elles, question de leur plaire, mais cette fois-ci, il ne voulait pas la moindre interférence avec son travail. Il fixa sa fille.

– Ce n'est pas un homme pour toi et il n'est pas question que tu recommences ton petit manège de l'été dernier. Il y a plein de jeunes hommes charmants, beaucoup mieux que lui et qui ne demandent qu'à te faire la cour. Oublie ce Français de malheur.

Il avait pointé sa fourchette vers elle et elle avait reculé, étonnée de son attitude. Ariane s'était redressée. Son mari n'avait pas seulement pris du poids depuis son retour d'Angleterre, il était devenu autoritaire comme si sa famille se gérait comme une usine. Mais elle était bien déterminée à ne pas s'en laisser imposer. Le repas se termina dans le silence. Quand Edmond se leva pour partir, Ariane lui demanda s'il allait au club nautique ou à l'hôtel Saurel.

– Ça t'intéresse de le savoir ? Pourquoi ? Tu veux m'accompagner ?

– Ce serait une bonne idée. Nous ne sortons presque plus ensemble. Et quand tu rentres, je suis souvent à moitié endormie.

Elle s'était approchée et caressait le revers de son complet. Edmond sourit de la voir si tendre.

– Tu as quelque chose à me demander ? Une robe, un bijou ? Si c'est pour les amours de ta fille, oublie ça. Ariane se raidit. Comment osait-il dire une chose pareille ?

– Qu'est-ce que tu as, Edmond ? Tu n'es plus le même. Tu passes tes journées à l'usine et tes soirées au bar. Ta famille ne compte plus. Pense à Muriel. Elle a quatre ans et te connaît à peine. Edmond se radoucit. Il s'était habitué à commander et à se faire obéir. Il avait vu son usine se construire en quelques mois, et ces longs bâtiments de ciment et de verre l'éblouissaient chaque fois qu'il les regardait. Son cœur se gonflait de fierté. Ariane avait raison sur un point: il n'était plus très souvent à la maison. Les garçons étaient pensionnaires. Aurélie était maintenant une jeune femme. Il n'y avait que la petite Muriel pour s'ennuyer de lui, mais elle avait sa mère et sa sœur pour elle toute seule. Cela ne pouvait pas être bien grave.

– Je serai au club nautique. Essaie de raisonner Aurélie. C'est la guerre en Europe. Elle n'ira pas en France.

– Je ne veux pas qu'elle y aille non plus. Mais Laurent peut rester ici. Il te ferait un excellent collaborateur à l'usine.

– Je sais et ce garçon ne me déplaît pas. Mais il ne restera pas ici. Son pays lui manque trop.

– On peut faire beaucoup de choses par amour. Edmond regarda sa femme et sourit de ses illusions.

– Les hommes font beaucoup plus de choses par ambition que par amour. Je ne rentrerai pas tard.

Edmond sortit. Ariane dit à sa fille de s'habiller. Dès que Léopold revint avec la Cadillac, elles se firent conduire à l'hôtel Saurel. Ariane et Aurélie firent une entrée remarquée. Le gérant vint les saluer.

– Monsieur Savard est dans le salon bleu, je vous y conduis.

Ariane se figea sur place. Edmond n'était donc pas au club nautique. Pourquoi lui avait-il menti? Mais il était trop tard pour reculer. Elle demanda à sa fille de l'attendre dans le hall avec Léopold, qui les avait suivies. Ariane entra dans le salon bleu affronter son mari qui était attablé avec les ingénieurs français, deux directeurs et un gérant de Sorel Industries. Ils riaient tous d'une bonne blague d'Edmond quand ils la virent, enveloppée de fourrures, se tenant devant eux la tête haute. Le silence se fit.

– Je vous en prie, messieurs, continuez. Vous avez l'air de si bien vous amuser.

Madame Savard se tourna vers le serveur pour commander un Manhattan. Les hommes se levèrent pour la saluer. Ariane serra alors la main de Laurent en lui murmurant d'aller dans le hall. Elle enleva son manteau et s'assit près d'Edmond pendant que Laurent s'esquivait. Edmond cacha sa surprise avec une pirouette.

– Messieurs, voilà ce qui arrive quand nous négligeons nos femmes : elles viennent trinquer avec nous pour nous rappeler leur beauté.

Il prit la main d'Ariane et embrassa ses doigts. Ses lèvres frôlèrent la petite comète qui était glacée. Ariane sourit à son tour.

Laurent vit Aurélie assise dans un fauteuil. Elle se leva à son arrivée. Il y avait des hommes qui lisaient le journal près d'eux. Laurent ne savait où aller pour parler à sa guise. Aurélie laissa son manteau sur le fauteuil en faisant signe à Léopold, tout près, de le surveiller. Elle mit sa main sous le bras de Laurent et emprunta un long corridor. Ils passèrent devant l'entrée du dancing Marine-Cabaret où une musique de swing arriva à leurs oreilles et continuèrent leur chemin. Aurélie poussa une porte qui donnait sur un petit salon vide à la décoration fleurie.

Les tentures, le tapis, le tissu des fauteuils étaient parsemés de fleurs roses et jaunes sur fond vert crème.

– Le salon rose pour les vieilles dames qui aiment le thé. Il ne sert pas souvent. Aurélie s'assit sur le canapé et Laurent prit place dans un fauteuil.

– Est-ce que les circonstances sont meilleures maintenant ?

Laurent sourit mais ne dit mot. Ses yeux étaient merveilleusement verts.

– Je t'ai déjà dit que je n'aime pas les caniches ? Nous n'avons pas beaucoup de temps. Tu comptes rester silencieux ou tu as envie de participer à la conversation ?

– Je n'ai pas envie de faire la conversation. Tu réussis toujours à faire ce que tu veux ?

– Pas toujours, mais j'essaie. En ce moment, j'aimerais être dans une chambre avec toi, mais je suis dans un petit salon avec mes parents pas très loin et Léopold qui va venir dans quelques minutes me demander si tout va bien. Tu te rappelles de Londres ?

– Trop bien.

Il se leva et s'assit à ses côtés. Leurs visages se rapprochèrent doucement. Leurs lèvres se touchèrent et ce fut comme une explosion devant leurs yeux. Plus rien n'avait d'importance que ce moment. Le monde avait disparu, plus de guerre, plus de surveillance, plus de réputation à sauvegarder. Ils s'enlacèrent et se dévorèrent comme des chiens affamés. La passion qu'ils avaient essayé d'étouffer s'était soulevée et les submergeait comme un raz de marée, jusqu'à ce qu'on frappe délicatement à la porte.

Ariane sirotait son cocktail avec ennui. L'atmosphère dans le salon bleu était figée. Les conversations tournaient autour de la guerre. Les hommes étaient polis à outrance et se complimentaient mutuellement de la rapidité des travaux et de la compétence des travailleurs. Ariane avait l'impression d'assister à un enterrement où le défunt n'avait eu que de grandes qualités et aucun défaut. Elle fut heureuse de voir revenir Laurent avec un léger sourire. Il salua l'assemblée et reprit sa place aux côtés de Jacques et de Matthieu qui ne dirent mot, le regardant attentivement. Ariane attendit quelques minutes, termina son cocktail et se leva pour prendre congé. Les hommes se levèrent pour la saluer, heureux que ce contretemps ait été de courte durée. Ariane rejoignit Aurélie dans le hall. Elles se sourirent pendant que Léopold leur ouvrait la porte.

Quelques minutes plus tard, elles étaient de retour au manoir. Ariane remercia chaleureusement Léopold. Celui-ci alla se reposer dans ses quartiers en attendant l'appel d'Edmond. La cuisinière lui offrit du thé chaud et des galettes qu'il accepta; la soirée serait longue. Il avait vu grandir Aurélie et la voyait un peu comme sa fille. Il ne savait plus où allait son allégeance, à Monsieur ou à Madame. Il se sentait de plus en plus mal à l'aise face à cette situation et il se doutait bien que les rendez-vous secrets ne faisaient que commencer. Il comprenait les craintes d'Edmond, protecteur et un tantinet jaloux. Il comprenait aussi Ariane qui voulait protéger les amours de sa fille. Le Français semblait être un jeune homme sérieux. Il ferait peut-être un beau parti. Léopold soupira. Ce n'était pas à lui de décider. Il ne dirait rien à monsieur Edmond, mais si celui-ci l'interrogeait, il ne mentirait pas. Ce compromis trouvé, il but son thé en toute tranquillité.

Aurélie était transportée de joie. Elle avait encore le goût de Laurent sur ses lèvres, un goût de cognac et de tabac.

Un goût d'homme. Elle n'avait envie que d'une chose : aller s'étendre sur son lit, regarder le ciel, le fleuve, et penser à Laurent, fermer les yeux pour le revoir, lécher ses lèvres pour le savourer. Mais elle devait d'abord parler à sa mère qui n'attendait que ça, assise sur le grand canapé du salon, face aux flammes crépitantes du foyer. Ariane souriait dans le vide, se rappelant ses premières rencontres avec Edmond, les baignades à la pointe aux Pins, les tombolas, les baisers volés à la sauvette, les promenades du dimanche, bras dessus bras dessous, en saluant les gens d'un coup de chapeau pour Edmond, d'un mouvement de tête pour Ariane. Elle regarda sa fille qui venait de s'asseoir près d'elle. À son sourire, elle savait que les choses s'étaient arrangées.

— Tu veux que je l'invite à dîner dimanche ? Sans les deux autres, bien sûr. Ce sera un dîner comme Violette et Jules ont fait si souvent pour ton père et moi. Une façon de mieux se connaître.

— Je pense que papa n'aimerait pas beaucoup ça. Il en veut à Laurent d'être Français. Les dîners n'y changeront pas grand-chose.

— On ne peut pas jouer à cache-cache comme ça tous les soirs. Déjà que ton père va me tomber dessus en arrivant… J'ai fait l'erreur ultime : je suis allée poursuivre mon mari dans un bar. Les gens rient toujours ici des femmes qui vont sortir leur homme des tavernes. Je me suis comportée comme elles.

— Tu penses qu'ils ont ri de toi après ton départ ?

— Ils n'ont sans doute pas osé parce que je suis la femme d'Edmond, mais ils n'en pensent pas moins. Demain, toute la ville le saura.

– Tu n'auras plus à faire ça, maman. Je vais aller seule aux rendez-vous.

– Le voir en cachette, sans surveillance ? Pas question. Et ne pense pas qu'enceinte, tu auras notre bénédiction pour le mariage. Tu iras accoucher à la Miséricorde. Ariane détestait ce qu'elle venait de dire. Ces mots étaient sortis si spontanément ! Si sa mère avait dit la même chose, elle ne serait jamais devenue madame Savard. Ses mains se mirent à trembler.

– Ne fais pas ça, Aurélie. Si tu dois faire une bêtise, au moins qu'elle n'ait pas de conséquences graves.

– Il ne veut pas faire l'amour avec moi. Il tient à me respecter, même si, moi, je ne suis pas d'accord.

Ariane ne parvint pas à cacher sa surprise. Aurélie s'était offerte et il avait refusé ? Non, impossible, sa fille racontait des histoires pour la rassurer. Mais elle la regardait droit dans les yeux et semblait sincère.

– Alors, il t'aime vraiment.

– Ou la peur des conséquences est plus forte que ses sentiments pour moi.

– Non, l'amour vient aussi avec le respect de l'autre. Mais il peut arriver un moment où le désir ne se contrôle plus.

– Qu'est-ce que tu en sais ?

Cette question fouetta Ariane par son impertinence. Elle ouvrit la bouche pour protester et faillit tout raconter, la bague de fiançailles, la panne d'auto, l'orage, la chambre humide, le corps chaud d'Edmond, mais elle se tut. Elle ne pouvait pas parler de cela à sa fille, pas maintenant, pas avant qu'elle ne soit mariée à son tour.

– Ne fais pas l'idiote en croyant que tu es née dans un chou. La voix froide d'Ariane rappela Aurélie à l'ordre.

– Je m'excuse, cette soirée a été dure pour mes nerfs. Je sais que, papa et toi, vous vous aimez depuis longtemps. J'espère faire un jour un aussi beau mariage.

Aurélie embrassa sa mère sur la joue et monta à sa chambre rêver à Laurent qu'elle était bien résolue à revoir en tête-à-tête. Ariane attendit Edmond qui ne rentra que très tard. La confrontation prévue n'eut pas lieu. Edmond, ivre, lui bafouilla qu'elle n'avait pas à le surveiller comme ça pour connaître ses allées et venues, il ne la trompait pas. Elle sourit de cette méprise, heureuse que personne ne lui ait mentionné la présence de sa fille à l'hôtel. Il s'endormit lourdement et elle le regarda un moment, cherchant où était passé l'homme séduisant qui avait serré dans ses bras son corps nu et glacé dans une chambre d'hôtel de Contrecœur et qui avait passé des jours à lui faire l'amour sur un transat-lantique, son corps bougeant au rythme des vagues. Elle avait quarante-deux ans et désespérait de voir un homme la désirer de nouveau.

La nuit enveloppait le manoir. Le vent secouait les branches des arbres, et les dernières feuilles décrivaient de larges tourbillons avant de toucher le sol. Aurélie avait passé l'après-midi à raconter son chagrin d'amour, puis son bonheur de revoir Laurent, et elle avait confié des choses de la vie de son père qu'elle s'était juré de garder secrètes. Avec le recul, ce qui avait hanté Edmond semblait bien anodin. Il avait pourtant vécu avec cette nuit anglaise pendant longtemps et ce n'avait été que beaucoup plus tard qu'il s'en était ouvert à sa fille. Aurélie trouvait si facile de parler à Lorraine. Elle ne se sentait jamais jugée par son silence ni épiée par son appareil photo. Simone allait et venait dans la maison en suivant la conversation. Jean-Paul avait délaissé son garage pour jouer au jardinier et ramasser les feuilles qui se moquaient de lui en allant se poser plus loin, emportées par le vent. Chaque automne, sous prétexte d'aider le vieux jardinier à nettoyer le terrain, il allait jouer dehors comme un gamin. Lorraine avait suivi ses gestes des grandes fenêtres et elle s'était revue avec son frère Martin en train de construire une montagne de feuilles pour ensuite se lancer dedans, comme à l'assaut d'un château fort. Elle avait pris quelques clichés de Jean-Paul qui, le sourire aux lèvres et les yeux brillants, avait rajeuni. Le repas du soir avait eu lieu dans la petite cuisine et tout le monde avait participé à la conversation. Simone s'était rappelé la fierté de son père qui avait été soudeur à la Maritime et Jean-Paul avait confié son admiration pour la discrétion de Léopold et son travail professionnel. Même s'il était employé par Edmond, il avait su apaiser les tensions et avoir assez de jugement pour aider Aurélie.

Lorraine s'apercevait que l'histoire d'Aurélie intéressait tout le monde et que chacun y allait de ses anecdotes. La soirée avançait doucement et le silence avait envahi le manoir. Aurélie était maintenant fatiguée. Lorraine sentit que ce décor luxueux l'oppressait. Elle eut soudain l'impression de se trouver dans un musée, d'en être la gardienne. Il y avait trop d'ordre et pas assez de poussière. La vie n'était pas comme ça. Il y régnait une joyeuse anarchie. Tout bougeait, se bousculait. Le manoir était figé dans le temps, loin du bruit, des cris d'enfants, des querelles d'amoureux, des passions qui se jouaient entre humains. Il était un havre qui avait englouti les vies de ses habitants et les ressortait à petites doses, une fine craquelure au plafond, une moulure croulant sous les nombreuses couches de peinture, l'usure des pas sur les marches de bois, une poignée de porte dépolie par les gestes répétés.

— Tu vas dormir ici, Lorraine ?

Lorraine sursauta en entendant la voix d'Aurélie. Elle s'était laissé engourdir par la tranquillité des lieux. Elle regarda la vieille dame avec étonnement, puis se rappela ses intentions matinales de ne pas rentrer à la maison de ses parents, de s'éloigner des souvenirs et des bijoux de sa mère.

— Il est tard, je crois que je vais rester.

Aurélie se leva et accompagna Lorraine à sa chambre de jeune fille, la grande chambre bateau dans la tour est. Lorraine y déposa son maigre bagage et s'assit au bord du lit pour regarder le fleuve frissonner au vent. C'était donc là que la jeune Aurélie avait rêvé de son premier amour. Aurélie s'absenta quelques minutes et revint s'asseoir à ses côtés. Elle lui tendit une petite boîte de velours noir. Lorraine la prit et l'ouvrit. La petite comète brillait de tous ses feux.

— Tu vois, je ne l'ai pas inventée.

— Je n'en doutais pas. Vous la portez ?

— Jamais. J'ai même voulu que ma mère soit enterrée avec, mais Edmond l'a retirée de son doigt avant qu'on ne referme le cercueil. En tant qu'aînée, j'en ai hérité et je n'ai pas eu le courage de la mettre en vente à l'encan avec les meubles de mon père. Elle ne lui a pas porté bonheur, mais elle ressemblait tellement à Ariane. Ma mère était une comète, une étoile filante qui a brillé de mille feux pour ensuite se consumer dans l'atmosphère.

Lorraine se rappela la broche en or de Jeanne, des feuilles de chêne entrelacées. Jeanne était aussi comme un chêne, solide, gardant la maison familiale sous sa protection, mais elle avait eu une autre vie. Un roseau qui pliait aux désirs d'un amant ? Un saule qui écoutait les murmures d'un autre homme ? Lorraine avait beau ne pas vouloir juger sa mère, elle désirait savoir ce qui s'était passé. Mais qui pourrait lui raconter cette histoire-là ?

— Tu penses à Jeanne ?

— Vous lisez dans mes pensées maintenant. J'aimerais qu'elle soit encore là pour faire ce que vous faites, me raconter sa vie et ses secrets. Mais vos destins ont été si éloignés l'un de l'autre. Vous êtes sûre que vous n'avez jamais rencontré ma mère ?

– Je ne la connaissais que de nom et tout ce que je sais, c'est que nous avons accouché à quelques heures d'intervalle de notre premier enfant.

– Et vous ne l'avez pas vue à ce moment-là ?

– Non. Je connais simplement ta date de naissance.

– Gisèle était plus jeune que moi. C'était donc la naissance de votre fils Laurent. Aurélie jouait nerveusement avec la comète. Elle la glissa à son doigt. La bague ne rentrait pas à cause des jointures noueuses. Elle passa la comète dans son petit doigt et la regarda un moment, se demandant si elle devait tout dire à Lorraine.

– J'ai eu trois enfants. Mon premier bébé était une petite fille. Deux jours après sa naissance, le médecin m'a annoncé que ma petite Laurence était morte. Et je n'ai jamais pu le croire.

– Vous n'avez pas vu le cadavre ?

– J'ai vu une petite fille malingre, au teint bleuté, enveloppée dans une couverture. Ils ont refusé que je la prenne dans mes bras.

Les deux femmes gardèrent le silence un moment. Aurélie retira la comète de son doigt et la tendit à Lorraine qui la regarda sans la prendre.

– Elle est à toi.

– Je n'en veux pas, elle doit rester dans votre famille. Vous avez certainement des parents qui seront heureux de l'avoir.

– C'est toi, ma famille, maintenant.

– Je ne peux pas l'accepter.

– C'est peut-être aussi ce que ta mère a dit quand on lui a offert une broche en or. Bonne nuit, Laurence.

Aurélie se leva et sortit de la chambre en laissant la comète dans sa boîte sur la table de chevet. Lorraine ne lui signala pas son lapsus. Se faire appeler Laurence l'avait bouleversée. Elle se doutait bien qu'Aurélie cherchait à se consoler de tous ses deuils, mais de là à la prendre pour sa fille… Les choses allaient peut-être trop loin.

La photographe se rendit à la salle de bain pour faire sa toilette. Le robinet plaqué or en forme de cou de cygne la fit sourire. La baignoire, le lavabo, les carreaux de céramique, tout était d'époque. La fin des années vingt avait laissé son empreinte de folie, de volutes, d'arabesques mêlées à la rigueur des carreaux noir et blanc. Lorraine se glissa dans le lit. Plus de la moitié des murs de la chambre ronde étaient formés de fenêtres donnant l'impression d'être couché à la belle étoile. Les branches des arbres fouettées par le vent donnaient un effet de mouvement tellement réel que Lorraine ferma les yeux, étourdie. Quand elle les rouvrit, le soleil était levé. Les arbres s'étaient calmés. Le fleuve et le ciel se faisaient concurrence pour le plus beau bleu. Lorraine avait dormi sans rêves, sans souvenirs. Cela faisait une éternité que cela ne lui était pas arrivé. Était-ce la chambre ?

Aurélie l'attendait, fraîche et dispose, dans la cuisine, prête pour une autre page d'histoire. Elle n'avait fait aucun cauchemar et avait dormi profondément. Ravie de voir sa patronne en si bonne forme, Simone avait préparé un copieux petit-déjeuner. Devant la table si joliment présentée, ornée d'un petit bouquet de roses fraîches et de fruits colorés, Lorraine se rendit compte qu'elle avait laissé ses appareils photos dans la chambre. Elle commençait à perdre ses réflexes professionnels. Le confort devenait-il trop douillet pour celle qui avait passé plusieurs années de sa vie dans des valises, appareils en bandoulière, horreurs devant la lentille ? Mais cette pause était si agréable après la mort de Jeanne. Si nécessaire aussi.

La Maritime connaissait un nouvel essor avec des contrats de navires de guerre, corvettes, démineurs et vaisseaux de ravitaillement, mais Sorel Industries était la perle de tous les joyaux des Savard. Le 28 février 1940, Jules pressa le bouton qui mit en marche le tour numéro 197 à Sorel Industries. Edmond avait presque les larmes aux yeux quand il vit son frère pousser un insignifiant bouton et que les premiers copeaux d'acier tombèrent du tour. Il en ramassa un peu et les mit dans son mouchoir. Il n'y avait ni notables ni personnalités politiques pour assister à cette mise en marche, mais tous les ouvriers et les trois ingénieurs français étaient là pour applaudir. Les tours se mirent à ronronner. On pouvait enfin commencer à construire des canons.

Aurélie ne participa pas à cette courte cérémonie. Elle se tenait loin des usines et approchait l'hôtel Saurel avec précaution. Ariane allait parfois prendre le thé avec sa fille dans le salon rose de l'hôtel. Elle choisissait les journées où Laurent ne travaillait pas et, sous prétexte d'aller saluer Mathilde, elle les laissait en tête-à-tête pour se rendre au magasin de sa belle-sœur tuer le temps. Ces rares moments ne suffisaient pas aux amoureux. Ils pouvaient à peine se prendre la main et s'embrasser à la sauvette, quand encore il n'y avait pas de vieilles clientes qui les observaient avec un sourire en coin. Après l'intimité londonienne, cette sorte de fréquentation leur semblait incongrue, mais ils s'y pliaient de bonne grâce. C'était mieux que l'absence pure et simple. Edmond eut vent des rendez-vous de sa fille et du rôle joué par sa femme dans cette histoire d'amoureux. Il eut d'abord envie de les enfermer toutes les deux à l'intérieur du manoir, puis il se ravisa. Une guerre ouverte aurait provoqué un scandale dont il n'avait nullement besoin. Il se contenta de soudoyer le gérant de l'hôtel qui fit surveiller les tourtereaux de près. Aurélie et Laurent étaient dérangés toutes les cinq minutes par un employé de l'hôtel.

Les Français avaient pris l'habitude d'écouter quotidiennement Radio Paris dans la chambre de Jacques. Edmond leur avait fait cadeau d'un Philco, un poste à ondes courtes, espérant entrer dans les bonnes grâces de Jacques et de Matthieu. En retour, il prenait un verre avec l'un ou avec l'autre pour demander, mine de rien, des nouvelles de Laurent. Jacques et Matthieu s'amusaient de cette situation et se montraient discrets, ne racontant que des banalités à Edmond, histoire de ne pas offenser le patron. Recueillis devant le poste en noyer verni qui avait la forme d'une chapelle, ils apprirent en mars que la Finlande avait capitulé devant l'envahisseur allemand. En avril, c'était au tour du Danemark et de la Norvège de subir les attaques allemandes. Ils suivaient avec attention la progression des nazis, tremblant pour leur pays. Ils n'étaient pas les seuls : Aurélie faisait de même dans sa chambre.

Le 10 mai, le jour même où Winston Churchill devenait premier ministre de la Grande-Bretagne, les Allemands attaquaient à l'ouest la Belgique et la Hollande. Le gouvernement et la reine de Hollande se réfugièrent à Londres quatre jours plus tard pendant que leur armée demandait la capitulation. Renonçant à se défendre, Rotterdam se déclara « ville ouverte », mais fut bombardée quand même par la Luftwaffe et presque totalement détruite en quelques minutes. Cette nouvelle laissa sans voix Laurent. Jacques se mit à faire les cent pas dans la petite chambre.

– Les salauds, tu te rends compte, ils bombardent une ville qui se rend et la détruisent. Ces putains de Boches sont des machines. Les Belges seront bientôt anéantis à leur tour.

Matthieu secouait la tête, incrédule.

– Les Allemands refont la même chose qu'en 14. Ils vont nous attaquer en passant par la Belgique. L'histoire se répète, mais nous allons envoyer nos troupes en Belgique, les Anglais aussi.

Quelques jours plus tard, ils apprirent, à leur grande surprise, que Hitler ne s'en était pas tenu là. Les Allemands avaient envahi les Ardennes. On n'avait pas cru nécessaire de protéger cette région montagneuse, au terrain accidenté, par les fortifications de la ligne Maginot. Hitler avait réussi à attirer les troupes françaises et anglaises en Belgique pour les prendre en tenaille. Pendant tout le mois de mai, Aurélie et Laurent se virent à peine, passant de longues heures à écouter la radio, chacun sachant que l'autre écoutait les mêmes nouvelles alarmantes. Aurélie n'allait plus à l'hôtel, préférant rencontrer Laurent au restaurant. Attablés devant des boissons gazeuses, ils ne discutaient que de la progression des troupes allemandes. Ils n'avaient plus l'air d'amoureux mais plutôt de soldats prêts à partir au front. Laurent ne parlait que de sa famille, de la Bourgogne, de son pays et de l'exode de ses compatriotes. Les notables et les élus avaient donné le mauvais exemple en pliant bagage les premiers. Des millions de Belges et de Français se retrouvaient maintenant sur les routes sous le feu des avions allemands qui les mitraillaient en faisant retentir leurs sirènes qu'on avait surnommées « les trompettes de Jéricho ». Laurent leur en voulait de tels actes de lâcheté et son discours s'enflammait. Aurélie se taisait. Les horreurs anticipées lui nouaient la gorge.

– Je ne peux plus rester ici à ne rien faire.

– Tu veux jouer au héros, mais que pourrais-tu faire de plus que l'armée française ne fait déjà ?

– Je ne sais pas… mais entendre ça sans bouger me rend malade. Tu comprends ça ?

Aurélie lui prit la main et lui sourit. Elle comprenait, mais souhaitait quand même le garder près d'elle, bien vivant. Laurent la trouvait de plus en plus belle. Il se sentait bien avec elle et cela le mettait mal à l'aise. Des gens souffraient et lui se tenait gentiment devant une jolie jeune femme. Ils allaient sortir dans un instant et marcher bras dessus bras dessous jusqu'au marché, en faire le tour et trouver un coin discret où ils pourraient s'embrasser longuement avant qu'il ne regagne sa chambre sous la haute surveillance des employés de l'hôtel. Une douce routine s'était installée dans sa vie alors que tout se bousculait en Europe et que les gens étaient jetés sur les routes comme des proies faciles. La paix et le doux bonheur qu'il vivait commençaient à lui donner la nausée.

Le cauchemar débuta le 4 juin quand les Allemands entrèrent dans Paris. Aurélie ayant descendu le poste à ondes courtes dans le salon quelques jours auparavant, toute la famille écoutait les nouvelles. Edmond se rappela Paris, son faste, ses lumières et il en eut le cœur serré. Il avait de plus en plus hâte de livrer ses canons et ses obus. Ariane pensa à mademoiselle Chanel et se réjouit qu'elle ait déjà fermé sa boutique. Aurélie revoyait madame Alexandra, la vue de la tour Eiffel de son salon, les promenades le long de la Seine, les boutiques, les restaurants, les cabarets. Toute cette vie parisienne était maintenant soumise aux Allemands. Plus personne ne parlait ni n'écoutait la radio, chacun étant perdu dans ses pensées. Radio Paris fut saisi par les envahisseurs et commença sa propagande. Aurélie chercha un autre poste. Elle s'arrêta sur celui de la BBC. Les nouvelles seraient désormais anglaises.

Les trois ingénieurs se levaient tous les jours à l'aube pour capter les nouvelles en Europe. Pas encore rasés, ils avaient des gueules de bagnards, les yeux rougis par le manque de sommeil, la bouche ouverte devant le poste de radio quand ils apprirent, le 17 juin 1940, que la France capitulait. Ils se regardèrent, stupéfaits. Après tout juste cinq semaines de combat, la guerre contre Hitler était déjà perdue. Le vieux maréchal Pétain, âgé de quatre-vingt-quatre ans, le confirma aux Français dans une allocution radiodiffusée. Le lendemain soir, un jeune général inconnu nommé Charles de Gaulle, quarante-neuf ans, lançait un appel à la résistance des studios de la BBC à Londres. Laurent, Jacques et Matthieu étaient retournés à l'hôtel pour le repas du midi et ils écoutèrent son discours. « Car la France n'est pas seule. Elle a un vaste empire derrière elle. Elle peut faire bloc avec l'Empire britannique qui tient la mer et continue la lutte. »

— Qu'est-ce qu'on fait ici ?

Jacques avait posé la question à haute voix, mais elle n'était destinée qu'à lui-même. Matthieu le regarda un moment.

– Moi, je rentre.

– Tu veux travailler pour les Allemands ? Ici, au moins, on travaille pour les Alliés.

– Écoute, Jacques, les canons ne seront pas prêts avant l'année prochaine. Je veux être près de ma femme et de mes enfants.

– Matthieu a raison, notre place est là-bas. Nous travaillerons pour les Français, pas pour les traîtres de Vichy, mais pour ceux qui veulent reprendre leur liberté. De Gaulle l'a dit, cette guerre est une guerre mondiale. Et il nous a invités à se joindre à lui.

– Tu vas aller en Angleterre, Laurent ? Pourquoi tu ne restes pas ici avec ta fiancée ?

– Ne te moque pas de moi, Jacques. Son père me déteste et je n'ai pas l'intention de lui lécher les pieds. Je ne peux plus rester ici les bras croisés à écouter la radio.

– Moi, il n'y a rien ni personne pour me retenir ici. Alors, je rentre aussi.

Edmond était sur le point de partir manger au manoir quand il reçut un appel de Jules qui lui lut un télégramme d'Émile Snyders réclamant ses ingénieurs. Maintenant dirigés par Berlin, ceux-ci ne pouvaient plus fabriquer d'armes britanniques et devaient rentrer immédiatement au Creusot. Edmond parla peu. Cette nouvelle se passait de commentaires. Il se leva de son bureau et regarda à l'extérieur. Le soleil brillait, insolent. Des ouvriers sortaient avec leur boîte à lunch sous le bras. Edmond avait l'impression que son monde s'écroulait. Tous ces beaux projets deve-naient légers comme l'air chaud qui entrait par les fenêtres.

Aurélie était incapable d'avaler une bouchée de plus. L'appel du général l'avait ébranlée, surtout quand il avait invité les ingénieurs et les ouvriers spécialisés des industries d'armement à se joindre à lui. Et si Laurent voulait partir, que ferait-elle ? Elle sortit à la course et prit sa bicyclette pour se rendre immédiatement à l'hôtel. Elle arriva trop tard. Laurent était déjà parti à l'usine. Elle traversa le pont et se dirigea vers Sorel Industries. Au même moment, Edmond entra dans le bâtiment B et admira longuement tous ces magnifiques équipements, ces tours, cette machi-nerie reluisante. D'aussi belles installations ne pouvaient pas être paralysées. Il demanda où étaient les trois ingénieurs. Personne ne les avait vus revenir. Contrarié, Edmond retourna à son bureau où sa secrétaire lui dit que sa femme avait appelé.

— Votre fille a quitté rapidement la maison après l'appel du général.

— Un général a téléphoné ? Qu'est-ce que c'est que cette histoire ?

— Vous feriez peut-être mieux de la rappeler. Les ingé-nieurs français sont dans votre bureau.

— Déjà ?

— Ils sont là depuis cinq minutes.

Réunis dans son bureau, les trois hommes se préparaient à donner leur démission. Ils se levèrent quand Edmond entra, mais ils n'eurent pas le temps de dire quoi que ce soit. Edmond leur parla du télégramme de monsieur Émile.

– Messieurs, vous êtes les bienvenus ici et j'aimerais que vous restiez à titre personnel. Votre pays vit d'importants bouleversements et vous aurez l'honneur de fabriquer les armes qui détruiront les Allemands.

Jacques regarda Laurent un moment. Devant son silence, il prit la parole.

– Monsieur Savard, notre patron est monsieur Émile et notre pays est la France. Nous pensons que nous serons plus utiles là-bas qu'ici. Mais nous vous remercions de votre offre généreuse. Edmond leva les bras en signe d'impuissance, geste qu'il n'était pas habitué à faire. Il regarda Laurent qui se taisait.

– Je ne peux pas vous retenir, messieurs, mais réfléchissez bien avant de partir. Si vous ne travaillez pas pour les Alliés, vous travaillerez pour les Allemands. Dans mon livre, ça s'appelle un traître. Laurent le fixa de ses yeux gris sombre, presque noirs.

– Résister aux nazis se fera de bien des façons, monsieur. C'est la France libre qui a besoin de nous.

– Quelle France libre? Le Creusot est en zone occupée. Les Allemands se promènent sur les Champs-Élysées en uniformes. Votre pays a capitulé et les Français sont derrière le maréchal Pétain. Vous avez dû entendre son discours.

– Nous venons d'entendre l'appel du général de Gaulle qui invite les Français à la résistance. Nous suivrons le général plutôt que le maréchal. Edmond eut une grimace imperceptible devant la fougue du jeune homme. Qui était donc ce général dont tout le monde parlait? C'était à cause de lui qu'Aurélie était partie en coup de vent de la maison? Qu'avait-il bien pu dire? La France libre! Quelle utopie devant la défaite cinglante que les Allemands venaient de leur imposer ! Quelle arrogance ! Edmond essaya de se calmer un peu. Les trois hommes le regardaient et attendaient visiblement sa réaction.

— Alors, je vous souhaite à tous la meilleure des chances. Vous savez sans doute que votre départ va paralyser cette usine.

— Ne vous en faites pas, monsieur, beaucoup d'ouvriers sont prêts.

— Nous n'avons pas d'expertise, vous le savez.

Edmond avait haussé le ton. Il froissa une feuille de papier avec rage. S'il ne trouvait pas d'autres ingénieurs, son usine tournerait à vide. Tous ces canons et ces obus ne verraient pas le jour et les Anglais auraient raison de se moquer de ses promesses fumeuses. Pourquoi Émile Snyders avait-il plié si rapidement devant l'occupant ? Il aurait pu attendre quelques mois, faire comme si ses trois ingénieurs avaient disparu dans la nature. Edmond regarda les trois hommes un moment. Personne ne parlait ni se semblait respirer, tellement l'air était lourd.

— Allez faire vos bagages, vous ne travaillez plus ici. Dumontel !

Laurent savait, au ton de sa voix, que les mots qui suivraient ne seraient pas doux. Jacques mit sa main sur son épaule en signe de solidarité et sortit avec Matthieu. Laurent leva légèrement le menton.

— Oui, monsieur ?

— Ne jouez pas au plus fin avec moi. Vous auriez dû accepter de rester ici. Je sais que ma fille en aurait été ravie. Mais il semble que devenir mon gendre vous « emmerde », comme vous dites. Faites vos adieux à Aurélie, mais n'essayez surtout pas de l'emmener avec vous.

– Rassurez-vous, jamais je ne ferai ça. Elle serait arrêtée comme sujet britannique et probablement emprisonnée. Elle sera beaucoup mieux ici à vos côtés. Je suis parfaitement conscient d'aller dans un pays occupé par l'ennemi, monsieur. J'aurais aimé que les circonstances soient différentes.

Edmond aussi aurait aimé des circonstances différentes. Il contourna son bureau et tendit la main à Laurent, étonné.

– Adieu.

Laurent lui serra la main et sortit du bureau. Autant l'appel du général l'avait enthousiasmé, autant cette rencontre et la perspective d'affronter les pleurs d'Aurélie l'atterraient. Peu importe ce qu'il dirait, elle ne voudrait rien entendre. La facilité était de rester, mais il faudrait aussi accepter de vivre avec sa propre lâcheté, jour après jour. Laurent savait qu'il n'y parviendrait pas. Aurélie arrivait à la porte d'entrée principale de l'usine quand elle vit Laurent sortir. Elle courut vers lui pour se jeter à son cou. Il la serra dans ses bras et colla son nez dans son cou. Il aimait son odeur et il dut faire de gros efforts pour se détacher d'elle.

– Je dois partir.

– Non, ils vont te tuer.

– Nous en avons parlé mille fois, tu le sais. Ma mère, ma sœur, mon pays sont en danger. Je ne peux pas rester ici, bien tranquillement.

Aurélie le savait, cette séparation était prévue depuis un certain temps. Tout arrivait quand même trop rapidement.

– Tu vas rejoindre de Gaulle ?

– Je rentre au Creusot. Ne t'en fais pas pour moi, Aurélie, je reviendrai dès que les Allemands seront vaincus.

– Je t'attendrai.

Laurent l'embrassa passionnément. Aurélie resta blottie contre lui un long moment qui lui parut trop court. Il avait promis de revenir et cet espoir devait lui suffire pour de longs mois, peut-être même des années. Elle ne pleura pas et s'efforça même de lui sourire. Elle voulait qu'il garde un merveilleux souvenir d'elle. Il alla faire ses bagages pendant qu'Aurélie retournait chez elle prendre quelques photos et une petite croix en or qu'elle avait portée, enfant. Elle se rendit à la gare pour faire ses adieux aux trois ingénieurs qui partaient pour Montréal pour ensuite regagner la France par New York et Lisbonne. Elle remit ses souvenirs à Laurent et l'embrassa une dernière fois. Elle sourit tout le temps, envoyant la main bien après que le train eut quitté la gare. Quand le train se fit tout petit de l'autre côté de la rivière, elle pleura. D'abord doucement, puis violemment. De gros sanglots lui coupèrent la respiration. Elle voulait mourir, là, sur le quai de cette gare minuscule. Elle voulait être foudroyée pour ne pas avoir à pleurer toute sa vie. Rien ne pourrait jamais la consoler de cet amour disparu.

Edmond avait vu juste : l'usine était paralysée par son manque de main-d'œuvre spécialisée. La fabrication de canons exigeait une précision d'expert que les ouvriers apprenaient tout juste à maîtriser. Edmond ne pouvait pas prendre le risque de fabriquer des armes qui tireraient à côté de leur cible ou des obus qui exploseraient au visage des soldats alliés, mais il refusait de baisser les bras. Il passait de longues heures à parler avec Jules et des représentants du gouvernement canadien. Trop de temps et d'argent avaient été investis dans ce projet pour y renoncer. Les Britanniques intervinrent également et, à la fin du mois de juillet, les frères Savard reçurent l'aide de la Chrysler Corporation. Des ingénieurs américains débarquèrent à Sorel pour continuer les travaux et la direction de l'entreprise fut confiée à un comité formé de trois membres. Edmond se vit flanqué de deux représentants des gouvernements canadien et britannique. Cette tutelle l'agaçait un peu, mais elle était surtout là pour rassurer les bailleurs de fonds et il avait encore les mains libres.

C'était un nouveau départ pour Sorel Industries, mais la Maritime était depuis le début dans la bataille navale. Les chantiers s'étaient adaptés à une étonnante rapidité en quadruplant leur capacité. En deux ans, quinze corvettes avaient été construites pour les marines de guerre du Canada et de la Grande-Bretagne. Pour fabriquer des cargos de dix mille tonnes, la Maritime avait dû ériger un second chantier, contigu à celui qui existait déjà, et une nouvelle plate-forme de lancement. La chaîne géante servant à actionner la plate-forme, la plus grosse jamais fabriquée au pays, avait plus d'un mille de long. Les deux seules compagnies américaines capables de la produire n'avaient pu promettre la livraison en moins d'un an, et la fonderie Savard s'en était chargé en un temps record. En raison de la faible largeur de la rivière Richelieu, la plate-forme était actionnée par des moteurs pour faire descendre les navires à l'eau et revenir à sa position initiale. Une méthode unique au monde.

Sorel devait aussi subir de grands bouleversements et la ville n'avait pas d'autre choix que de s'ouvrir. Les chantiers employaient jusqu'à huit mille travailleurs. On manquait de main-d'œuvre et de nombreux étrangers affluaient. Beaucoup de gens louaient des chambres, mais tous ne parvenaient pas à se loger. Il n'était pas rare de voir arriver dans le stationne-ment de la Maritime des autos bondées d'hommes le lundi matin. Ils travaillaient aux chantiers, revenaient manger et dormir dans leur auto, les chaussettes pendues sur le bord des vitres, pour finalement repartir chez eux les fins de semaine. La pénurie de logements entraîna la construction de quartiers entiers. Des maisons en série côtoyaient les habitations de guerre temporaires. La ville de Sorel s'agran-dit sur le chemin Saint-Ours. Une série de jolies maisons formèrent Sorel-Sud. À Saint-Joseph, des habitations de guerre s'étendaient entre la route nationale et la rivière

Richelieu, pénétrant dans les bois environnants et touchant presque les établissements de la Maritime.

Quand Hermann Goering, qui dirigeait la Luftwaffe, l'aviation de combat allemande, annonça en juillet le début de la grande bataille aérienne contre l'Angleterre, Aurélie suivit sur les ondes de la BBC ces combats où plus de quatre cents pilotes britanniques perdirent la vie. Cette résistance héroïque fit qu'Hitler renonça en octobre à son plan d'invasion et changea de tactique, préférant bombarder systématiquement Londres. Aurélie revoyait son voyage en Angleterre. Tous ces édifices en flammes et ces morts la torturaient. La ville n'était plus que ruines fumantes. Le palais de Buckingham n'échappa pas aux bombes. La terreur était équitablement partagée entres les nantis et les pauvres. Puis ce furent les attaques nocturnes des bombardiers allemands.

Aurélie passait des heures à écouter la radio à ondes courtes, mais elle ne savait pas vraiment ce qui se passait en France et les messages sibyllins de la BBC ne l'aidaient pas. Les Français parlaient aux Français de petits pois et de salsifis, la laissant dans le noir. La jeune fille devait s'occuper pour ne pas devenir folle. L'absence de nouvelles de Laurent la minait. Elle n'avait reçu de lui qu'une carte postale de Lisbonne lui envoyant des baisers et lui parlant d'une traversée sans histoire. Quand elle vit Sorel se transformer, Aurélie décida de faire appliquer un plan d'urbanisme comme les Snyders l'avaient fait au Creusot. Elle occupait littéralement les bureaux de l'hôtel de ville, demandant à voir les plans de construction, proposant des îlots de verdure pour les familles,

des tracés rectilignes. Le maire de la ville recevant régulièrement des plaintes de ses employés, sans cesse dérangés
par la jeune fille, il décida d'aller boire un verre au club
nautique pour en parler avec Edmond. Il aborda la question
directement.

– Edmond, avec tout le respect que je te dois, ta fille se
prend pour un architecte et je ne sais plus comment m'en
débarrasser. Je sais qu'elle veut bien faire, mais il y a des
limites. Des parcs… on a le carré Royal. On va quand même
pas faire des parcs pour les ouvriers qui travaillent douze
heures par jour. De la verdure, c'est juste pour le décor, comme
le bout de persil dans une assiette. On construit même pas
assez vite pour loger tout le monde.

Edmond se serait passé volontiers de ce rapport. Il avait
déjà assez à faire pour accélérer la cadence et respecter les
délais de livraison. Il promit au maire de parler à sa fille. Il
savait que les choses n'étaient jamais simples avec Aurélie.
Elle était devenue marraine de guerre, travaillait pour la
Croix-Rouge et poussait toujours ses tantes à fonder
l'hôtel-Dieu qui tardait à voir le jour. La ville en avait
pourtant bien besoin. L'hôpital général, adjacent à l'orphe-
linat, était géré par les Sœurs grises depuis près de
quatre-vingts ans. C'était plus un mouroir qu'un hôpital
moderne. Il y avait aussi l'hôpital Richelieu, en face du carré
Royal. Petit, il ne pouvait recevoir que peu de patients. Mais
les fonds étaient difficiles à trouver. Il semblait plus urgent
de mettre de l'argent dans les armes que dans les soins de
santé. Occupés à construire des canons, des obus, des navires
de guerre, les ouvriers voulaient se loger et il semblait
secondaire de les soigner.

Les maisons n'étaient pas les seules à sortir de terre. On construisit aussi un camp militaire, le numéro 45, aussi appelé fort Richelieu. Situé aux limites de la ville, près du mont Saint-Bernard, au sud de la rue du Collège, le camp reçut son premier commandant en septembre 1940. D'abord destiné à entraîner les soldats pour l'armée, il devint un camp modèle et, deux ans plus tard, il servait au perfectionnement de l'armée active. La ville se peupla d'ouvriers et de soldats. La police militaire avait fort à faire, car les bagarres n'étaient pas rares le samedi soir quand tous ces mâles avaient bu trop d'alcool. Les fréquentes batailles rangées au milieu du pont Turcotte entre les habitants de Saint-Joseph et ceux de Sorel, les uns interdisant aux autres de fréquenter les filles de leur propre ville, se transformèrent en querelles entre civils et militaires. Les bars, les grills et les tavernes faisaient des affaires d'or, et les cinémas, dont le nouveau Théâtre Sorel, se remplissaient de jeunes couples venus savourer un moment d'intimité dans leurs salles obscures. Les dancings n'étaient pas en reste. Tout le monde semblait vouloir s'amuser, oublier ce qui se passait de l'autre côté de l'Atlantique, s'étourdir et vivre comme si la mort allait les frapper le lendemain. La guerre était prétexte à s'amuser et Sorel était devenue une ville de garnison, à la fois sérieuse et joyeuse.

Ariane profita de cette manne d'hommes pour présenter à sa fille de beaux partis. Les prétendants arrivaient avec leurs cheveux brillantinés et leur fine moustache, tels des émules de Clark Gable. Aurélie soupirait et acceptait de manger un *banana split* chez Rheault ou de jouer une partie de quilles à la salle locale, mais elle refusait le cinéma, n'y allant qu'avec ses cousines ou des amies rencontrées chez les Filles d'Isabelle.

Les couples qui s'embrassaient lui donnaient des déman-geaisons et elle les supportait à peine sur un écran, mais elle écoutait religieusement les actualités qui précédaient les films. Elle voulait se persuader que Laurent était toujours bien vivant et que les Allemands faiblissaient. Après des mois de bombardements sur Londres, Hitler, constatant l'in-vincibilité anglaise, retourna ses armes contre les Européens de l'Est et attaqua, le 22 juin 1941, son ancien allié, l'URSS. Aurélie comprit que cette guerre serait longue et douloureuse et qu'elle ne reverrait pas Laurent de sitôt.

Le 1er juillet, les usines de Sorel Industries présentaient en grande pompe les six premiers canons «25 livres». Edmond regarda le président de la Chrysler Corporation s'asseoir aux côtés de Jules. Il aurait aimé y voir Émile Snyders qu'il ne pouvait imaginer sous la botte des Allemands, forcé de leur fabriquer des armes pour tuer les Alliés. Ariane, Aurélie et Violette s'étaient assises à la deuxième rangée des dignitaires, coiffées de leurs jolis chapeaux. Les temps de guerre et les restrictions sur certains tissus importés ne pouvaient effacer toute trace de coquetterie. Tout le monde était réuni sous une grande tente et fixait l'estrade où un drapeau britannique couvrait de son Union Jack un canon. Des militaires en tenue de combat estivale, short beige, chaussettes kaki aux genoux, casque métallique sur la tête, attendaient fièrement la fin des discours des représentants des gouvernements canadien et britannique. Edmond avait hâte que tous ces compliments se terminent, voulant que les gens puissent admirer ce beau canon, entièrement fabriqué à partir de matières premières. Les soldats purent enfin retirer le drapeau et traîner le canon, monté sur ses gros pneus, en bas de son estrade pour que tous puissent le voir de près. Aurélie aima pour la première fois cette réponse aux Allemands. Vivant dans la passivité, à l'écoute des nouvelles, elle prenait maintenant conscience de la riposte qui ne devait pas tarder. Ces canons feraient des morts et elle espérait seulement que ce soient des morts allemands. Les dignitaires visitèrent ensuite le bâtiment B des usines. Une série de canons étaient en fabrication, s'alignant sans fin, puissamment éclairés par d'immenses fenêtres formant les murs de la bâtisse. Aurélie remarqua que des femmes en salopette bleue, un fichu noué sur la tête pour cacher leurs cheveux, travaillaient sur des tours et différents équipements de machinerie. Elle se rappela ce que madame Alexandra lui avait dit des usines du Creusot qui avaient employé beaucoup de femmes durant la Première Guerre mondiale. L'histoire semblait prendre un malin plaisir à se répéter. Pourvu que la victoire survienne plus rapidement.

Au mois d'août, Edmond fit repeindre le salon et transformer la salle de séjour de la tour est en petite salle de bal. Le manoir recevrait sous peu un hôte d'importance, le frère du roi George VI, Son Altesse royale le duc de Kent, qui visitait les centres d'entraînement et les installations militaires au Canada. Il devait s'arrêter quelques heures à Sorel et Edmond tenait à le recevoir chez lui. Aurélie glana quelques renseignements sur ce fils de George V qui avait épousé sept ans plus tôt la princesse Marina, fille du prince Nicolas de Grèce et de la grande-duchesse Hélène Vladimirovna Romanov de Russie. Devant cette lignée de sang princier,

Ariane était surexcitée et se demandait ce qu'il était bienséant de servir en ces temps de rationnement. L'argent pouvait tout acheter sur le marché noir, mais présenter des montagnes de sucreries et de gâteaux au beurre manquerait de tact, surtout avec toutes les restrictions que devaient subir les Britanniques. Il fallait faire preuve de sobriété sans oublier l'importance du visiteur.

Edmond sortit un de ses costumes londoniens pour le grand jour. Le duc de Kent arriva de Montréal avec Jules en Rolls Royce. Edmond les attendait sur les chantiers de la Maritime avec les notables de la ville et les dirigeants de l'usine. Il fit visiter les installations et montra fièrement la construction de la nouvelle partie du chantier d'où sortiraient les cargos de dix mille tonnes. Le duc, en uniforme militaire beige, se montrait attentif et suivait Edmond les mains dans le dos, faisant lentement de longues enjambées qui obligeaient tout le monde à marcher rapidement pour le suivre. Il garda un flegme tout britannique pendant sa visite. Edmond crut pourtant déceler un éclair dans ses yeux quand il vit les corvettes et les balayeurs de mines alignés, presque terminés, et qui prendraient la mer sous peu.

Edmond fit visiter à Son Altesse royale les usines de Sorel Industries où des centaines de canons étaient assemblés, puis il l'invita à prendre le thé au manoir. Seuls Jules et quelques notables eurent le privilège de se joindre à eux. Ariane avait fait installer une grande table dans la véranda où un buffet attendait l'important visiteur. En voyant les scones anglais et les sandwichs au concombre, le duc sourit à son hôtesse et la remercia. Ariane lui présenta ses enfants. Charles, maintenant âgé de seize ans, était figé, tout comme son frère Roland qui, lui, avait quinze ans. Ils baragouinèrent quelques mots d'anglais, mais ce fut Aurélie qui fit la conversation à Son Altesse. Muriel, du haut de ses cinq ans, insista pour voir la couronne du roi. Edmond allait la sermonner quand le duc se pencha vers la petite pour lui caresser la joue. Muriel lui rappelait ses deux enfants, Edward Nicholas et Alexandra, âgés de six et cinq ans. Il y avait aussi le petit Michael Charles Franklin, né le 4 juillet dernier. Comme il était né le jour de l'Indépendance américaine, le roi George VI avait approuvé la requête de son frère pour que Franklin D. Roosevelt devienne son parrain, invitation que le président américain avait acceptée. Devant cette touchante histoire, Muriel eut la permission d'accompagner le duc de Kent dans le parc et la roseraie. Elle lui prit la main et ne le lâcha plus. Le duc se sentait bien parmi cette famille. La vue du fleuve, le chant des oiseaux, les feuilles des arbres bougeant un peu au vent, la verdure des pelouses lui rappelaient son pays, celui d'avant les bombardements, celui des jardiniers, des dames se promenant sur les sentiers bordés de roses, des serviteurs en livrée qui apportaient les théières fumantes. Quand il vit les gloires de Dijon en pleine efflorescence, il s'émerveilla des doigts de fée d'Aurélie. Fatigué des hôtels et des cérémonies toutes semblables, le duc accepta finalement de manger en famille au manoir.

Jules fut un peu déçu de ce contretemps, mais ne dit mot. Ce n'était pas lui qui se serait opposé au frère du roi. Il aurait préféré que cette réunion se déroule à l'hôtel Saurel. Il ne comprenait pas pourquoi Edmond avait invité le duc de Kent chez lui alors que l'hôtel, qui lui appartenait, aurait offert plus de décorum et permis une plus grande visibilité auprès de la population.

Ariane étrenna la robe de soirée d'Elsa Schiaparelli qu'elle n'avait jamais eu l'occasion de porter. Simplement magnifique, cette robe longue était sans doute trop habillée pour la circonstance, mais Ariane était d'une telle élégance dans ce vêtement qui soulignait sa taille et dont la jupe évasée à larges pans bayadères fuchsia et noir suivait ses mouvements avec fluidité. Le duc se pencha pour lui baiser la main avec un sourire admirateur. Le flegme britannique commençait à fondre chez cet homme qui n'avait pas quarante ans. Aurélie était fière de sa mère et Edmond sentit un petit picotement au cœur quand il vit que la robe, par un décolleté plongeant, offrait le dos nu de sa femme à la vue de tous. Charles et Roland observaient les moindres gestes du duc de Kent, cherchant à apprendre tous les secrets de l'élégance que leur mère s'acharnait tellement à leur inculquer. Roland, mince et souple, réussissait plus facilement à imiter les manières princières, prenant une douce revanche sur son aîné, un costaud solide, fonceur et moins habile à manier baisemains et salutations.

Le repas, qui s'annonçait guindé, se déroula finalement dans la bonne humeur. Avant que le café ne soit servi, Aurélie mit une musique dansante sur le tourne-disque, et le duc de Kent invita Ariane à faire quelques pas de danse. Ils formaient un très beau couple. Grand et mince, le frère du roi faisait tout avec grâce. Il dansa ensuite avec Aurélie et prit Muriel dans ses bras pour la dernière danse avant de repartir pour Montréal. Cette pause familiale lui avait fait du bien. Le guerrier s'était reposé. Jules, au début contrarié, était maintenant ravi de la tournure des événements.

Cette visite ne fut qu'un intermède dans la vie d'Aurélie. La routine reprit son cours. L'automne s'installa de nouveau et l'hiver approchait quand le bombardement de Pearl Harbour obligea les États-Unis à entrer en guerre sur deux fronts. Au lieu de s'apaiser, le conflit s'envenimait et couvrait maintenant le globe. Toujours sans nouvelles de Laurent, Aurélie multipliait les bonnes œuvres en entraînant Ariane et les femmes de la famille dans toutes sortes d'activités charitables. Pendant ce temps, Edmond était occupé à s'enrichir avec ses frères. Le boom industriel lui permettait de faire des affaires juteuses. Le gouvernement fédéral payait les navires selon la méthode du « cost plus », c'est-à-dire que les montants payés étaient proportionnels aux coûts de production. Plus la compagnie déboursait pour les employés, le matériel et les heures travaillées, plus le prix du produit était élevé et plus elle faisait de profits. La liste des ouvriers s'allongeait et personne ne se plaignait d'avoir peu à faire par moments, surtout avec la production qui allait bon train. Sorel Industries avait aussi reçu des contrats pour des obus de huit pouces et des canons navals, ce qui nécessita l'agrandissement de l'usine.

Devant l'ampleur du conflit et face à la demande de l'opposition réclamant la conscription, le premier ministre canadien Mackenzie King organisa un plébiscite sur la question qui aurait lieu à la fin du mois d'avril. La Ligue pour la défense du Canada fut alors fondée par le directeur du journal *Le Devoir*. Ses promoteurs, dont André Laurendeau, Jean Drapeau, Michel Chartrand et Paul Gouin, parcoururent le Québec pour inciter la population à répondre non. Ils furent entendus. Le Québec vota non en majorité pendant que le reste du Canada opta pour le oui. La conscription était maintenant un fait. Refusant d'endosser les décisions du cabinet King,

Alfred Cardinal démissionna de son poste de ministre des Travaux publics et des Transports et reprit son siège de député. Jules n'y prêta pas beaucoup attention. Il avait maintenant tous les contacts nécessaires à Ottawa et le sort du ministre ne l'inquiétait pas outre mesure. Si la nouvelle de l'enrôlement obligatoire ébranla plusieurs personnes, elle fit moins de vagues à Sorel. Les ouvriers des usines Savard obtenaient un papier les exemptant de la conscription. Mais si un employé ne se présentait pas au travail un matin, son nom était automatiquement envoyé à l'armée comme déserteur. Ceux qui ne travaillaient pas dans les usines de guerre avaient tout le loisir de se perdre dans la nature parmi la centaine d'îles parsemées sur le fleuve Saint-Laurent entre la rivière Richelieu et le lac Saint-Pierre.

Le temps passait et Aurélie se surprenait à oublier Laurent pendant quelques heures, se baignant à la plage de la Pointe aux Pins avec des amies, buvant du lait malté à la cantine du Woolworth, souriant à quelques prétendants choisis par sa mère, dansant sur le rythme des danses nouvelles. Pour ses vingt ans, Edmond lui offrit une Oldsmobile décapotable de couleur crème avec l'intérieur rouge. Dans une ville où la prospérité était affichée fièrement et où le nombre des propriétaires d'automobiles ne cessait d'augmenter, Aurélie trouva quand même ce cadeau un peu tape-à-l'œil. Elle fit des balades remarquées avec des amies. Cela l'amusa un moment, mais la vue des uniformes kaki des soldats la ramenait toujours à la guerre. La nuit, en écoutant la radio, elle revoyait Laurent. En entendant le général de Gaulle parler, elle imaginait son bien-aimé résistant aux côtés des Anglais, plutôt que travaillant pour les Allemands au Creusot.

Aurélie recevait aussi, avec un peu de retard, des journaux américains. En février 1942, elle montra la page couverture d'un journal new-yorkais à sa mère. Ariane apprit alors la destruction du Normandie. Le magnifique paquebot avait été armé au tout début de la guerre et rebaptisé La Fayette. Un incendie s'était déclaré à son bord alors qu'il était au port de New York. Des pompiers avaient combattu les flammes pendant des heures, mais, jugé irréparable, le navire devait être démoli. Ariane regarda la photo du journal un long moment. Elle n'y voyait que du métal tordu, de la fumée dense. Elle ferma les yeux et se rappela sa merveilleuse traversée, le fier chevalier normand, les couloirs de lumière, l'eau cristalline de la piscine, les émotions intenses. Une partie de son passé venait de partir en fumée.

En août, près de trois mille soldats canadiens trouvèrent la mort sur les plages de Dieppe, en Normandie. La guerre n'était plus cette chose lointaine qui frappait ailleurs ; elle réclamait aussi la vie des proches. Charles, âgé de dix-sept ans, attendait avec impatience le jour où il pourrait partir pour le front, même si Edmond jurait que ses fils travaille-raient dans une usine d'armement avant de revêtir l'uniforme de l'armée. Mais Charles avait envie de devenir un héros et de se couvrir d'honneur. Roland était prêt à le suivre pour ne pas se retrouver seul. Quelques jours plus tard, le duc de Kent mourait dans un accident d'avion en Écosse. Aurélie le revoyait danser avec sa mère, souple, élégant dans son uniforme, princier dans son port de tête. En octobre, le Creusot subissait les bombardements alliés. Churchill tenait ses promesses d'« œil pour œil », vengeant les bom-bardements allemands sur Londres. La BBC rapporta que quatre-vingt quatorze bombes avaient été lâchées sur les usines d'armement. Aurélie ne put connaître le nombre de morts. Désespérée, elle chercha à savoir si Laurent était toujours vivant, mais ses lettres et télégrammes restèrent sans réponse. En novembre, les Alliés débarquaient en Afrique du Nord où les canons construits à Sorel prouvaient leur grande utilité contre l'armée de Rommel. Les Allemands ne s'avouaient pas vaincus pour autant et poussaient l'audace jusqu'à entrer dans le golfe Saint-Laurent avec leurs sous-marins pour couler des navires et ralentir les ravitaillements en hommes, en armes et en munitions destinés à l'Angleterre.

Les nouvelles devenaient une suite d'attaques, de morts, d'avancées et de replis dont Aurélie commençait à s'enivrer. Ariane se désolait de la voir perdre sa jeunesse à attendre un homme qui ne viendrait plus.

– Ne gâche pas ta vie ainsi, regarde autour de toi, tu trouveras certainement un jeune homme charmant qui t'aimera vraiment.

Aurélie ne prêtait qu'une oreille distraite à ces propos censés. Elle avait toujours la profonde certitude que Laurent n'était pas mort et qu'il pensait parfois à elle. Même après un deuxième bombardement du Creusot par l'aviation alliée qui fit des centaines de morts à l'usine même, elle garda espoir pour Laurent. Les Allemands augmentaient les représailles, car de plus en plus de sabotages avaient lieu dans les usines et un peu partout en France. Cela prouvait que les résistants étaient de plus en plus nombreux et organisés, au grand plaisir d'Aurélie qui attendait la victoire avec une impatience croissante.

Le 19 juillet 1943, la visite du général français Henri-Honoré Giraud ralluma la flamme d'Aurélie. Après avoir rencontré le président Roosevelt à Washington, il fit un détour par Sorel où la population accueillit en héros ce combattant de la libération en Afrique du Nord, brandissant de petits drapeaux français. Edmond avait bien hâte de lui parler de ses canons. Il avait suivi le débarquement allié tout comme Aurélie. S'il essayait d'intéresser Charles à ses affaires, Edmond n'avait pas perdu pour autant le goût de discuter avec sa fille aînée de politique internationale. Ils passaient de longs moments assis de chaque côté du poste de radio à écouter et commenter les événements. Aurélie avait peu à peu surmonté l'horreur des batailles et des morts pour avoir une vue d'ensemble de la situation. Elle comprenait son père de s'intéresser à la politique. C'était vraiment là que ça se jouait, entre Roosevelt, Churchill et Hitler, une lutte de pouvoir et de stratégie. Elle avait installé au grenier, dans la tourelle ouest, une salle de lecture avec une carte du monde où elle suivait les déplacements des guerriers comme des pions sur un jeu d'échecs. Charles et Roland, qui, eux aussi, s'intéressaient à tout ce qui se passait, lui rendaient parfois visite. La guerre devenait un jeu de généraux et cette distanciation réconfortait Aurélie, surtout quand elle allait poser des épingles à tête rouge sur les zones libérées des épingles noires des nazis, ce qu'elle avait fait quand les Allemands s'étaient rendus à Stalingrad en janvier ou tout récemment, quand les Canadiens avaient pris d'assaut la Sicile avec une flotte d'une envergure impressionnante.

Le général Giraud fut reçu au manoir comme le duc de Kent, mais il n'y avait ni scones ni sandwichs au concombre. Âgé de soixante-quatre ans, le front large et la moustache soignée, il avait l'allure d'un grand-père, mais personne n'oubliait qu'il était militaire de carrière, et général par-dessus le marché. Le corps toujours droit, la tête haute, il semblait regarder au-dessus des gens sans les voir vraiment. Ariane ne portait pas de robe de soirée. Il n'y eut pas de danse et le militaire raconta en détail « sa » guerre, assis dans la véranda, indifférent au paysage.

À la tête de la septième armée envoyée en Hollande en mai 1940, il avait pu ralentir, un moment, l'avancée de l'armée allemande à Breda. Il avait alors été chargé de bloquer l'attaque allemande dans les Ardennes. Capturé à Wassigny, il avait été emprisonné au château de Konigstein en Allemagne. Aidé par les services secrets alliés, il s'était échappé deux ans plus tard et avait réussi à gagner Vichy. De peur qu'il ne devienne un des chefs de la résistance, Pierre Laval, à la tête du gouvernement de Vichy, avait essayé de le persuader de retourner en Allemagne. Charles buvait littéralement ses paroles.

– Retourner en Allemagne et redevenir prisonnier ? Il vous a demandé ça ?

– Voyez-vous, j'appuyais la révolution nationale du maréchal Pétain : patrie, famille, travail, mais…

– C'est comme « liberté, égalité, fraternité », un joli slogan qui n'a pas empêché la terreur. Aurélie n'avait pu se retenir de donner son opinion. Tout le monde la regarda avec étonnement. Le général la toisa un moment.

– Je ne suis pas ici, mademoiselle, pour faire l'éloge du maréchal, un militaire de carrière et un héros de la Première Guerre mondiale. Je suis convaincu qu'il n'a cessé, à Vichy, de penser avant tout au salut de son pays. Aurélie baissa les yeux et le général Giraud poursuivit son récit.

– J'ai refusé de collaborer avec les Allemands et je me suis enfui pour gagner l'Algérie.

Les yeux de Charles et de Roland s'agrandirent encore. Le général raconta comment il avait été recueilli par un sous-marin britannique qui l'avait amené à Gibraltar. Après avoir entendu parler de l'évasion spectaculaire de Giraud, Roosevelt le voyait comme la troisième force entre le gaullisme et le pétainisme, capable de relancer les troupes françaises dans la guerre. Les Américains cherchaient à éloigner le général de Gaulle qu'ils considéraient comme un ambitieux isolé, à la fois irréaliste et dépourvu de tout caractère représentatif, difficilement malléable et arrogant. Washington avait finalement trouvé Giraud, après des essais infructueux avec Darlan. Les Alliés préparaient l'opération Torch, le débarquement anglo-américain en Afrique du Nord, et ils avaient refusé que de Gaulle soit mis dans le secret. À son arrivée à Gibraltar, Giraud avait eu des discussions avec le général Dwight D. Eisenhower.

– C'est là que j'ai accepté le commandement des forces françaises en Afrique du Nord. Mais lors du débarquement anglo-américain à Casablanca, à Oran et à Alger, les troupes françaises ont exécuté les ordres de Vichy et ont résisté aux Alliés.

– Les Français ont tiré sur les Américains ?

Devant la surprise de Charles et de Roland, le général expliqua les raisons de la rupture diplomatique entre la France et l'Angleterre au lendemain des attaques du 3 juillet 1940 à Mers el-Kebir.

– La France avait, hélas, perdu la guerre et signé l'armistice avec l'Allemagne nazie. Churchill craignait que l'armada française ne passe aux mains d'Hitler et avait demandé à Vichy que la flotte française se dirige vers les ports britanniques.

– Et les Français ne l'ont pas fait ?

– Non, l'amiral Darlan était persuadé que les Anglais allaient subir bientôt le même sort qu'eux et il a plutôt donné l'ordre aux navires français d'atteindre l'Afrique du Nord et de ne se rallier à aucune puissance étrangère : ni l'Allemagne ni l'Angleterre. Dans ce contexte, Churchill a décidé de détruire une partie de la flotte française stationnée à Mers el-Kebir, en Algérie. L'amiral Somerville a proposé aux Français d'appareiller avec la flotte anglaise et de gagner un port britannique, ou de se rendre dans un port français des Antilles pour être démilitarisés et rester en sécurité jusqu'à la fin de la guerre. Gensoul, commandant la flotte française, a interprété cette demande comme un ultimatum et a choisi la force en réponse à la force.

– Et ils ont tiré sur les Anglais ?

– En fait, les Anglais ont tiré et le carnage a duré en tout vingt minutes. Quatre cuirassés, six contre-torpilleurs et un transporteur d'hydravions ont été détruits. Il y a eu près de mille trois cents morts.

Aurélie se rappela que le général de Gaulle avait déploré l'incident et affirmé que les navires bombardés auraient été utilisés tôt ou tard par les Allemands. Ce raid avait créé une anglophobie à Vichy, miné la crédibilité du général de Gaulle à Londres et provoqué la rupture diplomatique entre la France et l'Angleterre.

– Pour toutes ces raisons, en novembre 1942, mes appels à la capitulation sont restés lettre morte.

Charles et Roland le regardaient avec attention, attendant la suite. Le général Giraud faisait des pauses pour ménager ses effets devant un auditoire attentif.

– L'amiral Darlan a pris l'autorité en Afrique du Nord « au nom du maréchal » et a donné l'ordre à toutes les forces armées de cesser le combat contre les troupes américaines et de s'allier avec elles contre l'Axe. La France était donc de nouveau dans la guerre.

– Mais avec l'amiral Darlan ?

– Oui, mais son pouvoir a été bref. Il a été assassiné la veille de Noël par un jeune patriote gaulliste. Je suis donc devenu commandant des forces françaises en Afrique du Nord.

Aurélie avait envie de lui rappeler que les Français de la France libre avaient refusé d'accepter ce commandement, surtout à cause de la tolérance de Giraud pour le régime de Vichy. De Gaulle et Giraud avaient été convoqués à Casablanca où Roosevelt avait insisté : ils devaient s'entendre, sans quoi ils perdraient l'appui des Américains. Roosevelt avait clairement montré qu'il dirigeait la guerre, mais il n'avait pas obtenu de véritable entente avec de Gaulle. Ce n'avait été qu'en juin que le Comité de la libération nationale avait accepté d'avoir deux coprésidents, de Gaulle et Giraud. Mais Aurélie se tut, voyant l'intérêt que suscitaient les récits du général. Ses frères n'avaient pas cligné des yeux depuis un moment, hypnotisés par les combats comme s'il s'agissait de soldats de plomb et Edmond entrevoyait la construction de navires pour remplacer ceux qui avaient été détruits. Seule Ariane fixait sa fille à l'occasion pour lui suggérer, par le regard, de se taire. Muriel était depuis longtemps partie jouer à l'extérieur avec son petit chien.

Giraud ne pouvait passer sous silence ses récentes batailles en Afrique du Nord où les fameux canons «25 livres» fabriqués à Sorel avaient prouvé leur capacité de destruction. Les Allemands avaient envahi la Tunisie, et le général Giraud avait créé les corps francs d'Afrique pour attaquer à l'ouest tandis que les troupes du général Leclerc attaquaient à l'est et au sud-est. La France, dans le cadre allié, avait ainsi participé à la libération de la Tunisie. Charles et Roland trouvaient ce récit palpitant. Ils sentaient la chaleur du soleil, les vents de sable piquant les yeux, les lèvres craquelées par la sécheresse, la sueur coulant dans le dos et se glaçant sous l'effet de la peur.

Aurélie se disait que les Français étaient souvent opportunistes, les Américains encore plus : ils entraient dans la guerre bien après tout le monde, ayant accepté pendant deux ans le régime de Vichy, et ils menaient maintenant les opérations presque seuls, donnant des ordres au monde entier et prêts à récolter la gloire de la victoire. Elle fut heureuse quand le général partit pour un dîner en son honneur à l'hôtel Saurel et prétexta un malaise pour ne pas y assister. Elle préférait retrouver la voix du général sur la BBC, cette voix qui la rapprochait de Laurent, cette voix qui encourageait les Français à joindre les rangs de la résistance et à nuire par tous les moyens à l'occupant nazi, cette voix sans visage qui permettait à la flamme de l'espoir de ne pas mourir.

Aurélie s'était assoupie dans le fauteuil et Simone proposa un café à Lorraine qui refusa : elle voulait rentrer. Elle monta chercher ses affaires dans la chambre de la tourelle. Tout était calme. Le fleuve semblait figé, ses eaux lisses comme un miroir. Un navire glissait dessus en laissant sa trace mouvementée. Lorraine était fatiguée de ces récits de guerre. L'histoire se répétait inlassablement comme si l'humanité était prise dans un tourbillon insensé qui l'entraînait dans la violence, les guerres de vengeance ethnique, remontant au-delà des mémoires, les conquêtes territoriales ou la mainmise sur des ressources comme l'or, le pétrole et, un jour, l'eau. Quand elle descendit, Aurélie l'attendait au pied de l'escalier.

— Tu pars déjà.

— J'ai des photos à développer et puis je dois bien finir, avec mon frère, de nettoyer la maison. Comme il ne travaille pas demain…

— Tu peux rentrer juste demain.

Lorraine commençait à trouver Aurélie un peu trop accaparante.

— J'ai besoin de quelques jours de congé. Je reviens mardi.

Aurélie lui prit les mains et soupira.

— Excuse-moi, tu as ta vie et je ne suis qu'une vieille dame habituée à me faire obéir. Attends, je vais te faire un chèque, tu as déjà passé beaucoup de temps avec moi.

Lorraine se sentait maintenant mal à l'aise, comme si on la congédiait en lui versant son dernier salaire.

– Ça peut attendre à mardi.

– Non, non. Mardi, qui sait, je serai peut-être morte. Il faut mettre les choses en ordre rapidement à mon âge. Lorraine glissa le chèque dans son sac et sortit en lui souhaitant une bonne nuit. Aurélie la regarda partir avec Jean-Paul. Simone se tenait à ses côtés.

– Pourquoi l'avez-vous payée tout de suite ? Vous pensez qu'elle ne reviendra pas ?

– Je ne sais pas. J'ai peur de commencer à l'ennuyer avec mes vieilles histoires. Je n'ai plus la séduction si facile.

– C'est que vous en mettez du temps avant d'arriver à la vraie histoire !…

– Peut-être que la vraie histoire, comme tu dis, n'est pas vraie, mais seulement le fruit de mon imagination de vieille dame seule.

Lorraine alla directement à sa chambre noire en arrivant à la maison. Martin n'était pas encore rentré et elle passa un long moment à développer les photos qu'elle avait prises d'Aurélie, de la petite chambre qui avait servi de salle de guerre et qui maintenant était abandonnée, le mobilier recouvert de draps blancs comme des fantômes témoins d'un passé lointain, éclairée par une étroite fenêtre tel un donjon. Les photos en noir et blanc étaient troublantes. On y voyait se dessiner des formes indéfinies, des têtes courbées, des mains levées, des cris muets. Lorraine se demandait si les histoires d'Aurélie ne commençaient pas à prendre forme sur la pellicule.

Elle passa deux jours à nettoyer la maison avec Martin. Ils ne trouvèrent pas d'autres bijoux et se contentèrent de choisir les meubles qu'ils se partageraient. La demeure était prête pour l'arrivée des déménageurs, ce qui la rendait plutôt inhospitalière avec ces boîtes empilées partout et ces meubles étiquetés au nom de leur destinataire. Martin n'aurait son appartement que dans une semaine et Lorraine n'avait pas encore trouvé le sien. Martin l'aida à amener quelques effets dans son petit pied à terre à Montréal, moitié appartement, moitié studio, et elle décida de laisser dans un entrepôt, pour quelque temps, les meubles choisis et les nombreuses caisses de photos. Il n'y avait que la chambre noire encore intacte avec ses bacs, ses pots de liquide et ses photos suspendues pour sécher. Lorraine savait qu'elle pouvait tout ramasser en quelques minutes.

Une lettre adressée à Jeanne arriva le lendemain matin. Elle venait d'un notaire dont le client, décédé depuis peu, avait laissé une lettre pour elle. Le notaire tenait à remettre cette lettre à Jeanne en personne. Lorraine téléphona à son bureau. L'homme fut catégorique : il ne pouvait donner cette lettre à un descendant ; si Jeanne ne pouvait la prendre, il avait ordre de la détruire. Ce ne pouvait être qu'une lettre d'amour, Lorraine en était convaincue.

– Tout ce secret pour une lettre d'amour ?

– Je ne peux vous en dire plus. Mon client me l'a confiée en précisant bien que la destinataire devait être la seule à la voir. Ses enfants n'y ont pas eu droit non plus. Piquée par la curiosité, Lorraine toussota un peu pour gagner du temps. Elle voulait cette lettre qui expliquerait sans doute les bijoux trouvés, les vêtements de luxe.

– Ma mère est âgée et elle n'est pas très bien. Il lui serait difficile de se rendre à vos bureaux.

– Je peux me déplacer, madame. Nous pouvons prendre un rendez-vous immédiatement si vous le désirez.

– Euh… je vais lui en parler et je vous rappelle.

Lorraine se mit à fabuler sur la vie secrète de sa mère. Elle voulait absolument savoir ce que contenait cette lettre, mais Martin, à ses côtés, ne voulait rien entendre.

– Le passé doit s'enterrer avec les morts.

– Non, Martin, il faut éclaircir cette histoire, ces bijoux, ces cadeaux. Il y a une raison à tout ça.

– Il y a une raison pour eux, pas pour nous. Elle ne nous a jamais parlé de cette histoire d'amour, sans doute très vieille d'ailleurs, et nous devons respecter ce choix.

Cet inconnu confie une lettre d'amour à un notaire avec ordre de la détruire si Jeanne ne peut la lire. Il ne veut même pas que ses propres enfants la voient. Pourquoi tu penses ? Parce que ça ne les regarde pas. C'est une vieille histoire à enterrer.

– S'il voulait l'enterrer, il n'avait qu'à ne pas écrire cette lettre. Il voulait être lu au point de la confier à une personne qui aurait l'obligation de la donner en main propre à la destinataire. Peut-être avait-il peur que ses enfants pensent comme toi et brûlent la lettre.

– Je te rappelle, au cas où tu l'aurais oublié, que notre mère est morte. Tu ne vas quand même pas jouer la petite vieille avec une perruque pour récupérer cette lettre qui ne t'est pas destinée. Je t'avertis, si le notaire entre ici, je lui dis tout.

– Il ne viendra pas. C'est trop compliqué.

Lorraine voulait pourtant éclaircir cette histoire, mais le refus catégorique de Martin la fit taire. Il partit travailler et elle échafauda un plan pour entrer en possession de cette lettre. Avant de se rendre au manoir, elle fouilla dans le dossier de la succession et récupéra le permis de conduire et la carte d'assurance-maladie de sa mère. Aurélie, toujours heureuse de l'accueillir, l'invita à passer dans la salle de séjour.

Paris était enfin libéré. Après le débarquement du général Leclerc en Normandie au début d'août 1944, les cheminots parisiens avaient lancé leur grève et, trois jours plus tard, les gendarmes les avaient imités, suivis par les policiers. Puis Radio Paris avait cessé d'émettre. Ce silence avait réjoui Aurélie : si les Allemands coupaient la parole aux Français, c'est qu'ils ne les contrôlaient plus aussi bien. Les appels à la grève générale et à la mobilisation se multipliaient. L'insurrection avait démarré à Paris et en banlieue. Des barricades apparaissaient partout afin de bloquer la circulation des Allemands dans la ville. Les premiers combats de rue éclataient un peu partout. Malgré un cessez-le-feu demandé par le consul de Suède, les combats s'intensifiaient, faisant planer la menace d'une forte répression sur la population. Mais les résistants et les Parisiens faisaient bloc contre l'armée allemande. Les chars de la délivrance étaient arrivés pour prêter main-forte aux insurgés, et l'avant-garde du général Leclerc, le détachement du capitaine Dronne, était parvenu à l'hôtel de ville. Le 25 août, toute la division Leclerc était dans Paris. Le général von Choltitz, chargé de la défense de la ville, comprenait qu'il avait perdu et signait l'acte de reddition. Le général de Gaulle descendait les Champs-Élysées. Les Parisiens découvraient enfin celui qui n'avait été qu'une voix. Pour saluer le courage des Parisiens, il déclara : « Paris outragé ! Paris brisé ! Paris martyrisé ! Mais Paris libéré ! » L'Arc de triomphe retrouva son drapeau tricolore et le général entra dans la légende en descendant les Champs-Élysées à pied avec son état-major, préférant une manifestation populaire à un défilé militaire. Malgré des tirs de ceux qui essayaient encore de semer la panique, les Parisiens goûtaient le bonheur d'être libres et Aurélie pleurait de joie, assise devant le poste de radio.

Elle n'avait plus qu'une idée : partir en France. Elle en parla d'abord à Ariane qui ne montra aucun enthousiasme.

– Paris est peut-être libéré, mais la guerre n'est pas finie. Les Allemands peuvent faire une autre offensive et revenir.

– Les Alliés sont là.

– Et alors ? Laisse les Français ramasser leurs morts. Et laisse le pays se reconstruire. Avec tous ces bombardements, il ne doit plus rester grand-chose debout et rien ne dit que les Allemands, en fuyant, ne se vengeront pas en sabotant tout. Attends un peu. Envoie un télégramme, tu verras après. Aurélie se fit servir le même discours par son père dans la soirée.

– Mais, papa, je ne partirai pas longtemps, quelques semaines, le temps d'avoir des nouvelles de Laurent.

– J'ai dit non et tu ne partiras pas ! Je ne veux pas que tu finisses comme Ada ! Edmond avait crié, hors de lui. Ariane et Aurélie le regardaient avec des yeux ronds d'étonnement. Qui était Ada ? Edmond se leva, remplit son verre de whisky et alla se rasseoir lourdement. Ariane et Aurélie n'avaient pas bougé, attendant la suite.

– Adélaïde était ma petite sœur. Elle avait deux ans de moins que moi. Maman est d'ailleurs morte en accouchant d'elle, quelques jours à peine après la noyade de la petite Aurélie.

– Tu ne m'as jamais parlé d'elle après toutes ces années de mariage. Mathilde non plus.

Edmond soupira. Il avait tout fait pour effacer ces souvenirs et ils revenaient le hanter après toutes ces années.

Le nom d'Ada avait été banni de la famille, il y avait bien longtemps. Peut-être que plus personne ne se rappelait d'elle. Jules avait eu peur que la vie d'Ada ne nuise à sa réputation, et Lucien l'avait rejetée comme une pécheresse, tout ça parce que la pauvre petite était née en tuant sa mère. C'était du moins ce que pensait leur père, Julien. Il avait eu beau essayer de se raisonner, il avait toujours eu l'impression que sa femme était morte à cause d'elle. Ne pouvant pas s'occuper du nouveau-né, il l'avait confié à sa cousine Juliette qui habitait la ville de Québec, alors qu'il avait gardé tous ses autres enfants à ses côtés. Adélaïde les retrouvait à Noël, aux anniversaires, mais elle se sentait toujours étrangère et avec raison. La complicité qui les soudait tous effarouchait la fillette qui préférait les bras de Juliette, sa mère adoptive. Quand elle avait eu l'âge d'aller à l'école, Julien l'avait reprise sous son toit. À cause de leur faible différence d'âge, Edmond avait été le seul à se rapprocher d'elle. Elle avait remplacé dans son cœur la petite Aurélie.

Quand Edmond était arrivé à Sorel en 1914, Adélaïde avait déménagé depuis deux ans à Québec chez la cousine Juliette. Elle n'était pas venue au mariage de Jules, prétextant une santé fragile. Edmond l'avait retrouvée par hasard trois ans plus tard. Elle travaillait dans un restaurant et s'était amourachée d'un acteur français venu jouer à Québec. Elle parlait de partir pour Paris avec son homme très prochainement. Quand Edmond était retourné la voir quelques mois plus tard, elle avait disparu sans donner de nouvelles. Juliette, maintenant âgée, lui avait dit qu'Adélaïde vivait à Paris. Edmond avait pu obtenir son adresse et lui avait écrit. Il n'avait reçu une réponse que des mois plus tard. Adélaïde, qui se faisait désormais appeler Ada, avait quitté son comédien pour vivre avec un jeune peintre plein de talent et lui servir de modèle à l'occasion. Edmond avait essayé, dans ses lettres, de la persuader de revenir parmi eux. Les frères Savard s'établissaient avec succès à Sorel, mais cette prospérité familiale l'avait laissée indifférente. Elle répondait aux lettres avec beaucoup de retard et peu de mots. Le jeune peintre avait trouvé un autre modèle et elle avait vécu avec un sculpteur aux colères sublimes qui l'avait mise sur un piédestal, dans tous les sens du mot.

La dernière lettre qu'Edmond avait reçue était datée de décembre 1919. Ada souhaitait un bon Noël à toute sa famille, ses frères et sa sœur qu'elle connaissait si peu et elle se plaignait du froid des ateliers parisiens. C'était une lettre étrange. Ada n'avait jamais adressé de souhaits à personne et le fait qu'elle mentionne tous les noms, comme si elle essayait de se les rappeler, aurait dû l'intriguer davantage. Edmond avait appris plus tard par Juliette que le cadavre d'Ada avait été repêché dans la Seine le lendemain du jour de l'An. Un accident ou un suicide, personne ne pouvait le dire. Ada avait été retrouvée sans manteau, un simple châle enroulé autour d'elle comme si elle était sortie faire une course rapide. Le sculpteur avait quitté Paris pour la Provence pendant deux semaines et il avait retrouvé son atelier vide. Ada n'y avait laissé aucune lettre, aucun mot d'adieu, simplement quelques vêtements usés posés sur une chaise. Quand Edmond avait insisté pour en savoir davantage sur la vie de sa sœur, le sculpteur lui avait écrit qu'Ada était une fille qui servait de modèle à plusieurs artistes et se promenait de l'un à l'autre. Edmond avait pu lire entre les lignes qu'elle était une pute itinérante. Paris l'avait séduite avec ses lumières, ses artistes, et Ada avait fini ses jours dans les eaux glacées de la Seine avant de fêter ses vingt-deux ans.

Le silence qui avait accueilli les confidences d'Edmond planait toujours. Il but une dernière gorgée de whisky et fixa Aurélie.

— Tu ne partiras pas.

— Mais, papa, Ada cherchait une famille. Elle croyait l'avoir trouvée avec les artistes. Ce n'est pas mon cas, je veux revoir l'homme que j'aime. Je n'irai pas le chercher au fond de la Seine.

— Et si ton Laurent te demande de l'épouser et de rester là-bas, tu le feras?

Aurélie n'avait jamais pensé à cette éventualité. Elle voulait revoir Laurent, être dans ses bras, l'entendre encore lui dire: «Je t'aime», mais elle n'avait jamais songé qu'il pourrait l'inviter à vivre en France avec lui. Quand elle se voyait à son bras, c'était toujours ici, au manoir. Elle le voyait prendre la relève de son père, devenir son associé, créer de nouvelles usines et lui faire de beaux enfants. Elle prit conscience qu'elle avait encore une vision de petite fille et que Laurent avait toujours le rôle du prince charmant.

— Je reviendrai, papa, je te le promets.

— C'est trop dangereux. Il reste des tireurs embusqués un peu partout. Une balle dans la tête est aussi efficace que la Seine. Sans parler des vengeances à venir. La chasse aux collaborateurs doit être ouverte. Tu as envie de découvrir ton Laurent pendu à un arbre ?

— Ce n'est pas le Far West, papa.

— Mais qu'est-ce que tu en sais ? Plus de quatre ans d'occupation, ça doit marquer grandement. N'insiste pas. C'est trop tôt. Je veux avoir des nouvelles du Creusot avant.

Ce fut la seule concession de son père. Aurélie envoya plusieurs télégrammes qui restèrent sans réponse. Edmond écrivit finalement à monsieur Émile et il reçut une réponse de son fils Claude, une lettre d'affaires directe et froide. Aurélie apprit ainsi la mort de monsieur Émile qui remontait à deux ans. La ville du Creusot avait perdu la moitié de ses habitants qui avaient fui les bombardements alliés dévastateurs et l'armée allemande. Le directeur des usines avait été déporté en représailles aux nombreux actes de sabotage de la part des résistants. Claude Snyders avait alors pris la direction des affaires de son père. Il ne pouvait dire où était passé l'ingénieur Dumontel. Comme il ne donnait aucune nouvelle de madame Alexandra, Aurélie en conclut qu'elle était toujours vivante et lui écrivit sans jamais recevoir de réponse.

L'automne était déjà là et Aurélie accepta d'attendre le printemps avant d'aller en France. Les Alliés avançaient lentement vers Berlin. Les combats étaient encore féroces et Edmond se réjouissait d'avoir tenu tête à sa fille. Les nombreuses démarches faites par Aurélie et ses tantes, surtout Antonine, la femme de Lucien, avaient porté fruit après toutes ces années. Mais Aurélie en gardait un goût amer. Les femmes, sans indépendance juridique, pouvaient bien demander, exiger ou supplier, seuls les hommes étaient écoutés. Il avait fallu les pressions du député Cardinal et de Lucien, président de la Maritime, pour que le gouvernement du Québec offre une subvention de trois cent mille dollars. Les plans, préparés par l'architecte Ernest Cormier, étaient pour un hôpital de soixante lits qui serait construit sur le terrain offert par la communauté des pères franciscains, séparé de leur couvent par un chemin public qui conduisait de Sorel à la paroisse de Sainte-Anne-de-Sorel, le long du fleuve. Aurélie verrait donc se construire l'hôtel-Dieu tout près du manoir. En octobre, la communauté religieuse de Campbellton confirma la décision finale de fonder l'hôpital, et sœur Audet fut nommée supérieure et fondatrice de cette nouvelle maison. Les plans furent modifiés de façon que l'hôpital puisse accueillir cent lits et permette l'établissement d'une école d'infirmières. La subvention passa ainsi à quatre cent mille dollars. Les religieuses projetaient d'aménager en juin dans la maison attenante au couvent des pères franciscains. Aurélie était heureuse de ces résultats même s'ils avaient tardé à venir. Elle savait que la subvention gouvernementale ne couvrirait que la construction des bâtiments. Il fallait encore trouver de l'argent pour les équipements et les appareils médicaux. Antonine et ses filles étaient maintenant très actives avec les dames patronnesses pour recueillir des fonds pour l'hôpital, et Aurélie, même si elle les aidait parfois, se faisait plus distante. Elle préparait son voyage en France.

L'hiver arriva et même si la guerre n'était pas terminée, les Savard fêtèrent Noël avec plus de faste que d'habitude. Edmond n'oubliait pas que sa fille partirait dans quelques mois et qu'il pourrait difficilement l'en empêcher. Il tenait donc à la gâter pour qu'elle ait envie de revenir rapidement. Il fit de même pour accueillir la nouvelle année. Quand minuit arriva, toute la famille d'Edmond était réunie au manoir pour le coup de minuit avec celle de Lucien et d'Albert dans une grosse fête familiale. Seul Jules était resté à Westmount avec les siens. Les bouchons de champagne venaient à peine de sauter que le téléphone sonna. Un incendie s'était déclaré à Sorel Industries dans l'atelier où on fabriquait les bombes. Edmond, Lucien et Albert sautèrent dans une auto et laissèrent femmes et enfants atterrés par cette nouvelle.

Quand Edmond arriva sur les lieux, les flammes avaient déjà atteint la toiture de bois qui s'écroula sur toute la longueur du bâtiment. La neige tombait et le vent soufflait en rafales, aidant le feu à se propager. Le brasier était intense. Les flammes montaient à plus de cent pieds dans les airs. Les pompiers de Montréal avaient été appelés à la rescousse par ceux de Saint-Joseph et de Sorel. Edmond regardait son joyau, sa perle, sa joie, se transformer en flammes infernales. Impuissant, il allait de l'un à l'autre, cherchant à comprendre ce qui avait bien pu se passer. Il vit des ouvriers rassemblés non loin et se dirigea vers eux pour les interroger.

– Ça s'est passé dans le trempage. Ils ont jeté un obus chauffé à blanc dans l'huile bouillante. Ça a sauté tout de suite et l'huile enflammée s'est répandue partout. Dans le temps de le dire, le toit était en feu.

– Il reste encore des ouvriers à l'intérieur ?

– Je pense pas. Moi, j'ai rampé, pis j'ai défoncé une fenêtre pour sortir, mais c'est Grégoire, un ancien pompier, qui a fait sortir le plus de monde.

Edmond partit à la recherche de ce monsieur Grégoire. Il le trouva en train de fixer les flammes, hypnotisé. Edmond lui mit la main sur l'épaule et lui demanda ce qui s'était passé.

– L'huile s'est enflammée. On a dû y mettre un obus trop chaud. Quand j'ai vu ça, j'ai dirigé les autres vers les portes et les fenêtres. L'électricité a manqué et le toit commençait à tomber lentement. Avec un autre gars, on a réussi à ramper jusqu'aux valves des réservoirs d'huile pour les fermer. Au moins, ça a limité les dégâts.

– Sans ça, c'est la ville au complet qui sautait avec tous les explosifs à l'intérieur. Vous êtes un héros.

– J'ai juste fait mon devoir, monsieur Savard. J'aimerais bien ça, mettre la main sur ceux qui savent pas faire le trempage comme il faut. J'espère que c'est pas parce qu'ils avaient fêté trop de bonne heure la nouvelle année.

La tempête de neige ralentit les pompiers de Montréal qui n'arrivèrent qu'au milieu de la nuit. Edmond était toujours là. Lucien et Albert avaient retrouvé leur famille au manoir. La fête était gâchée et tout le monde rentra chez soi. Ariane et Aurélie rejoignirent Edmond avec du café chaud. Ariane essaya de le persuader de rentrer. Il faisait froid. La neige n'avait cessé de tomber. Mais Edmond refusait de retourner au manoir. Il voulait connaître l'étendue des dégâts.

– Tu le sauras bien assez vite. Tu ne peux rien faire ici. Laisse les pompiers faire leur travail. Tu vas attraper ton coup de mort avec cette tempête.

– Papa, tu as la tête encore plus dure que moi. Mais, moi, je ne suis pas suicidaire.

– Moi non plus.

– Alors, rentre à la maison. Ça ne me tente pas de jouer les orphelines.

Edmond la regarda, puis se tourna vers sa femme. Ariane avait remonté le col de son manteau de fourrure qui cachait la moitié de son visage. Elle écarta le col pour lui dévoiler un joli sourire et s'avança pour l'embrasser. Il posa ses lèvres glacées sur les siennes. Soudain, il avait besoin de se faire consoler comme un enfant. Ariane ouvrit les bras. Edmond s'y jeta et resta blotti contre elle un moment, le temps de prendre conscience que des gens pouvaient les voir. Ne voulant pas montrer des signes de faiblesse devant les autres, il s'éloigna, puis se dirigea vers l'auto. Aurélie reconduisit lentement ses parents au manoir. Edmond se lova contre l'épaule d'Ariane qui lui caressa les cheveux. Il leva la tête et l'embrassa passionnément.

Les pompiers ne purent sauver l'atelier des obus, mais ils purent limiter les dommages dans les autres bâtiments. Les travaux de reconstruction démarrèrent rapidement et la production reprit son cours. La guerre n'était pas encore gagnée, mais, à la conférence de Yalta en février, ceux qu'on appelait déjà les trois grands, Roosevelt, Churchill et Staline, se partagèrent l'Allemagne et le monde. Quelques jours plus tard, Dresde fut réduite en cendres. Capitale de la Saxe, cette «Florence de l'Elbe» riche en joyaux architecturaux, reçut six cent cinquante mille bombes incendiaires. Churchill avait envoyé huit cents bombardiers faire ce sale travail et tuer cent trente-cinq mille personnes d'un coup. La vengeance était terrible. Un mois plus tard, les Américains bombardaient Tokyo, faisant cent mille victimes. C'était la guerre la plus meurtrière de l'histoire de l'humanité et elle n'était pas terminée. Le 12 avril, le président américain Franklin Delano Roosevelt décédait. Quelques jours plus tard, les Soviétiques entraient dans Berlin et Mussolini était fusillé avec sa maîtresse par les communistes, leurs cadavres nus pendus par les pieds sur la grande place de Milan. Hitler se suicidait avec Eva Braun deux jours plus tard.

Aurélie commençait à avoir la nausée en écoutant le récit de tous ces massacres. Elle ne pouvait plus rester assise devant la radio. Aussi annonça-t-elle à ses parents qu'elle partait pour la France. Ils avaient beau le savoir depuis un moment, ils avaient espéré que ce jour n'arriverait jamais. Ne pouvant empêcher leur fille de vingt-trois ans de quitter le pays, ils décidèrent de l'épauler du mieux qu'ils pouvaient. Edmond lui offrit un billet de première classe en partance de New York pour Southampton et une lettre de recommandation pour William Asbury.

Il espérait qu'il soit toujours en poste et apte à aider sa fille à se rendre en France avec la protection des services britanniques. Ariane glissa quelques bijoux dans la valise d'Aurélie.

— Maman, qu'est-ce que tu veux que je fasse de ça ? Je ne m'en vais pas au bal.

— Si tu manques d'argent, tu pourras toujours les vendre. L'or peut parfois te nourrir. Tu dis que les nouvelles à la radio te donnent la nausée, attends de les voir en direct. Tu seras seule dans un pays dévasté par la guerre, sans point de repère. J'espère que tu trouveras Laurent rapidement et fais attention aux soldats, alliés ou pas. Les femmes ont de tout temps constitué un butin de guerre.

— Ils sont rendus en Allemagne, maman.

— Oui, c'est au tour des Allemandes de se faire violer. Heureusement, les soldats russes ne sont pas en France.

Ariane savait qu'elle vivrait des semaines infernales à s'inquiéter en suivant les nouvelles à la radio. Elle avait espéré pour sa fille un gentil mari et des enfants, mais tout se passait autrement et Ariane se voyait obligée d'appliquer les principes de liberté qu'elle avait prônés en opposition à sa mère.

Charles et Roland revenaient maintenant du collège toutes les fins de semaine. Charles, qui venait d'avoir vingt ans, se rapprochait de sa sœur et tenait à jouer son rôle de frère. Il n'était plus un gamin turbulent et il se voyait succédant à son père. Il prit sa sœur en aparté et lui offrit de l'accompagner.

— Tu veux venir en France avec moi? Et tes études?

— Je peux bien avoir une dispense de quelques semaines.

— Juste avant les examens? Tu as tellement peur d'échouer que tu préfères te sauver?

— Je suis déjà inscrit à l'université pour septembre. Ça ne changera rien.

Charles la regarda dans les yeux, cherchant à lui prouver ses bonnes intentions.

— Une femme seule dans un pays en guerre… Tu cherches les problèmes…

— Non, je cherche un homme.

— Ce sera plus facile à deux.

— Qu'est-ce que tu veux vraiment ?

— La vie du pensionnat m'ennuie, je n'ai jamais voyagé et je ne voudrais pas apprendre qu'il t'est arrivé malheur. Tu es ma petite sœur même si tu es plus vieille. Aurélie lui sourit. Charles était devenu un beau jeune homme que les filles s'arrachaient en ville, espérant toutes le séduire. Il était terre à terre, solide et rationnel alors que Roland s'était, avec le temps, refermé sur lui-même, plus rêveur. Aurélie lui ébouriffa les cheveux. Charles détestait ce geste qu'elle n'avait pas fait depuis des années. Il replaça ses cheveux en s'efforçant de sourire.

— Je t'aime beaucoup, mon petit frère, mais j'ai besoin de faire ce voyage seule. Si je ne le retrouve pas, c'est que je ne le mérite pas. Je te remercie de ton offre, elle me touche.

— Tu sais, un homme qui va t'aimer, tu peux trouver ça ici.

— Oui, je sais, mais l'homme que j'aime, c'est là-bas que je l'ai rencontré.

Muriel, qui avait neuf ans, insista beaucoup pour que sa grande sœur revienne vite. Charles renouvela son offre : un télégramme, et il la rejoindrait. Roland lui donna, comme porte-bonheur, la médaille en or qu'il avait toujours portée à son cou. Aurélie alla saluer tout le monde avant son départ, la cuisinière, les bonnes, le jardinier, sans oublier le chauffeur Léopold. Ils avaient tous l'impression qu'ils ne reverraient pas Mademoiselle de sitôt et chacun avait la larme à l'œil.

Edmond et Ariane décidèrent d'aller accompagner Aurélie à New York, question de retarder le moment de la séparation et de s'offrir quelques jours loin du manoir et des usines. Rendue au port, Ariane serra Aurélie dans ses bras et fit de gros efforts pour ne pas pleurer. Edmond regarda sa fille embarquer. Il avait envie d'aller en France avec elle. La main tremblante d'Ariane le retint. Il se tourna vers sa femme et la prit dans ses bras. Aurélie regardait ses parents enlacés sur le quai. Elle leur envoya la main une dernière fois. Ils firent de même, soudés l'un à l'autre. Cette image d'amoureux lui fit plaisir et lui redonna espoir de retrouver Laurent, certaine qu'il lui était destiné.

Lorraine frissonna. Malgré la chaleur du feu de cheminée, elle était glacée de prendre conscience que les massacres se répétaient avec la régularité d'un métronome. Aurélie partait pour un pays qui se relevait de la guerre comme elle en avait tellement photographiés. Le Moyen-Orient, l'Afrique, le Sud-Est asiatique. Toujours le même combat de destruction. À côté de ça, les histoires de bijoux et d'amour caché de sa mère semblaient être des contes de fées. Elle passa la main sur son front. Aurélie la regardait, attentive.

— Oublions toutes ces histoires de guerre et allons marcher un peu dans le parc. L'air est froid mais vivifiant.

Les deux femmes s'habillèrent chaudement. Aurélie prit le bras de Lorraine et elles sortirent fouler le sol qui commençait à geler. Elles marchèrent en silence un long moment. Un soleil aveuglant dessinait avec précision les ombres des arbres dénudés.

— Vous l'avez beaucoup aimé ?

— Laurent ? Mais oui, ç'a été l'homme de ma vie. Le seul en fait. Il y en a eu d'autres, bien sûr, mais jamais comme lui.

— Et votre mari ?

— Tu vas trop vite. Un mari est un mari, et un amour est un amour. Ce n'est pas toujours la même personne. Ce qui n'empêche pas un mari d'être un excellent homme, agréable à vivre, avec qui on s'entend bien. Laurent n'aurait sans doute pas fait un très bon mari, enfin, pour moi.

— Comment peut-on aimer un homme et vivre avec un autre ?

— Tu n'as jamais eu d'amant ?

— En fait, je pense que je n'ai jamais eu de grand amour, du genre à traverser un pays dévasté pour le rejoindre. On se plaisait, on cohabitait, puis on se quittait quand c'était fini. Peut-être que les grands amours appartiennent à votre génération. Avec la guerre, les nombreux interdits, le grand amour pouvait survivre. Celui de ma mère vient tout juste de mourir. Aurélie fit une pause et la regarda, intriguée. Lorraine lui parla de la lettre du notaire et de la réaction de son frère.

— Et tu veux lire cette lettre, n'est-ce pas ? Ton frère est sans doute plus sage que toi. Les morts appartiennent au passé. Mais la vie continue et la curiosité fait partie de la vie. Es-tu prête à assumer toutes les conséquences de cette découverte ? Es-tu prête à changer ta vision des choses, peut-être radicalement ? À perdre tous tes points de repère ?

— Vous parlez comme si c'était une catastrophe mondiale !

— Ce sera peut-être une catastrophe émotive. L'image que tu as de ta mère changera et qui peut dire si ce sera en mieux ? On n'est pas toujours très beaux quand on se connaît vraiment, quand on va au plus profond de soi. La guerre et la tourmente sont aussi des traits humains.

— J'ai besoin de savoir qui était cet homme.

— Alors, j'irai avec toi. Je pense que je peux tenir le rôle de Jeanne. C'est ce que tu avais en tête, non ?

Lorraine sourit. Elle saurait enfin! Les deux femmes reprirent leur marche et s'arrêtèrent devant le fleuve aux eaux d'un bleu vif.

— Et la France, c'était comment après la guerre?

Pour une fille élevée dans la ouate, c'était inimaginable.

À suivre…

Généalogie de la famille Savard

Julien SAVARD – Marie-Jeanne DESROSIERS
    Jules (1888 –1963) + Violette POTVIN (1892 –1974)
        4 garçons, 3 filles
    Albert (1889 –1962) + Rosemarie SÉNÉCAL (1893 – 1961)
        1 garçon, 3 filles
    Mathilde (1890 – 1970) + Louis POIRIER (1888 – 1965)
        2 garçons, 1 fille
    Lucien (1893 – 1966) + Antonine HÉBERT (1897 – 1980)
        4 garçons, 7 filles
    Aurélie (1894 – 1898)
    Edmond (1896 – 1960) + Ariane BRUNET (1898 – 1946)
        Aurélie (1922 –) + Richard BEAULIEU (1923 – 1994)
            Laurence (1950 – 1950)
            Laurent (1951 – 1991) + Hélène LAVALLÉE (1952 –)
                Mélanie (1972 – 1988)
            Gisèle (1952 – 1998) + André PETITCLERC (1951 –)
                Benjamin (1979 – 1998)
            Charles (1925 – 1990) + Aline CÔTÉ (1930 – 1995)
                1 garçon, 1 fille
            Roland (1926 – 1980) + Rita PÉLOQUIN (1928 – 1986)
                1 garçon
            Muriel (1936 – 1996) + Paul COURNOYER (1935 – 1984)
                2 garçons
    Adélaïde (1898 – 1920)

Remerciements

Je tiens à remercier toutes les personnes qui m'ont aidée à construire cette histoire : mon père Donatien, pour ses souvenirs ; mon frère Gilles, pour ses visites guidées des îles de Sorel ; François Gélinas et Jeanne Ethier pour m'avoir fait visiter leur manoir devenu décor de roman ; Paul A. Bélanger pour ses histoires sur la région et Olivar Gravel pour son aide précieuse avec son livre historique sur Saint-Joseph-de-Sorel et Tracy.

Je veux souligner les encouragements de mon lecteur privilégié, Daniel Guilbeault.

Marquis imprimeur inc.

Québec, Canada

2012